Gottfried von Straßburg
Tristan

Gottfried von Straßburg

Tristan

Nach dem Text von Friedrich Ranke
neu herausgegeben,
ins Neuhochdeutsche übersetzt,
mit einem Stellenkommentar
und einem Nachwort
von Rüdiger Krohn

Reclam

Gottfried von Straßburg

Tristan

Band 1: Text
Mittelhochdeutsch / Neuhochdeutsch
Verse 1–9982

Reclam

13. Auflage 2010

RECLAMS UNIVERSAL-BIBLIOTHEK Nr. 4471
© 1980, 1993 Philipp Reclam jun. GmbH & Co. KG, Stuttgart
Unveränderter Nachdruck der 6., durchgesehenen Auflage 1993
Satz: C. H. Beck, Nördlingen
Druck und Bindung: Reclam, Ditzingen.
Printed in Germany 2013
RECLAM, UNIVERSAL-BIBLIOTHEK und
RECLAMS UNIVERSAL-BIBLIOTHEK sind eingetragene Marken
der Philipp Reclam jun. GmbH & Co. KG, Stuttgart
ISBN 978-3-15-004471-1

www.reclam.de

Inhalt

Band 1

Band 3

Vorwort

Diese Arbeit ist allen verpflichtet, die sich um Gottfrieds »Tristan« bemüht haben, und sie soll denen helfen, die sich künftig mit dem Roman beschäftigen. Übersetzung, Kommentar und Nachwort können nicht mehr leisten als den Versuch, zugleich mit den Anregungen auch Materialien zu einem angemessenen Verständnis des Werkes zu liefern.

Die vorliegenden Bände gehen auf eine Arbeit zurück, die im Sommersemester 1979 von der Fakultät für Geistes- und Sozialwissenschaften an der Universität Fridericiana zu Karlsruhe als Habilitationsschrift angenommen und für diese Veröffentlichung noch einmal revidiert wurde.

Ein Unternehmen wie dieses ist auf kritische Kontrolle, auf Protest und Ermutigung von außerhalb angewiesen. In diesem Sinne möchte ich hier meinen Freunden und Kollegen danken, die mir bei der Beschäftigung mit der umfangreichen Materie durch ihre stete Aufgeschlossenheit und überdies mit Rat und Tat: mit Einwänden, Hinweisen und der Beschaffung von Literatur, beigestanden haben.

Insbesondere gilt mein Dank der gütigen, in zahllosen Gesprächen bewiesenen Hilfsbereitschaft von Peter F. Ganz (Oxford), der freundschaftlichen Teilnahme von Ingrid Kasten (Hamburg), dem förderlichen Widerspruch durch Ernst von Reusner (Regensburg) sowie der verständnisvollen Unterstützung durch Peter Wapnewski (Karlsruhe). Danken möchte ich schließlich auch Ingeborg Kast, die große Teile des schwierigen Manuskripts klaglos in eine korrekte Druckvorlage verwandelt hat.

Für den Kurs freilich, den diese Arbeit mit Hilfe von *der buoche stiure* nimmt, bin ich allein verantwortlich, und mir bleibt nur der vorsorgliche Hinweis auf John Lockes »Essay concerning Human Understanding« (1690): »All men are liable to error; and most men are, in many points, by passion or interest, under temptation to it.«   R. K.

Gottfried von Straßburg

Gedaehte mans ze guote niht,
von dem der werlde guot geschiht,
sô waere ez allez alse niht,
swaz guotes in der werlde geschiht.

Der guote man swaz der in guot   5
und niwan der werlt ze guote tuot,
swer daz iht anders wan in guot
vernemen wil, der missetuot.

Ich hoere es velschen harte vil,
daz man doch gerne haben wil: 10
dâ ist des lützelen ze vil,
dâ wil man, des man niene wil.

Ez zimet dem man ze lobene wol,
des er iedoch bedürfen sol,
und lâze ez ime gevallen wol,   15
die wîle ez ime gevallen sol.

Tiure unde wert ist mir der man,
der guot und übel betrahten kan,
der mich und iegelîchen man
nâch sînem werde erkennen kan.   20

Êre unde lop diu schepfent list,
dâ list ze lobe geschaffen ist:
swâ er mit lobe geblüemet ist,
dâ blüejet aller slahte list.

Rehte als daz dinc z'unruoche gât,   25
daz lobes noch êre niene hât,
als liebet daz, daz êre hât
und sînes lobes niht irre gât.

I. Prolog

Wollte man den nicht hochachten,
von dem der Welt Gutes widerfährt,
so wäre alles so viel wie nichts,
was Gutes in der Welt geleistet wird.

Wer das, was ein vortrefflicher Mann in bester Absicht   5
und nur zum Wohle der Welt tut,
anders als mit Wohlwollen
aufnimmt, der handelt unrecht.

Oft höre ich, wie eben das verunglimpft wird,
das man in Wahrheit doch gerne hätte: 10
einmal sind es zu viele Nichtigkeiten,
ein andermal will man, was man sonst geringschätzt.

Es gehört sich aber, das zu rühmen,
wessen man doch bedarf,
und man sollte es genießen,   15
solange es einem gefällt.

Lieb und teuer ist mir derjenige,
der Gut und Schlecht abzuwägen versteht,
der mich und jeden anderen
nach seinem Wert richtig beurteilen kann.   20

Hochachtung und Anerkennung fördern die Kunst,
wo Kunst zum Lobe taugt.
Wo sie mit Lobpreis verherrlicht wird,
da blüht sie in vielerlei Art.

So wie das Werk in Gleichgültigkeit absinkt,   25
das weder Anerkennung noch Ruhm erworben hat,
so gefällt dasjenige, das gepriesen wird
und dem Lob nicht versagt bleibt.

Ir ist sô vil, die des nu pflegent,
daz si daz guote z'übele wegent,   30
daz übel wider ze guote wegent:
die pflegent niht, si widerpflegent.

Cunst unde nâhe sehender sin
swie wol diu schînen under in,
geherberget nît zuo z'in,   35
er leschet kunst unde sin.

Hei tugent, wie smal sint dîne stege,
wie kumberlîch sint dîne wege!
die dîne stege, die dîne wege,
wol ime, der si wege unde stege!   40

Trîbe ich die zît vergebene hin,
sô zîtic ich ze lebene bin,
sône var ich in der werlt sus hin
niht sô gewerldet, alse ich bin.

Ich hân mir eine unmüezekeit   45
der werlt ze liebe vür geleit
und edelen herzen z'einer hage,
den herzen, den ich herze trage,
der werlde, in die mîn herze siht.
ine meine ir aller werlde niht   50
als die, von der ich hoere sagen,
diu keine swaere enmüge getragen
und niwan in vröuden welle sweben.
die lâze ouch got mit vröuden leben!
Der werlde und diseme lebene   55
enkumt mîn rede niht ebene.
ir leben und mînez zweient sich.
ein ander werlt die meine ich,
diu samet in eime herzen treit
ir süeze sûr, ir liebez leit,   60

Heute gibt es so viele,
die das Gute für schlecht, 30
das Minderwertige hingegen für gut halten.
Diese Leute helfen nicht, sie hindern vielmehr.

Künstlerische Fähigkeit und scharfer Verstand
harmonieren sehr gut miteinander.
Tritt aber noch Mißgunst hinzu, 35
erstickt sie Kunst wie Verstand.

Ach, Vollkommenheit! Die Stege zu dir sind schmal
und die Wege mühsam.
Wohl dem, der diese Wege und Stege
betritt und geht! 40

Wenn ich meine Zeit unnütz vertrödelte,
obwohl ich doch reif bin zum Leben,
dann wäre ich in dieser Welt ⌈bin.
nicht so sehr ein Teil der Gesellschaft, wie ich es tatsächlich

Ich habe mir eine Aufgabe vorgenommen – 45
zum Nutzen der Welt
und zur Freude edler Herzen,
jener Herzen, für die mein Herz schlägt,
und jener Welt, in die mein Herz blickt.
Ich spreche nicht von den gewöhnlichen Menschen – 50
wie etwa jenen, von denen ich höre, daß sie
kein Leid ertragen können
und immer nur in Freude leben wollen.
Gott möge ihnen das doch gewähren!
Zu solchen Menschen und zu dieser Lebensauffassung 55
paßt, was ich sagen will, nicht.
Ihre Lebensart und meine sind grundverschieden.
Von ganz anderen Menschen spreche ich,
die gleichzeitig in ihrem Herzen tragen:
Ihre süße Bitterkeit, ihr liebes Leid, 60

ir herzeliep, ir senede nôt,
ir liebez leben, ir leiden tôt,
ir lieben tôt, ir leidez leben.
dem lebene sî mîn leben ergeben,
der werlt wil ich gewerldet wesen,   65
mit ir verderben oder genesen.
ich bin mit ir biz her beliben
und hân mit ir die tage vertriben,
die mir ûf nâhe gêndem leben
lêre unde geleite solten geben: 70
der hân ich mîne unmüezekeit
ze kurzewîle vür geleit,
daz sî mit mînem maere
ir nâhe gênde swaere
ze halber senfte bringe,   75
ir nôt dâ mite geringe.
wan swer des iht vor ougen hât,
dâ mite der muot z'unmuoze gât,
daz entsorget sorgehaften muot,
daz ist ze herzesorgen guot.   80
ir aller volge diu ist dar an:
swâ sô der müezege man
mit senedem schaden sî überladen,
dâ mêre muoze seneden schaden.
bî senedem leide müezekeit,   85
dâ wahset iemer senede leit.
durch daz ist guot, swer herzeclage
und senede nôt ze herzen trage,
daz er mit allem ruoche
dem lîbe unmuoze suoche.   90
dâ mite sô müezeget der muot
und ist dem muote ein michel guot;
und gerâte ich niemer doch dar an,
daz iemer liebe gernde man
dekeine solhe unmuoze im neme,   95
diu reiner liebe missezeme:

ihre Herzensfreude und ihre Sehnsuchtsqual,
ihr glückliches Leben, ihren traurigen Tod,
ihren glücklichen Tod, ihr trauriges Leben.
Dieses Leben will auch ich leben,
unter solchen Menschen will auch ich Mensch sein,   65
mit ihnen zugrunde gehen oder aber selig werden.
An sie habe ich mich bisher gehalten
und mein Leben mit ihnen verbracht,
die mir in Not und Schmerz
belehrend und leitend helfen sollten.   70
All ihnen habe ich mein Werk
zur Unterhaltung vorgelegt,
damit sie mit meiner Erzählung
ihren Kummer, der ihnen nahegeht,
wenigstens halbwegs lindern   75
und so ihre Qual mindern mögen.
Denn wer etwas vor Augen hat,
womit seine Phantasie sich beschäftigt,
der erleichtert so sein sorgenschweres Gemüt.   79
Das hilft gut gegen Kummer, der aus dem Herzen kommt.
Alle stimmen darin überein:
Wenn ein Müßiggänger
von Liebeskummer überwältigt wird,
dann vertieft die Muße diesen Kummer noch.
Trifft Liebesnot auf Müßiggang,   85
so verschlimmert sie sich.
Darum ist es gut, wenn jeder, der Liebesqual
und Sehnsuchtsweh im Herzen fühlt,
mit Bedacht
für sich nach Ablenkung sucht.   90
Damit befreit er sein Herz,
und es tut ihm sehr wohl.
Jedoch würde ich niemals dazu raten,
daß jemals der, der auf Freude aus ist,
eine solche Zerstreuung erstreben sollte,   95
die der reinen Liebe schlecht anstünde.

ein senelîchez maere
daz trîbe ein senedaere
mit herzen und mit munde
und senfte sô die stunde.   100

Nû ist aber einer jehe ze vil,
der ich vil nâch gevolgen wil:
der senede muot sô der ie mê
mit seneden maeren umbe gê,
sô sîner swaere ie mêre sî.   105
der selben jehe der stüende ich bî,
wan ein dinc, daz mir widerstât:
swer inneclîche liebe hât,
doch ez im wê von herzen tuo,
daz herze stêt doch ie dar zuo.   110
der inneclîche minnen muot,
sô der in sîner senegluot
ie mêre und mêre brinnet,
sô er ie sêrer minnet.
diz leit ist liebes alse vol,   115
daz übel daz tuot sô herzewol,
daz es kein edele herze enbirt,
sît ez hie von geherzet wirt.
ich weiz ez wârez alse den tôt
und erkenne ez bî der selben nôt: 120
der edele senedaere
der minnet senediu maere.
von diu swer seneder maere ger,
der envar niht verrer danne her.
ich wil in wol bemaeren   125
von edelen senedaeren,
die reiner sene wol tâten schîn:
ein senedaere unde ein senedaerîn,
ein man ein wîp, ein wîp ein man,
Tristan Isolt, Isolt Tristan.   130

Eine Liebesgeschichte:
damit möge sich ein Liebender
mit Herz und Mund beschäftigen
und so die Zeit versüßen.   100

Nun hören wir aber viel zu häufig eine Ansicht,
der ich gewiß nicht zustimmen mag:
daß nämlich ein liebeskrankes Herz, je mehr
es mit Liebesgeschichten umgehe,
davon nur um so kränker werde.   105
Dieser Ansicht würde ich mich anschließen,
wenn mich nicht etwas daran störte:
Wer wirklich liebt,
selbst wenn es ihn sehr schmerzt,
der gibt doch auch immer sein Herz mit dran.   110
Wenn echte Liebe
in Sehnsuchtsschmerzen
mehr und mehr entbrennt,
dann liebt sie dadurch nur noch glühender.
Dieser Schmerz enthält so viel Freude,   115
dieser Kummer tut so innig wohl,
daß kein edles Herz darauf verzichten mag,
weil es dadurch erst seine Gesinnung erhält.
Ich weiß es todsicher
und aus eigener leidvoller Erfahrung: 120
Der vornehme Liebende
schätzt Liebesgeschichten.
Wer nun also nach einer solchen Erzählung sucht,
der braucht nicht weiter als bis hierher zu gehen.
Ich will ihm in rechter Weise berichten   125
von vornehmen Liebenden,
an denen sich vollkommene Leidenschaft bewies:
ein Liebender, eine Liebende,
ein Mann, eine Frau, eine Frau, ein Mann,
Tristan, Isolde, Isolde, Tristan.   130

Ich weiz wol, ir ist vil gewesen,
die von Tristande hânt gelesen;
und ist ir doch niht vil gewesen,
die von im rehte haben gelesen.

Tuon aber ich diu gelîche nuo   135
und schepfe mîniu wort dar zuo,
daz mir ir iegelîches sage
von disem maere missehage,
so wirbe ich anders, danne ich sol.
ich entuon es niht: sî sprâchen wol   140
und niwan ûz edelem muote
mir unde der werlt ze guote.
binamen si tâten ez in guot.
und swaz der man in guot getuot,
daz ist ouch guot und wol getân.   145
aber als ich gesprochen hân,
daz sî niht rehte haben gelesen,
daz ist, als ich iu sage, gewesen:
sine sprâchen in der rihte niht,
als Thômas von Britanje giht,   150
der âventiure meister was
und an britûnschen buochen las
aller der lanthêrren leben
und ez uns ze künde hât gegeben.
Als der von Tristande seit,   155
die rihte und die wârheit
begunde ich sêre suochen
in beider hande buochen
walschen und latînen
und begunde mich des pînen,   160
daz ich in sîner rihte
rihte dise tihte.
sus treip ich manege suoche,
unz ich an eime buoche
alle sîne jehe gelas,   165

Ich weiß wohl, daß es viele gab,
die schon von Tristan erzählt haben.
Es gab jedoch nicht viele,
die richtig von ihm erzählt haben mögen.

Wenn ich jetzt aber so täte   135
und meine Worte so setzte,
als ob mir ihrer aller Deutung
dieser Geschichte mißfiele,
dann handelte ich anders als ich sollte.
Ich tue es nicht. Sie haben gut erzählt,   140
aus durchaus edler Gesinnung,
mir und der Welt zum Besten.
Sie taten es wahrlich in guter Absicht,
und was man in guter Absicht tut,
das ist auch gut und gelungen.   145
Wenn ich aber gesagt habe,
daß sie nicht richtig erzählt haben,
dann hat das, wie ich betone, seine Richtigkeit:
sie haben nicht in der rechten Weise berichtet,
so wie es Thomas von Britanje tat,   150
der ein Meister der Erzählkunst war
und in bretonischen Büchern
das Leben aller Fürsten nachgelesen
und uns davon berichtet hat.
Aufgrund dessen, was er über Tristan erzählt,   155
begann ich, intensiv nach der richtigen Fassung
zu suchen,
und zwar in Büchern
sowohl romanischer als auch lateinischer Herkunft.
Und ich bemühte mich eifrig darum,   160
nach seinem korrekten Vorbild
diese Dichtung abzufassen.
So stellte ich umfangreiche Nachforschungen an,
bis ich in einem bestimmten Buche
seinen ganzen Bericht bestätigt fand,   165

wie dirre âventiure was.
waz aber mîn lesen dô waere
von disem senemaere,
daz lege ich mîner willekür
allen edelen herzen vür,   170
daz sî dâ mite unmüezic wesen.
ez ist in sêre guot gelesen.
guot? jâ, inneclîche guot.
ez liebet liebe und edelet muot,
ez staetet triuwe und tugendet leben,   175
ez kan wol lebene tugende geben;
wan swâ man hoeret oder list,
daz von sô reinen triuwen ist,
dâ liebent dem getriuwen man
triuwe und ander tugende van: 180
liebe, triuwe, staeter muot,
êre und ander manic guot,
daz geliebet niemer anderswâ
sô sêre noch sô wol sô dâ,
dâ man von herzeliebe saget   185
und herzeleit ûz liebe claget.
liebe ist ein alsô saelic dinc,
ein alsô saeleclîch gerinc,
daz nieman âne ir lêre
noch tugende hât noch êre.   190
sô manec wert leben, sô liebe vrumet,
sô vil sô tugende von ir kumet,
owê daz allez, daz der lebet,
nâch herzeliebe niene strebet,
daz ich sô lützel vinde der,   195
die lûterlîche herzeger
durch vriunt ze herzen wellen tragen
niwan durch daz vil arme clagen,
daz hie bî z'etelîcher zît
verborgen in dem herzen lît!   200
War umbe enlite ein edeler muot

wie sich die Geschichte zugetragen habe.
Was ich aber dort gelesen habe
von dieser Liebesgeschichte,
das will ich nun aus freien Stücken
allen vornehmen Menschen vorlegen,   170
damit sie sich daran erfreuen.
Es zu lesen, wird ihnen guttun.
Gut? Ja, überaus gut.
Es verschönt die Liebe und adelt das Herz,
macht Treue beständig und das Dasein wertvoll.   175
Es kann durchaus das Leben bereichern.
Wenn man nämlich hört oder liest
von so unverfälschter Treue,
dann gewinnt jeder treue Mann
die Treue und andere gute Eigenschaften lieb: 180
Liebe, Treue, Beständigkeit,
Ansehen und andere Werte.
Nirgend sonst werden sie
so teuer wie dort,
wo man von Liebesfreuden erzählt   185
und über Liebesschmerzen klagt.
Liebe ist so beglückend,
ein so beseligendes Bemühen,
daß niemand ohne ihre Anleitung
zu innerem Wert oder Prestige kommen kann.   190
So viel ehrenwertes Leben, das die Liebe bewirkt,
so viel Vollkommenheit, die durch sie entsteht –
o weh, daß nicht alle Menschen
nach der wahren Liebe streben,
daß ich nur so wenige finde,   195
die reinen Liebesschmerz
um des Geliebten willen ertragen wollen,
nur wegen des erbärmlichen Kummers,
der dabei bisweilen
im Herzen verborgen liegt.   200
Warum sollte vornehme Gesinnung

niht gerne ein übel durch tûsent guot,
durch manege vröude ein ungemach?
swem nie von liebe leit geschach,
dem geschach ouch liep von liebe nie.   205
liep unde leit diu wâren ie
an minnen ungescheiden.
man muoz mit disen beiden
êre unde lop erwerben
oder âne sî verderben.   210
von den diz senemaere seit,
und haeten die durch liebe leit,
durch herzewunne senedez clagen
in einem herzen niht getragen,
sone waere ir name und ir geschiht   215
sô manegem edelen herzen niht
ze saelden noch ze liebe komen.
uns ist noch hiute liep vernomen,
süeze und iemer niuwe
ir inneclîchiu triuwe   220
ir liep, ir leit, ir wunne, ir nôt;
al eine und sîn si lange tôt,
ir süezer name der lebet iedoch
und sol ir tôt der werlde noch
ze guote lange und iemer leben,   225
den triuwe gernden triuwe geben,
den êre gernden êre:
ir tôt muoz iemer mêre
uns lebenden leben und niuwe wesen;
wan swâ man noch hoeret lesen   230
ir triuwe, ir triuwen reinekeit,
ir herzeliep, ir herzeleit,

Deist aller edelen herzen brôt.
hie mite sô lebet ir beider tôt.
wir lesen ir leben, wir lesen ir tôt   235
und ist uns daz süeze alse brôt.

nicht bereitwillig für tausend Vorteile ein Übel,
für viel Freude ein wenig Kummer ertragen?
Wer nie um der Liebe willen gelitten hat,
der hat auch nie Glück durch sie erfahren.   205
Freude und Leid waren schon immer
mit dem Begriff der Liebe untrennbar verbunden.
Mit beiden zusammen muß man
Ansehen und Lob erringen
oder ohne sie zugrunde gehen.   210
Wenn die Helden dieser Liebesgeschichte
nicht Schmerz aus ihrer Liebe
und tiefen Kummer aus ihrem Glück
zugleich in ihren Herzen getragen hätten,
dann würde ihr Name und ihre Geschichte   215
sehr vielen vornehmen Menschen nicht
zum Trost und zur Erquickung dienen.
Heute noch ist es uns angenehm,
süß und immer wieder neu,
von ihrer unverrückbaren Treue zu hören,   220
von ihrer Liebe, ihrem Kummer, ihrem Glück, ihrem
Und wenn sie auch schon lange tot sind,   [Schmerz.
so lebt ihr lieblicher Name doch fort.
Ihr Tod aber soll der Welt
zum Nutzen noch lange weiterleben,   225
den Treuesuchenden Treue
und den Ehrsuchenden Ehre geben.
Ihr Tod soll auf ewig
uns Lebenden lebendig sein und immer wieder neu.
Denn dort, wo man noch erzählen hört   230
von ihrer Anhänglichkeit, der Reinheit ihrer Treue,
von dem Glück und der Bitternis ihrer Liebe:

Dort finden alle edlen Herzen Brot.
Hierdurch lebt ihrer beider Tod.
Wir lesen von ihrem Leben, wir lesen von ihrem Tod,   235
und es erscheint uns erquicklich wie Brot.

Ir leben, ir tôt sint unser brôt.
sus lebet ir leben, sus lebet ir tôt.
sus lebent si noch und sint doch tôt
und ist ir tôt der lebenden brôt.   240

Und swer nu ger, daz man im sage
ir leben, ir tôt, ir vröude, ir clage,
der biete herze und ôren her:
er vindet alle sîne ger.

Ihr Leben und ihr Tod sind unser Brot.
Also lebt ihr Leben, lebt weiter ihr Tod.
Also leben auch sie noch und sind doch tot,
und ihr Tod ist für die Lebenden Brot.   240

Und wer nun will, daß man ihm erzähle
von ihrem Leben, ihrem Tod, ihrer Freude, ihrem Schmerz,
der öffne Herz und Ohren;
hier findet er, was er sucht.

Ein hêrre in Parmenîe was,   245
der jâre ein kint, als ich ez las.
der was, als uns diu wârheit
an sîner âventiure seit,
wol an gebürte künege genôz,
an lande vürsten ebengrôz,   250
des lîbes schoene und wunneclîch,
getriuwe, küene, milte, rîch;
und den er vröude solte tragen,
den was der hêrre in sînen tagen
ein vröude berndiu sunne: 255
er was der werlde ein wunne,
der ritterschefte ein lêre,
sîner mâge ein êre,
sînes landes ein zuoversiht.
an ime brast al der tugende niht,   260
der hêrre haben solte,
wan daz er ze verre wolte
in sînes herzen luften sweben
und niwan nâch sînem willen leben.
daz ime ouch sît ze leide ergie,   265
wan leider diz ist und was ie,
ûfgêndiu jugent und vollez guot,
diu zwei diu vüerent übermuot.
vertragen, daz doch vil manic man
in michelem gewalte kan,   270
dar an gedâhte er selten.
übel mit übele gelten,
craft erzeigen wider craft:
dar zuo was er gedanchaft.

Nu enloufet ez die lenge niht,   275
der allez daz, daz ime geschiht,

II. Riwalin und Blanscheflur

In Parmenien lebte ein Herrscher,   245
noch jung an Jahren, wie ich las.
Der war, wie uns wahrheitsgemäß
seine Geschichte berichtet,
seiner Herkunft nach Königen ebenbürtig,
an Landbesitz Fürsten vergleichbar,   250
schön und herrlich von Gestalt,
zuverlässig, tapfer, freigebig und mächtig;
und allen, die er erfreuen sollte,
war dieser Herr zeit seines Lebens
eine freudespendende Sonne.   255
Er entzückte alle,
war der Ritterschaft ein gutes Beispiel;
seiner Verwandtschaft gereichte er zur Ehre
und gab seinem Lande Hoffnung.
Ihm fehlte keiner jener Vorzüge,   260
die ein Fürst haben sollte,
außer daß er zu sehr
den wechselnden Winden seines Herzens folgen
und nur nach seinem Belieben leben wollte.
Daraus erwuchs ihm später große Betrübnis,   265
denn betrüblicherweise ist und war es stets eine Tatsache,
daß aufblühende Jugend und Reichtum
zu Überheblichkeit führen.
Nachsicht zu üben, wie es doch viele Menschen
selbst mit großer Macht können,   270
kam ihm niemals in den Sinn.
Böses mit Bösem zu vergelten,
Gewalt gegen Gewalt zu setzen:
darauf war er bedacht.

Nun geht es aber auf die Dauer nicht an,   275
daß man alles, was einem widerfährt,

mit Karles lôte gelten wil.
weiz got, der man muoz harte vil
an disem borge übersehen
oder ime muoz dicke schade geschehen.   280
swer keinen schaden vertragen kan,
dâ wahsent dicke schaden an.
und ist ein veiclîcher site,
hie vâhet man den bern mite:
der richet einzele schaden,   285
unz er mit schaden wirt beladen.
ich waene, ouch ime alsam geschach,
wan er sich alse vil gerach,
biz er den schaden dar an genam.
daz aber er ie ze schaden kam,   290
daz enkam von archeite niht,
dâ von doch manegem schade geschiht.
ez kam von dem geleite
sîner kintheite.
daz er in sîner blüenden jugent   295
mit jugentlîcher hêrren tugent
wider sîn selbes saelden streit,
daz geschuof sîn spilndiu kintheit,
diu mit ir übermuote
in sînem herzen bluote.   300
er tete vil rehte als elliu kint,
diu selten vorbesihtic sint.
er nam vür sich niht sorgen war,
wan lebete und lebete und lebete êt dar.
dô sîn leben ze lebene vienc,   305
ûf alse der tagesterne gienc
und lachende in die werlde sach,
dô wânde er, des doch niene geschach,
daz er iemer alsô solte leben
und in der lebenden süeze sweben.   310
nein, sînes lebenes begin
der gie mit kurzem lebene hin;

mit dem strengen Maßstab Kaiser Karls heimzahlt.
Weiß Gott, der Mensch muß sehr viel
hinnehmen bei diesem Handel,
oder er nimmt zwangsläufig oft Schaden. 280
Wer keinen Schaden ertragen kann,
dem erwächst daraus weiterer Schaden.
Das ist eine unselige Regel,
mit der man auch einen Bären fängt:
Der nämlich rächt sich für jeden einzelnen Schlag, 285
bis er mit tödlichen Wunden übersät ist.
Ich glaube, auch ihm erging es so.
Er rächte sich so oft,
bis er selbst den Schaden davon hatte.
Daß er jedoch Schaden nahm, 290
das lag nicht an seiner Bosheit,
durch die doch viele andere zu Schaden kommen.
Es lag lediglich an dem Umstande
seiner Jugend.
Daß er in blühender Jugend 295
mit jugendlicher Kühnheit
gegen sein eigenes Lebensglück focht,
lag an seiner fröhlichen Unbedachtsamkeit,
die mit ihrem Überschwang
in seinem Inneren blühte. 300
Er handelte ganz wie alle Kinder,
die niemals vorbedacht sind.
Er verschloß seine Augen vor der Sorge
und lebte einfach dahin.
Als sein Leben richtig anfing, 305
als sein Morgenstern gerade aufging
und lachend auf die Welt blickte,
da glaubte er – was doch noch nie vorgekommen ist –,
daß er auf ewig so leben
und in der Süße des Lebens schwimmen könne. 310
Nein, der Beginn seines Lebens
war nur von kurzer Dauer.

diu morgenlîche sunne
sîner werltwunne,
dô diu von êrste spiln began,   315
dô viel sîn gaeher âbent an,
der ime vor was verborgen,
und laschte im sînen morgen.
Wie er aber genennet waere,
daz kündet uns diz maere.   320
sîn âventiure tuot es schîn:
sîn rehter name was Riwalîn,
sîn ânam was Canêlengres.
genuoge jehent und waenent des,
der selbe hêrre er waere   325
ein Lohnoisaere,
künec über daz lant ze Lohnois:
nu tuot uns aber Thômas gewis,
der ez an den âventiuren las,
daz er von Parmenîe was   330
und haete ein sunderez lant
von eines Britûnes hant
und solte dem sîn undertân:
der selbe hiez li duc Morgân.

Nu daz der hêrre Riwalîn   335
wol und nâch grôzen êren sîn
wol driu jâr ritter was gewesen
und haete wol hin heim gelesen
ganzlîche kunst ze ritterschaft,
ze urliuge volleclîche craft,   340
(er haete lant, liute unde guot)
weder ez dô nôt alde übermuot
geschüefe, des enweiz ich niht,
wan als sîn âventiure giht,
sô greif er Morgânen an   345
als einen schuldegen man.
er kam geriten in sîn lant

Als die Morgensonne
seiner Weltfreude
eben erst zu strahlen begann,
da brach sein plötzlicher Abend herein,   315
der ihm zuvor verborgen gewesen war,
und löschte seinen Morgen aus.
Wie sein Name war,
teilt uns diese Erzählung mit.
Seine Geschichte sagt es: 320
Er hieß Riwalin,
mit Zunamen Kanelengres.
Viele sagen und glauben,
dieser Herr sei
aus Lohnois   325
und König über dieses Land gewesen.
Jedoch versichert uns Thomas,
der es in den Quellen nachgelesen hat,
daß er aus Parmenien stammte
und ein zusätzliches Land   330
aus der Hand eines Bretonen erhalten hätte,
wofür er diesem Gefolgschaft schuldete.
Dieser Bretone hieß Herzog Morgan.

Nachdem nun Fürst Riwalin
erfolgreich und so, wie es seinem vornehmen Rang   335
etwa drei Jahre lang Ritter war   [entsprach,
und durchaus erworben hatte
die ganze Ritterkunst
und alles, was er zum Kriegführen brauchte
(er hatte Land, Gefolgsleute und Besitz)   340
– ob es durch Notwehr oder Übermut
geschah, das weiß ich nicht;
so jedenfalls erzählt die Geschichte –
da griff er Morgan an,
so als ob der ihm etwas angetan hätte.   345
Er überfiel sein Land

mit alsô creftiger hant,
daz er im mit gewalte
genuoge bürge valte;   350
die stete muosen sich ergeben
und loesen ir guot unde ir leben,
rehte alse liep als ez in was,
unz er zesamene gelas
gülte unde guotes die craft,   355
daz er sîne ritterschaft
sô starke gemêrte,
swar er mit her kêrte,
ez waeren bürge oder stete,
daz er vil sînes willen tete.   360
ouch nam er dicke schaden dar an:
er galt mit manegem biderben man,
wan Morgân was an sîner wer;
der bestuont in ofte mit her
und tete in dicke schadehaft;   365
wan ze urliuge und ze ritterschaft
hoeret verlust unde gewin:
hie mite sô gânt urliuge hin;
verliesen unde gewinnen
daz treit die criege hinnen.   370
ich waene, im Morgân alsam tete:
er valte im ouch bürge unde stete
und brach im underwîlen abe
sîne liute und sîne habe
und tete im, swaz er mohte,   375
daz doch niht vil entohte,
wan in tete iemer Riwalîn
mit grôzem schaden wider în
und treip des mit im also vil,
unz er in brâhte ûf daz zil,   380
daz er sich nihtes kunde erwern
noch sich niender trûte ernern
niwan in sînen vesten,

mit solcher Gewalt,
daß er ihm
viele Burgen schleifte.
Die Städte mußten sich ergeben   350
und Besitz und Leben auslösen,
so unlieb es ihnen auch war,
bis er aufgehäuft hatte
so viel Geld und Güter,
daß er sein Heer   355
so vermehren konnte,
daß, wohin auch immer er sich mit seinen Truppen wandte,
ob es nun Burgen waren oder Städte,
er seinen Willen überall durchsetzte.
Aber auch er erlitt schwere Verluste.   360
Er bezahlte mit vielen tapferen Männern,
denn Morgan wehrte sich,
stellte sich ihm oft mit seinem Heer entgegen
und fügte ihm schweren Schaden zu.
Denn zu Krieg und Ritterleben   365
gehören Verlieren und Gewinnen.
Auf solche Weise verlaufen Kriege.
Verlust und Gewinn
verlängern die Streitigkeiten.
Ich vermute, Morgan tat dasselbe;   370
er schleifte ihm ebenfalls Burgen und Städte,
beraubte ihn bisweilen
seiner Leute und Güter
und schadete ihm, so sehr er nur konnte.   375
Jedoch nützte das nicht viel,
denn immer wieder umzingelte Riwalin
ihn und schwächte ihn sehr
und tat dies so lange,
bis er ihn schließlich so weit hatte,
daß er sich nicht mehr wehren konnte   380
und nirgendwohin zu fliehen wagte
als in seine

den sterkesten und den besten.
die selben besaz Riwalîn   385
und gab ûz voller hant dar în
bataljen unde strîten.
er tete in z'allen zîten
strackes rehte unz in diu tor.
ouch haete er dicke dâ vor   390
turneie und rîche ritterschaft.
alsus lag er im obe mit craft
und herete in in dem lande
mit roube und mit brande,
biz sich Morgân ze tage dô bôt   395
und daz erwarp mit aller nôt,
daz ez getaget wart under in zwein
und ein jâr vride getragen in ein,
und wart der von in beiden
mit bürgen und mit eiden   400
gestaetet, alse er solte sîn.
hie mite sô kêrte Riwalîn
mit den sînen heim rîch unde vrô.
ûz milter hant lônde er in dô   405
und machte si alle rîche.
er lie sî vrôlîche
und wol nâch sînen êren
wider z'ir heimüete kêren.

Nu daz Canêle alsus gelanc,
nu was dar nâch vil harte unlanc,   410
unz daz er aber einer vart
durch banekîe in eine wart
und er sich aber ûz reite
mit grôzer rîcheite,   415
alsô der êrengire tuot.
al daz geraete und al daz guot,
des er bedürfen wolte
und ein jâr haben solte,

stärksten und besten Burgen.
Diese belagerte Riwalin   385
und lieferte ihm zahlreiche
Scharmützel und Kämpfe.
Immer schlug er ihn
schnell bis hinter die Stadttore zurück,
vor denen er häufig   390
Turniere und prächtige Ritterspiele abhielt.
So besiegte er ihn mit Heeresmacht
und verwüstete ihm das Land
mit Rauben und Brennen,
bis Morgan zu Verhandlungen bereit war   395
und mit knapper Not erreichte,
daß eine Waffenruhe
und ein Jahr Frieden vereinbart wurden,
und der wurde von ihnen beiden
mit Geiseln und Schwüren   400
bekräftigt, wie es üblich war.
Danach kehrte Riwalin
mit seinem Gefolge stolz und froh heim.
Freigebig entlohnte er sie dann
und machte sie alle reich.   405
Er ließ sie zufrieden
– ganz wie es seiner hohen Stellung entsprach –
wieder in ihre Heimat zurückkehren.

Nachdem nun Kanel so erfolgreich gewesen war,
dauerte es nicht lange,   410
bis er wieder eine Fahrt
unternahm – diesmal zum Vergnügen.
Und er rüstete sich
mit großer Pracht aus,
wie es einer tut, der auf Ehre aus ist.   415
Alle Ausrüstungsgegenstände und Dinge,
die er benötigen
und während eines Jahres brauchen sollte,

daz wart im an ein schif getragen.
er haete vil gehoeret sagen,   420
wie höfsch und wie êrbaere
der junge künic waere
von Curnewâle Marke,
des êre wuohs dô starke:
der haete dô ze sîner hant   425
Curnewal und Engelant.
Curnwal was aber sîn erbe dô.
umbe Engelanden stuond ez sô:
daz haete er sît des mâles,
daz die Sahsen von Gâles   430
die Britûne dâ vertriben
und sî dâ hêrren beliben,
von den ez ouch den namen verliez
daz lant, daz ê Britanje hiez,
und wart ouch iesâ dô genant   435
nâch den von Gâles Engelant.
dô die daz lant besâzen
und ez under sich gemâzen,
dô wolten si alle künegelîn
und hêrren von in selben sîn: 440
diz wart ir aller ungewin.
sus begunden sî sich under in
slahen unde morden starke
und bevulhen ouch dô Marke
sich und daz lant in sîne pflege: 445
sît her diende ez im alle wege
sô sêre und sô vorhtlîche,
daz nie kein künicrîche
eim künege mê gediende baz.
ouch saget diu istôrje von im daz,   450
daz allen den bîlanden,
diu sînen namen erkanden,
kein künec sô werder was als er.
dâ hin was Riwalînes ger.

wurden ihm an Bord seines Schiffes gebracht.
Er hatte viel gehört,   420
wie fein und vornehm
der junge König
von Cornwall, Marke, sei,
dessen Ansehen immer größer wurde
und der in seinen Händen   425
die Länder Cornwall und England vereinte.
Cornwall war sein Erbland.
Mit England verhielt es sich so:
Er besaß es,
seit die Sachsen aus Wales   430
die Briten vertrieben hatten
und dort als die Herren geblieben waren,
von denen es auch seinen Namen erhielt.
Das Land, das zuvor Britannien hieß,
wurde alsbald   435
nach den Männern aus Wales England genannt.
Als sie das Land in Besitz genommen hatten
und es unter sich aufteilten,
da wollten sie alle kleine Könige
und ihr eigener Herr sein.   440
Das wurde ihnen allen zum Verhängnis.
Sie begannen nämlich,
sich gegenseitig zu bekriegen und umzubringen
und vertrauten schließlich
sich und ihr Land der Obhut Markes an.   445
Seither diente das Land ihm immer
so aufrichtig und ergeben,
daß kein Königreich je
einem König besser gedient hat.
Auch sagt die Geschichte von ihm,   450
daß in allen Nachbarländern,
die seinen Ruf kannten,
kein König so hochgeachtet war wie er.
Dorthin wollte Riwalin.

aldâ dâhte er belîben,   455
ein jâr mit ime vertrîben
und von im werden tugenthaft
und lernen niuwan ritterschaft
und ebenen sîne site baz.
sîn edelez herze seite im daz: 460
erkante er vremeder lande site,
dâ bezzert er die sîne mite
und würde selbe erkant dervan.
Mit disen sinnen huob er an:
er bevalch sîn liut und sîn lant   465
an sînes marschalkes hant,
eines hêrren von dem lande,
an dem er triuwe erkande,
der hiez Rûal li foitenant.
sus kêrte Riwalîn zehant   470
mit zwelf gesellen über sê.
er bedorfte dô dekeines me,
er haete her hie mite genuoc.
nu sich diu zît alsô getruoc,
daz er ze Curnewâle kam   475
und ûf dem mer aldâ vernam,
daz Marke der maere
ze Tintajêle waere,
dâ kêrte er sîne reise hin.
dâ stiez er ûz, dâ vand er in   480
und wart des inneclîche vrô.
sich und die sîne cleite er dô
rîlîche und alse im wol gezam.
nu daz er dô ze hove kam,
Marke der tugende rîche   485
der enpfienc in tugentlîche
und mit im al die sîne.
man bôt dâ Riwalîne
den anpfanc und die êre,
daz ez ime dâ vor nie mêre   490

Dort gedachte er zu bleiben,   455
ein Jahr lang mit ihm zu verbringen,
sich bei ihm zu vervollkommnen,
nichts als ritterliche Waffenübungen zu erlernen
und seine Sitten zu verfeinern.
Seine vornehme Gesinnung sagte ihm,   460
daß, wenn er fremde Sitten kennenlerne,
die seinen sich dadurch verbesserten
und er selbst auf diese Weise berühmt würde.
Mit dieser Absicht brach er auf.
Sein Land und seine Leute vertraute er   465
der Obhut seines Marschalls an,
eines Herrn aus seinem Lande,
dessen Treue er kannte.
Er hieß Rual li Foitenant.
Dann reiste Riwalin alsbald   470
mit zwölf Gefährten über das Meer.
Er brauchte nicht mehr;
mit ihnen hatte er genug Gefolge.
Als es sich nun ergab,
daß er nach Cornwall kam   475
und dort – noch auf See – erfuhr,
daß der vielgerühmte Marke
in Tintajol sei,
reiste er dorthin.
Er landete dort, fand ihn   480
und war darüber hocherfreut.
Da kleidete er sich und die Seinen
kostbar, wie es ihm zukam.
Als er bei Hofe eintraf,
empfing ihn der feingesittete Marke   485
mit allen Ehren
und mit ihm die Seinen.
Man bereitete dort Riwalin
einen feierlichen Empfang mit solchen Ehrenbezeigungen,
wie sie ihm noch nie zuvor   490

ze keinen zîten anderswâ
sô werde erboten wart sô dâ.
hie spilten sîne gedanke mite;
diz liebete ime den hovesite.
er dâhte dicke wider sich: 495
»binamen got selbe der hât mich
ze diseme lantgesinde brâht!
mîn saelde hât mich wol bedâht:
swaz ich von Markes tugenden ie
gehôrte sagen, deist allez hie.   500
sîn leben daz ist höfsch unde guot.«
sus seite er Marke sînen muot,
war umbe er komen waere.
nu Marke sîniu maere
und sînen muot haete vernomen,   505
er sprach: »got und mir willekomen!
lîp unde guot und swaz ich hân,
daz sol z'iuwerem gebote stân.«

Canêlengres der was dâ wol
des hoves, der hof der was sîn vol.   510
arme unde rîche haeten in
liep unde werden under in
und enwart nie gast geminnet baz.
ouch kunde er wol geschulden daz:
der tugenthafte Riwalîn   515
der was und kunde wol gesîn
mit lîbe und mit guote,
mit geselleclîchem muote
z'ir aller dienste gereit.
also lebete er in der werdekeit   520
und in der rehten güete,
die er in sîn gemüete
mit tegelîchen tugenden nam,
unz Markes hôhgezît dô kam.
die hôhzît haete Marke   525

irgendwann anderswo
so herrlich entboten worden waren.
Das bereitete ihm großes Vergnügen;
es nahm ihn für die Sitte bei Hofe ein.
Oft dachte er: 495
»Wahrlich, Gott selbst hat mich
zu diesem Volk gebracht.
Mein Geschick meint es gut mit mir.
Was auch immer ich je von Markes Vorzügen
sagen gehört habe – alles finde ich bestätigt.   500
Er lebt vornehm und glänzend.«
Und so erzählte er Marke,
warum er gekommen sei.
Als nun Marke seine Erzählung
und seine Absicht vernommen hatte,   505
sagte er: »Seid mir willkommen, im Namen Gottes!
Mein Leben und alles, was ich besitze,
soll zu Eurer Verfügung stehen.«

Kanelengres fühlte sich wohl
bei Hofe, und der Hof war voll des Lobes über ihn.   510
Arm und reich
liebten und schätzten ihn;
niemals war ein Gast beliebter.
Er verdiente es aber auch.
Der vortreffliche Riwalin   515
verstand es sehr gut,
mit Leib und Gut
freundschaftlich
ihnen allen zu dienen.
So lebte er in hohem Ansehen   520
und in wahrer Vollkommenheit,
die er sich
mit täglich neuen Vorzügen aneignete,
bis Markes Fest herankam.
Dieses Fest hatte Marke   525

besetzet alsô starke
sô mit gebote sô mit bete:
swenne er in sînen boten tete,
sô kam diu ritterschaft zehant
von dem künicrîche z'Engelant   530
in dem jâre z'einem mâle
gevarn ze Curnewâle.
die selben brâhten mit in dar
mange süeze vrouwîne schar
und ander manege schônheit.   535
Nu was diu hôhgezît geleit,
benennet unde besprochen
die blüenden vier wochen,
sô der vil süeze meie în gât
unz an daz, dâ er ende hât,   540
bî Tintajêl sô nâhen,
daz sî sich undersâhen,
in die schoenesten ouwe,
die keines ougen schouwe
ie überlûhte ê oder sît.   545
diu senfte süeze sumerzît
diu haete ir süeze unmüezekeit
mit süezem vlîze an sî geleit.
diu cleinen waltvogelîn,
diu des ôren vröude sulen sîn;   550
bluomen, gras, loup unde bluot
und swaz dem ougen sanfte tuot
und edeliu herze ervröuwen sol,
des was diu sumerouwe vol:
man vant dâ, swaz man wolte,   555
daz der meie bringen solte:
den schate bî der sunnen,
die linden bî dem brunnen,
die senften, linden winde,
die Markes ingesinde   560
sîn wesen engegene macheten.

anberaumt
durch Befehle sowie durch Bitten.
Wenn er ihnen seine Botschaft sandte,
kamen sogleich die Ritter
aus dem Königreiche England   530
einmal im Jahr
nach Cornwall.
Sie wurden begleitet
von vielen schönen Damen
und brachten viele andere Herrlichkeiten mit.   535
Nun wurde das Fest angesetzt,
bestimmt und anberaumt,
auf die vier blühenden Wochen
vom Einzug des lieblichen Mai
bis zu seinem Ende,   540
so nahe bei Tintajol,
daß sie sich gegenseitig sehen konnten
auf der schönsten Aue,
die je ein Auge
vorher oder danach erblickt hat.   545
Der liebliche Sommer
hatte mit anmutigem Eifer
seine Mühe auf sie verwandt.
Kleine Waldvögel,
die das Ohr entzücken sollen,   550
Blumen, Gräser, Laub und Blüten
und was die Augen ergötzt
sowie vornehme Herzen erfreut –
von alldem war diese Sommeraue voll.
Man fand dort alles, wovon man sich wünschte,   555
daß der Mai es bringen möge.
Sonnenschein und Schatten,
Linden am Brunnen,
liebliche laue Winde,
die Markes Gefolge   560
nach ihrer Art entgegenwehten.

die liehten bluomen lacheten
ûz dem betouwetem grase.
des meien vriunt, der grüene wase
der haete ûz bluomen ane geleit   565
sô wunneclîchiu sumercleit,
daz sî den lieben gesten
in ir ougen widerglesten.
diu süeze boumbluot sach den man
sô rehte suoze lachende an,   570
daz sich daz herze und al der muot
wider an die lachende bluot
mit spilnden ougen machete
und ir allez widerlachete.
daz senfte vogelgedoene,   575
daz süeze, daz schoene,
daz ôren unde muote
vil dicke kumet ze guote,
daz vulte dâ berge unde tal.
diu saelege nahtegal,   580
daz liebe süeze vogelîn,
daz iemer süeze müeze sîn,
daz kallete ûz der blüete
mit solher übermüete,
daz dâ manc edele herze van   585
vröude unde hôhen muot gewan.

Dâ haete diu geselleschaft
vrô unde sêre vröudehaft
gehüet ûf daz grüene gras,
alse iegelîches wille was.   590
dâ nâch alse iegelîches ger
ze vröuden stuont, dâ nâch lag er:
die rîchen lâgen rîche,
die höfschen hovelîche;
dise lâgen under sîden dâ,   595
jene under bluomen anderswâ;

Die leuchtenden Blumen lachten
aus dem betauten Gras.
Der grüne Rasen, der Gefährte des Mai,
hatte aus Blumen   565
ein herrliches Sommergewand angelegt,
das sich den erfreuten Gästen
in den Augen widerspiegelte.
Die liebliche Baumblüte lachte jeden
so lieblich an,   570
daß Herz und Sinn
sich der lachenden Blütenpracht
mit vergnügten Augen widmeten
und stets ihr Lachen erwiderten.
Der zarte Vogelsang,   575
der liebliche und hübsche,
der Ohren und Gemüt
so guttut,
erfüllte Berg und Tal.
Die beglückende Nachtigall,   580
das liebliche, süße Vögelchen,
dessen Liebreiz ewig währen möge,
sang aus all den Blüten
mit solcher Ausgelassenheit,
daß viele vornehme Herzen dadurch   585
Freude und Hochstimmung erfuhren.

Da hatte die Gesellschaft
vergnügt und voller Freude
auf dem grünen Gras Hütten aufgeschlagen,
jeder so wie er wollte.   590
Und so wie ein jeder
nach Vergnügen strebte, so lag er:
Die Herren lagen herrlich,
die Leute vom Hof auf höfische Weise;
diese lagen unter Seide,   595
jene unter Blüten;

diu linde was genuoger dach;
genuoge man gehütet sach
mit loupgrüenen esten.
von gesinde noch von gesten   600
wart geherberget nie
sô wunneclîchen alse hie.
ouch vant man dâ rât über rât,
als man ze hôhgezîten hât,
an spîse und edeler waete,   605
des iegelîcher haete
ze wunsche sich gewarnet dar.
dar zuo sô nam ir Marke war
sô grôze und alsô rîche,
daz si alle rîlîche   610
lebeten unde wâren vrô.
sus huob diu hôhgezît sich dô.
und swes der gerne sehende man
ze sehene guoten muot gewan,
daz lie diu state dâ wol geschehen;   615
man sach dâ, swaz man wolte sehen:
dise vuoren sehen vrouwen,
jene ander tanzen schouwen;
dise sâhen bûhurdieren,
jene ander justieren.   620
swâ zuo den man sîn wille truoc,
des alles vand er dâ genuoc.
wan alle, die dâ wâren
von vröudebaeren jâren,
die vlizzen sich inwiderstrît   625
ze vröuden an der hôhgezît.
Und Marke der guote,
der höfsche hôhgemuote
âne ander vrouwen schônheit,
die er haete an sînen rinc geleit,   630
sô haete er doch besunder
ein sunderlîchez wunder,

vielen bot die Linde ein Dach,
viele sah man in Hütten
aus grünbelaubten Ästen.   599
Weder die Angehörigen des Hofes noch auch die Gäste
waren jemals
so herrlich wie hier untergebracht worden.
Zudem hatte man,
wie das bei Festen üblich war,
einen Überfluß an Speisen und Gewändern,   605
mit denen sich jeder
aufs beste versehen hatte.
Darüber hinaus sorgte Marke für sie
so verschwenderisch und prächtig,
daß sie alle herrlich   610
lebten und sich vergnügten.
So begann das Fest.
Wer schaulustig war
und etwas zu sehen Lust verspürte,
der fand hier reichlich Gelegenheit.   615
Man konnte sehen, was man sehen wollte.
Die einen gingen, um Damen anzusehen,
die anderen, um beim Tanzen zuzuschauen.
Diese sahen beim großen Kampfspiel zu,
jene beim Zweikampf.   620
Was auch immer man wollte,
fand man dort in Fülle.
Denn alle, die dort waren
in der Blüte ihrer Jahre,
wetteiferten   625
bei dem Fest um größtmögliches Vergnügen.
Und der edle Marke,
der vornehme und hochgesinnte, hatte,
abgesehen von der Schönheit jener Damen,
mit denen er sich umgeben hatte,   630
bei sich vor allem
ein ganz besonderes Wunder an Schönheit:

Blanscheflûr sîne swester dâ:
ein maget, daz dâ noch anderswâ
schoener wîp nie wart gesehen.   635
wir hoeren von ir schoene jehen,
sine gesaehe nie kein lebende man
mit inneclîchen ougen an,
ern minnete dâ nâch iemer mê
wîp und tugende baz dan ê.   640

Diu saelige ougenweide
diu machete ûf der heide
vil manegen man vrech unde vruot,
manec edele herze hôhgemuot.
dar zuo was in der ouwe   645
manec ander schoeniu vrouwe,
der iegelîchiu mohte sîn
von schoene ein rîchiu künigîn,
die muot und vröude ouch bâren
den allen, die dâ wâren,   650
und macheten manic herze vrô.
hie mite huob sich der bûhurt dô
von gesinde und ouch von gesten:
die werdesten und die besten,
die riten dâ zuo wâ unde wâ.   655
ouch was der werde Marke dâ
und sîn geselle Riwalîn
âne ander ingesinde sîn,
die sich ouch gevlizzen haeten,
wie sîz dâ sô getaeten,   660
daz ez dâ sagebaere
und wol ze lobene waere.
man sach dâ zuo dem mâle
von pfelle und von zendâle
manc ors bedact ze vlîze,   665
manege decke snêwîze,
gel, brûn, rôt, grüene unde blâ;

Blanscheflur, seine Schwester,
ein Mädchen, wie man anderswo
noch kein schöneres gesehen hatte.   635
Von ihrer Schönheit hören wir,
daß kein Mann
sie andächtig angeschaut hätte,
ohne danach auf ewig   639
Frauen und Vollkommenheit höher zu schätzen als zuvor.

Diese beglückende Augenweide
machte auf der Heide dort
manchen Mann keck und munter
und erfüllte manches vornehme Herz mit Freude.
Außerdem waren auf der Aue   645
viele andere schöne Damen,
von denen eine jede
an Schönheit eine mächtige Königin hätte sein können.
Auch sie brachten Lust und Vergnügen
all jenen, die da waren,   650
und erfreuten manches Herz.
Indessen begann das Kampfspiel
mit den Angehörigen des Hofes und auch den Gästen.
Die Vornehmsten und Besten
ritten dazu aus allen Richtungen herbei.   655
Auch war da der edle Marke
und sein Standesgefährte Riwalin,
ohne die übrigen Gefolgsleute zu nennen,
die sich ebenfalls bemühten,
Taten zu vollbringen,   660
über die man reden
und die man rühmlich finden würde.
Man sah dort versammelt
viele mit Brokat- und Seidenstoffen
üppig behängte Pferde.   665
Manche Decken waren schneeweiß,
gelb, violett, rot, grün und blau.

sô sach man ander anderswâ
von edeler sîden wol gebriten,
jene ander manege wîs zesniten,   670
gevêhet und geparrieret,
sus und sô gefeitieret.
diu ritterschaft diu vuorte cleit
mit wunderlîcher rîcheit
zersniten und zerhouwen.   675
ouch lie der sumer wol schouwen,
daz er dâ mit Marke wolte sîn:
manec wunneclîch schapelekîn
von bluomen sach man an der schar,
diu er im ze stiure brâhte dar.   680

In dirre süezen sumercraft
huop sich ein süeziu ritterschaft.
diu schar sich dâ dicke underwar.
si zogeten sich her unde dar
und triben des vil und sô genuoc,   685
biz sich der bûhurt dô getruoc,
dâ Blanscheflûr diu werde,
ein wunder ûf der erde,
und manc ander schoeniu vrouwe
sâzen an ir schouwe.   690
wan dise die riten sô rîche,
sô rehte keiserlîche,
daz ez manic ouge gerne sach.
swaz aber von ieman dâ geschach,
sô was der höfsche Riwalîn   695
und muose ez ouch binamen sîn,
der ez des tages und an der stete
ze wunsche vor in allen tete.
ouch nâmen sîn die vrouwen war
und jâhen des, daz in der schar   700
nieman nâch ritterlîchem site
alsô behendeclîchen rite,

Anderswo sah man andere, die
aus feinster Seide gewirkt
und auf vielfältige Weise ausgeschnitten,   670
gefärbt und zusammengesetzt
und unterschiedlich hergerichtet waren.
Die Ritter trugen Gewänder,
die mit wundervoller Pracht
zugeschnitten und geschlitzt waren.   675
Auch zeigte der Sommer,
daß er auf Markes Seite sei:
Viele herrliche Blumenkränze
sah man in der Schar,
die er dem Könige als Tribut darbrachte.   680

In dieser herrlichen Sommerstimmung
begannen die prächtigen Ritterspiele.
Die Scharen vermischten sich im Kampf,
sie trieben sich gegenseitig hin und her
und taten dies so lange und oft,   685
bis sich der Kampfplatz dorthin verlagerte,
wo die vornehme Blanscheflur,
dieses Wunder auf Erden,
und viele andere schöne Damen
saßen und zuschauten.   690
Denn die Streiter ritten so prächtig,
mit so wahrhaft kaiserlichem Glanz,
daß viele Augen es entzückt betrachteten.
Was auch immer irgendeiner von ihnen dort leistete:
Es war der strahlende Riwalin   695
– und daran ist wahrlich kein Zweifel –,
der damals und dort
alle anderen weit übertraf.
Auch die Damen bemerkten ihn
und sagten, daß in der ganzen Schar   700
niemand nach ritterlichem Brauch
so gewandt kämpfe,

und lobeten elliu sîniu dinc.
»seht« sprâchen sî »der jungelinc
der ist ein saeliger man: 705
wie saeleclîche stêt im an
allez daz, daz er begât!
wie gâr sîn lîp ze wunsche stât!
wie gânt im sô gelîche in ein
diu sîniu keiserlîchen bein!   710
wie rehte sîn schilt z'aller zît
an sîner stat gelîmet lît!
wie zimet der schaft in sîner hant!
wie wol stât allez sîn gewant!
wie stât sîn houbet und sîn hâr!   715
wie süeze ist aller sîn gebâr!
wie saeleclîche stât sîn lîp!
ô wol si saeligez wîp,
der vröude an ime belîben sol!«
nu marcte ir aller maere wol   720
Blanscheflûr diu guote,
wan sî in ouch in ir muote,
swaz ir dekeiniu taete,
ze hôhem werde haete.
sî haete in in ir muot genomen,   725
er was ir in ir herze komen;
er truoc gewalteclîche
in ir herzen künicrîche
den cepter und die crône:
daz sî doch alsô schône   730
und alsô tougenlîchen hal,
daz sî'z in allen vor verstal.

Nu daz der bûhurt dô zergie
und sich diu ritterschaft zerlie
und iegelîcher kêrte,   735
dar in sîn muot gelêrte,
dô kam ez von âventiure alsô,

und alle priesen seine Taten.
»Seht«, sprachen sie, »der Jüngling dort
ist ein begnadeter Mann. 705
Wie herrlich steht ihm
alles, was er tut.
Und wie hübsch er ist!
Wie ebenmäßig ihm gewachsen sind
seine stattlichen Gliedmaßen! 710
Wie fest ihm sein Schild stets
am rechten Ort angegossen scheint!
Wie sich der Speer in seine Hand schmiegt!
Wie gut ihm seine Kleider passen!
Wie er sein Haupt und seine Haare trägt! 715
Wie schön er sich bewegt!
Was für ein beglückendes Bild!
Oh, beglückt ist die Frau,
die sich an ihm erfreuen wird!«
Das alles hörte auch 720
die edle Blanscheflur,
die ihn auch in ihrem Herzen
– ganz gleich, was die übrigen tun mochten –
sehr hoch schätzte.
Er hatte sie eingenommen 725
und ihr Herz erobert.
Machtvoll trug er
im Königreich ihres Herzens
das Zepter und die Krone.
Sie jedoch verbarg das so gesittet 730
und so heimlich,
daß sie es vor allen geheimhielt.

Als nun das Kampfspiel vorüber war
und die Ritter sich zerstreut hatten
und jeder dorthin ging,
wohin er wollte, 735
da wollte es der Zufall,

daz Riwalîn gekêrte dô,
dâ Blanscheflûr diu schoene saz.
hie mite gesprancte er nâher baz   740
und als er under ir ougen sach,
vil minneclîche er zuo z'ir sprach:
»â, dê vus saut, bêle!«
»mercî!« dît la buzêle
und sprach vil schemelîche: 745
»hêrre got der rîche,
der elliu herze rîche tuot,
der rîche iu herze unde muot!
und iu sî grôze genigen,
und aber des rehtes unverzigen,   750
des ich an iuch ze redene hân.«
»ach süeze, waz hân ich getân?«
sprach aber der höfsche Riwalîn.
si sprach: »an einem vriunde mîn,
dem besten den ich ie gewan,   755
dâ habet ir mich beswaeret an.«
»ja hêrre« dâhte er wider sich
»waz maere ist diz? oder waz hân ich
begangen wider ir hulden?
waz gît sî mir ze schulden?«   760
und wânde, daz er eteswen
ir mâge, disen oder den,
unwizzende an der ritterschaft
gemachet haete schadehaft,
dâ von ir herze swaere   765
und ime erbolgen waere.
nein, der vriunt, des sî gewuoc,
daz was ir herze, in dem sî truoc
von sînen schulden ungemach,
daz was der vriunt, von dem sî sprach.   770
iedoch enweste er niht hie mite.
nâch sînem ellîchem site
sprach er vil minneclîche z'ir:

daß Riwalin sich dorthin wandte,
wo die schöne Blanscheflur saß.
Da sprengte er näher heran, 740
und als er ihr in die Augen sehen konnte,
sagte er sehr freundlich auf französisch zu ihr:
»Gott behüte Euch, meine Schöne!«
»Danke«, erwiderte das Mädchen
und sprach schüchtern: 745
»Gott, der Allmächtige,
der alle Herzen froh macht,
der möge Euch Herz und Sinn beglücken.
Zwar verneige ich mich dankend vor Euch,
verzichte aber nicht auf das Recht, 750
Euch wegen etwas zur Rede zu stellen.«
»Ach, liebes Fräulein, was habe ich verbrochen?«
sprach da der edle Riwalin.
Sie antwortete: »An einem, der mir nahesteht,
dem besten, den ich je fand, 755
habt Ihr mir Kummer bereitet.«
»O Gott«, dachte er bei sich,
»was heißt das? Was habe ich
ihr zuleide getan?
Was wirft sie mir vor?« 760
Und er glaubte, daß er irgend jemandem
aus ihrem Gefolge
unwissentlich bei dem Ritterspiel
Schaden zugefügt hätte
und daß ihr daher das Herz betrübt 765
und sie gegen ihn aufgebracht wäre.
Nein, der Freund, den sie erwähnte,
das war ihr Herz, das
um seinetwillen gelitten hatte.
Das war der Freund, von dem sie sprach. 770
Aber davon wußte er nichts.
Mit gewohnter Höflichkeit
sagte er freundlich:

»schoene, ine wil niht, daz ir mir
haz oder argen willen traget;   775
wan ist ez wâr, als ir mir saget,
sô rihtet selbe über mich:
swaz ir gebietet, daz tuon ich.«
diu süeze sprach: »durch dise geschiht
enhazze ich iuch ze sêre niht;   780
ine minne iuch ouch niht umbe daz.
ich wil iuch aber versuochen baz,
wie ir mir ze buoze wellet stân
umbe daz, daz ir mir habet getân.«
Sus neig er ir und wolte dan,   785
und sî diu schoene ersûfte in an
vil tougenlîchen unde sprach
ûz inneclîchem herzen: »ach,
vriunt lieber, got gesegen dich!«
dô alêrste huob ez sich   790
mit gedanken under in.
Canêlengres der kêrte hin
in maneger slahte trahte:
er trahte maneger slahte,
waz Blanschefliure swaere   795
und dirre maere waere.
ir gruoz, ir rede betrahte er gâr,
ir sûft, ir segen, al ir gebâr
daz marcte er al besunder
und begunde iedoch hier under   800
ir siuften unde ir süezen segen
ûf den wec der minne wegen:
er kam binamen an den wân,
diu zwei diu waeren getân
durch niht niwan durch minne.   805
daz enzunte ouch sîne sinne,
daz sî sâ wider vuoren
und nâmen Blanschefluoren
und vuorten sî mit in zehant

»Meine Schöne, ich will nicht, daß Ihr
mich ablehnt oder mir zürnt.
Wenn also stimmt, was Ihr mir vorwerft,
dann sprecht selbst das Urteil über mich.
Was Ihr befehlt, will ich tun.«
Die Schöne erwiderte: »Wegen dieses Vorfalls
grolle ich Euch zwar nicht übermäßig,
aber ich liebe Euch deswegen auch nicht.
Ich will Euch noch einmal genauer prüfen,
wie Ihr mir büßen wollt
für das, was Ihr mir angetan habt.«
Damit verbeugte er sich vor ihr und wollte fort.
Das schöne Mädchen jedoch seufzte ihn
ganz heimlich an und sprach
aus tiefstem Herzen: »Ach!
Lieber Freund, Gott segne dich!«
Da empfanden sie zum erstenmal
zärtliche Gedanken füreinander.
Kanelengres ritt fort
in tiefen Gedanken.
Er bedachte immer wieder,
was Blanscheflur bekümmere
und was diese Geschichte bedeute.
Ihre Begrüßung, ihre Worte bedachte er.
Ihr Seufzen, ihren Segen, ihr ganzes Verhalten
– das alles prüfte er genau,
und dabei begann er,
ihr Seufzen und ihren lieblichen Segen
im Sinne von Liebe zu deuten.
Tatsächlich kam er auf den Gedanken,
beide seien
ausschließlich aus Liebe geäußert worden.
Das entflammte ihn so,
daß er im Geiste wieder hinging,
Blanscheflur mitnahm
und sogleich

775

780

785

790

795

800

805

in Riwalînes herzen lant   810
und crônden sî dar inne
im z'einer küniginne.
jâ Blanscheflûr und Riwalîn,
der künec, diu süeze künigîn,
die teilten wol gelîche   815
ir herzen künicrîche:
daz ir wart Riwalîne,
dâ wider wart ir daz sîne;
und wiste iedoch dewederz niht
umbe des andern geschiht.   820
si haeten sich wol under in zwein
einmüeteclîche und rehte in ein
mit ir gedanken undernomen.
dâ was wol reht ze rehte komen:
sî lag ouch ime ze herzen   825
mit dem selben smerzen,
den sî von sînen schulden leit.
und wande er aber gewisheit
ir willen niene haete,
in welher wîs sî'z taete,   830
durch haz oder aber durch minne,
daz machete sîne sinne
in zwîvele wanken:
er wancte mit gedanken
wîlent abe und wîlent an.   835
iezuo wolt er benamen dan
und al zehant sô wolte er dar,
unz er sich alsô gâr verwar
in den stricken sîner trahte,
daz er dannen niene mahte.   840

Der gedanchafte Riwalîn
der tete wol an im selben schîn,
daz der minnende muot
rehte alse der vrîe vogel tuot,

in Riwalins Herzensreich führte   810
und sie dort
zu seiner Königin krönte.
Ja, Blanscheflur und Riwalin,
der König und die liebliche Königin,
teilten getreulich   815
das Königreich ihrer Herzen.
Das ihre gehörte Riwalin,
dafür gehörte ihr seines.
Und doch wußte keiner von ihnen,
wie es dem anderen erging.   820
Die beiden hatten sich
einmütig und übereinstimmend
in Gedanken verbunden.
Da war geschehen, was angemessen und rechtens war:
lag sie doch auch ihm im Herzen   825
mit demselben Herzweh,
das er ihr verursachte.
Weil er aber keine Gewißheit
über ihre Gefühle hatte,
wie sie es gemeint hatte,   830
ob in Liebe oder in Abneigung,
gerieten seine Gedanken
in arge Zweifel.
Seine Überlegungen schwankten
mal hin und mal her.   835
Jetzt wollte er wirklich fort
und gleich darauf wieder zurück,
bis er sich so verwickelte
in den Stricken seiner Grübelei,
daß er gar nicht mehr entkommen konnte.   840

Der gedankenverlorene Riwalin
bewies durch sein Beispiel,
daß der Verliebte
so wie ein freier Vogel handelt,

der durch die vrîheit, die er hât,   845
ûf daz gelîmde zwî gestât:
als er des lîmes danne entsebet
und er sich ûf ze vlühte hebet,
sô clebet er mit den vüezen an;
sus reget er vedern und wil dan;   850
dâ mite gerüeret er daz zwî
an keiner stat, swie kûme ez sî,
ez enbinde in unde mache in haft;
sô sleht er danne ûz aller craft
dar unde dar und aber dar,   855
unz er ze jungeste gar
sich selben vehtende übersiget
und gelîmet an dem zwîge liget.
rehte in der selben wîse tuot
der unbetwungene muot: 860
sô der in senede trahte kumet
und liebe an ime ir wunder vrumet
mit senelîcher swaere,
sô wil der senedaere
ze sîner vrîheite wider;   865
sô ziuhet in diu süeze nider
der gelîmeten minne.
dâ verwirret er sich inne
sô sêre, daz er sich von dan
noch sus noch sô verrihten kan.   870
als ergieng ez Riwalîne,
den ouch die trahte sîne
verwurren in der minne
sînes herzen küniginne.
in haete wol beworrenheit   875
in wunderlîch pârât geleit;
wan er enwiste, weder ir muot
wider in waere übel oder guot;
ern erkante dannoch diz noch daz,
weder ir minne noch ir haz.   880

der sich wegen der Freiheit, die er genießt,   845
auf die Leimrute niederläßt.
Wenn er den Leim dann bemerkt
und sich zur Flucht emporheben will,
klebt er unten mit den Füßen an.
Also schwingt er die Flügel und will fort.   850
Dabei kann er aber die Rute
an keiner Stelle (und sei es auch nur ein wenig) berühren,
ohne daß sie ihn fesselte und festhielte.
So flattert er denn mit aller Kraft
hierhin, dorthin und wieder hierhin,   855
bis er schließlich
kämpfend sich selbst besiegt
und festgeleimt auf der Rute liegt.
Genauso handelt ein Mensch,
dessen Sinne noch nicht von Liebe überwältigt sind: 860
Wenn sehnsüchtige Gedanken ihn ergreifen
und die Liebe an ihm ihr Wunder bewirkt
mit dem Schmerz der Leidenschaft,
dann will der Verliebte
wieder in die Freiheit zurück,   865
aber die Süße
der mit Leim bestrichenen Liebe zieht ihn nach unten.
Darin verstrickt er sich
so sehr, daß er sich
weder so noch so zu helfen weiß.   870
So erging es Riwalin,
den auch seine Überlegungen
in der Liebe
zu seiner Herzenskönigin verstrickten.
Seine Verwirrung hatte   875
ihn in sonderbare Selbsttäuschung versetzt,
denn er wußte nicht, ob Blanscheflur
ihm übel oder wohlgesinnt war.
Er erkannte nicht,
ob sie ihn liebte oder haßte.   880

ern sach noch trôst noch zwîvel an,
daz enliez ouch in noch dar noch dan.
trôst unde zwîvel vuorten in
unendeclîchen under in.
trôst seite im minne, zwîvel haz.   885
durch disen criec und umbe daz
sone mohte er sînen vesten wân
an ir dewederez verlân,
an haz noch ouch an minne.
sus swebeten sîne sinne   890
in einer ungewissen habe:
trôst truog in an und zwîvel abe.
ern vant niht staetes an in zwein.
sin gehullen sô noch sus inein:
sô zwîvel kam und seite im daz,   895
sîn Blanscheflûr waere ime gehaz,
sô wancte er und wolte dan.
zehant kam trôst und truog in an
ir minne und einen lieben wân:
sus muose er aber dâ bestân.   900
mit diseme criege enwiste er war:
ern mohte weder dan noch dar.
sô er ie sêrre dannen ranc,
sô minne ie vaster wider twanc.
sô er ie harter dannen vlôch,   905
sô minne ie vaster wider zôch.
sus treip ez minne mit im an,
biz doch der trôst den sige gewan
und er den zwîvel gâr vertreip
und Riwalin gewis beleip,   910
sîn Blanscheflûr diu minnet in:
des was sîn herze und al sîn sin
einbaerelîche an sî geleit,
daz nieman dô dâ wider streit.
Nu daz diu süeze minne   915
sîn herze und sîne sinne

Er empfand weder Zuversicht noch Zweifel
und konnte sich nicht für das eine oder andere entscheiden.
Trost und Zweifel rissen ihn
unentschlossen hin und her.
Der Trost sprach von Liebe, der Zweifel von Haß.   885
In diesem Widerstreit
konnte er sich
für keine Möglichkeit fest entscheiden,
weder für Abneigung noch für Zuneigung.
Auf diese Weise schwankten seine Gedanken   890
in einem unsicheren Hafen:
Trost zog ihn an, und Zweifel trieb ihn hinaus.
An beiden fand er keinen Halt;
sie stimmten weder so noch so überein.
Wenn der Zweifel ihn befiel und ihm sagte,   895
seine Blanscheflur hasse ihn,
dann schwankte er und wollte fort.
Sogleich aber kam der Trost und sprach
von ihrer Liebe und von süßer Hoffnung.
Dann wollte er bleiben.   900
Bei diesem Zwist wußte er nicht, wohin.
Er konnte weder gehen noch bleiben.
Je mehr er fortstrebte,
desto mächtiger hielt ihn die Liebe fest.
Je verzweifelter er zu fliehen suchte,   905
desto kräftiger zog die Liebe ihn zurück.
So spielte ihm die Liebe mit,
bis schließlich die Zuversicht obsiegte
und den Zweifel ganz vertrieb.
Riwalin war überzeugt,   910
daß seine Blanscheflur ihn liebte.
Sein Fühlen und Denken
richteten sich einmütig auf sie,
und nichts sprach mehr dagegen.
Als nun die Liebe   915
ihn ganz und gar

al nâch ir willen haete brâht,
dannoch was ime vil ungedâht,
daz herzeliebe waere
sô nâhe gênde ein swaere.   920
do er dô sîn âventiure
von sîner Blanschefliure
von ende her betrahtete
und allez sunder ahtete:
ir hâr, ir stirne, ir tinne,   925
ir wange, ir munt, ir kinne,
den vröuderîchen ôstertac,
der lachende in ir ougen lac,
dô kam diu rehte minne,
diu wâre viuraerinne   930
und stiez ir seneviuwer an,
daz viur, dâ von sîn herze enbran,
daz sînem lîbe sâ zestunt
schînbaerelîche tete kunt,
waz nâhe gêndiu swaere   935
und senediu sorge waere.
wan er greif in ein ander leben;
ein niuwe leben wart ime gegeben:
er verwandelte dâ mite
al sîne sinne und sîne site   940
und wart mitalle ein ander man;
wan allez daz, des er began,
daz was mit wunderlîchen siten
und mit blintheit undersniten.
sîne ane geborne sinne   945
die wâren von der minne
als wilde und alse unstaete,
als er s'erbeten haete.
sîn leben begunde swachen:
von rehtem herzen lachen,   950
des er dâ vor was wol gewon,
dâ zôch er sich mitalle von;

ihrem Willen unterworfen hatte,
wußte er doch nicht,
daß tiefe Liebe
ein so tiefer Schmerz ist.   920
Als er da über seine Begegnung
mit seiner Blanscheflur
nachträglich noch einmal gründlich nachdachte
und alles im einzelnen betrachtete:
ihr Haar, ihre Stirn, ihre Schläfe,   925
ihre Wange, ihren Mund, ihr Kinn,
den glücklichen Ostertag,
der in ihren Augen lachte,
da kam die echte Liebe,
die wahre Flammenschürerin,   930
und fachte das Feuer der Leidenschaft an,
das Feuer, das sein Herz entzündete
und das ihn fortan
deutlich empfinden ließ,
was tiefer Kummer   935
und Sehnsuchtsschmerz bedeuten.
Denn nun begann er ein anderes Leben;
ihm wurde ein neues Leben gegeben.
Dadurch veränderte er
sein Denken und Gebaren   940
und wurde ein völlig anderer Mensch.
Denn alles, was er tat,
das war verwunderlich
und wie mit Blindheit geschlagen.
Seine angeborenen Fähigkeiten   945
waren unter dem Einfluß der Liebe
so wild und unbeständig geworden,
als ob er selbst sich darum bemüht hätte.
Sein Leben verdüsterte sich.
Aus vollem Herzen lachen,   950
wie er es zuvor gut konnte,
mochte er nun gar nicht mehr.

swîgen unde wesen unvrô
daz was sîn beste leben dô.
wan elliu sîn gemuotheit   955
was gâr in senede nôt geleit.

Ouch vergie sîn senelîch geschiht
die seneden Blanschefliure niht:
diu was ouch mit dem selben schaden
durch in als er durch sî beladen.   960
diu gewaltaerinne Minne
diu was ouch in ir sinne
ein teil ze sturmelîche komen
und haete ir mit gewalte genomen
den besten teil ir mâze.   965
sine was an ir gelâze
ir selber noch der werlt niht mite
nâch ir gewonlîchem site.
swaz sî sich vröuden an genam,
swaz schimpfes ir ê wol gezam,   970
daz missestuont ir allez dô.
ir leben enschuof sich niuwan sô,
als ez ir an der nôt gewac,
diu nâhen an ir herzen lac.
und alles des, des sî geleit   975
von senelîcher arbeit,
sone wiste sî niht, waz ir war.
wan sî enwart nie dâ vor gewar,
waz sus getâniu swaere
und herzesorge waere.   980
Und sprach vil dicke wider sich:
»owê got hêrre, wie leb ich!
wie unde waz ist mir geschehen?
ich hân doch manegen man gesehen,
von dem mir nie kein leit geschach.   985
und sît ich disen man gesach,
sît wart mîn herze niemer mê

Schweigen und Kümmernis:
das war nun sein Leben.
Denn all sein Frohsinn   955
war jetzt in Liebesschmerz getaucht.

Seine Sehnsucht blieb auch
der liebeskranken Blanscheflur nicht erspart.
Sie litt die gleiche Not
durch ihn wie er durch sie.   960
Die Gewaltherrscherin Liebe
war auch in ihre Gedanken
ein wenig zu stürmisch eingedrungen
und hatte ihr gewaltsam
fast ihre ganze Selbstbeherrschung geraubt.   965
Ihr Benehmen war
ihr selbst und ihrer Umgebung
ungewohnt.
Alles, was sie früher genossen,
alle Kurzweil, die sich für sie geschickt hatte,   970
widerstand ihr nun.
Ihr Leben gestaltete sich nur so,
wie es dem Kummer angemessen war,
der sie schwer bedrückte.
Und so sehr sie auch litt   975
an Liebesschmerz,
so wußte sie doch nicht, was sie quälte.
Sie hatte nämlich nie erfahren,
was diese Schwermut
und Herzensnot bedeuten.   980
Immer wieder sagte sie sich:
»O Gott! Was für ein Leben!
Was ist denn mit mir geschehen?
Ich habe doch viele Männer gesehen,
von denen mir niemals Kummer widerfuhr.   985
Aber seit ich diesen Mann gesehen habe,
ist mein Herz niemals wieder

noch vrî noch vröudehaft als ê.
diz sehen, daz ich in hân getân,
daz ist ein dinc, dâ von ich hân   990
erworben nâhe gêndiu leit.
mîn herze, daz nie nôt erleit,
daz ist dâ von versêret;
ez hât mich gâr verkêret
an muote und an dem lîbe.   995
sol iegelîchem wîbe,
diu in gehoeret unde gesiht,
geschehen, alse mir geschiht,
und ist ez danne an ime geborn,
so ist michel schoene an ime verlorn   1000
und ist unnütze lebende ein man.
ist aber daz er von lêre kan
dekeiner slahte zouberlist,
dâ von diz vremede wunder ist
und disiu wunderlîche nôt,   1005
sô waere er maneges bezzer tôt
und ensolte in niemer wîp gesehen.
durch got, wiest mir von ime geschehen
sô leide und alsô swâre!
nune gesach ich doch zewâre   1010
noch in noch nie dekeinen man
mit vîntlîchen ougen an
noch engetruoc nie nieman haz:
wâ mite mag ich geschulden daz,
daz mir von ieman leit geschehe,   1015
den ich mit vriundes ougen sehe?
Waz wîze ich aber dem guoten man?
er ist hie lîhte unschuldic an.
swaz herzesorge ich mir von im
und ouch durch sînen willen nim,   1020
daz wizze got, deist allermeist
mîn selbes herzen volleist.
ich sach dâ manegen man und in.

so frei und unbeschwert gewesen wie vorher.
Dieser Anblick
hat mir   990
schweren Kummer zugefügt.
Mein Herz, das solche Not bisher nicht kannte,
ist dadurch tief verwundet.
Er hat mich völlig verändert
an Leib und Seele.   995
Wenn es jeder Frau,
die ihn hört oder sieht,
so wie mir ergeht
und wenn dies in seiner Natur liegt,
dann ist seine große Schönheit vergeudet   1000
und er lebt zum Schaden anderer.
Wenn er aber erlernt hat
irgendeine Zauberkunst,
die dieses fremdartige Wunder
und diesen wunderlichen Kummer bewirkt hat,   1005
dann wäre es viel besser, wenn er stürbe
und keine Frau ihn mehr sähe.
Bei Gott, wie ist mir durch ihn
Schmerz und Not widerfahren!
Ich habe doch wirklich   1010
weder ihn noch sonst irgendeinen Mann je
feindselig angeschaut
oder gehaßt.
Womit kann ich mir also verdient haben,
daß jemand mir Kummer zufügt,   1015
den ich freundlich ansah?
Aber warum mache ich dem Guten Vorwürfe?
Möglicherweise trifft ihn hieran keine Schuld.
Welche Herzensnot ich durch ihn
und um seinetwillen auch erleide,   1020
Gott weiß, daß das meiste
das Werk meines eigenen Herzens ist.
Ich sah doch außer ihm noch viele Männer.

waz mag er mir des, daz mîn sin
von den andern allen   1025
an in einen ist gevallen?
dô ich sô vil manic edele wîp
den sînen keiserlîchen lîp
und sînen ritterlîchen prîs
mit lobe gehôrte in ballen wîs   1030
alse umbe trîben unde tragen
und sînes lobes sô vil gesagen
und ich mit ougen selbe sach
die tugende, der man von im jach,
und allez in mîn herze las,   1035
swaz lobelîches an im was.
dâ von ergouchete mîn sin,
hie von geviel mîn herze an in.
entriuwen daz erblante mich,
daz was daz zouber, dâ von ich   1040
mîn selber sus vergezzen hân.
ern hât mir leides niht getân,
der liebe man, von dem ich clage,
den ich mit clage ze maere trage.
mîn tumber meisterlôser muot   1045
der ist, der mir dâ leide tuot,
der ist, der mînen schaden wil.
er wil und wil joch al ze vil,
des er niht wellen solte,
ob er bedenken wolte,   1050
waz vuoge waere und êre.
nune siht aber er niht mêre
niwan sîn selbes willen an
an disem saeligen man,
an den er in sô kurzer vrist   1055
sô rehte gâr gevallen ist.
und semmir got, ich waene wol,
ob ich's mit êren waenen sol
und sol ich mich der rede niht schamen

Was kann er dafür, daß meine Neigung
auf ihn allein von allen anderen   1025
gefallen ist?
Als ich so viele vornehme Damen
seine herrliche Gestalt
und seine ritterlichen Leistungen
rühmend wie bei einem Ballspiel   1030
überall herumreichen
und so viel Lob über ihn sagen hörte
und als ich selbst
die Vorzüge, die man ihm nachsagte, erblickte
und ich alles in mich aufsog,   1035
was es Lobenswertes an ihm gab,
da verwirrten sich mir die Sinne.
Deshalb neigte sich mein Herz ihm zu.
Tatsächlich, was mich verblendete,
das war das Zauberwerk, durch das ich   1040
mich so vergessen habe.
Er hat mir nichts zuleide getan,
der Liebenswerte, den ich hier beschuldige
und von dem ich anklagend spreche.
Mein törichtes, unbeherrschtes Gefühl   1045
verursacht mir Kummer
und will mir schaden.
Es will allzuviel,
wonach es nicht streben sollte,
wenn es nur darüber nachdenken würde,   1050
was Anstand ist und Ehrbarkeit.
Aber es kennt nichts anderes
als sein Verlangen
nach diesem herrlichen Mann,
dem es sich in so kurzer Zeit   1055
völlig ergeben hat.
Und bei Gott, ich glaube,
falls ich das in Ehren glauben darf
und mich dieser Äußerung nicht schämen muß

durch mînen magetlîchen namen,   1060
sô dunket mich, diu herzeclage,
die ich durch in ze herzen trage,
diu ensî niwan von minnen.
des wirde ich hier an innen,
daz ich ime sô gerne waere bî.   1065
und swaz sô dirre maere sî,
mir wahset eteswaz hier an,
daz minne meinet unde man.
wan swaz ich allen mînen lîp
umbe rehte minnendiu wîp   1070
und umbe liebe hân vernomen,
daz ist mir in mîn herze komen:
der süeze herzesmerze,
der vil manic edele herze
quelt mit süezem smerzen,   1075
der liget in mînem herzen.«
Nu daz diu höfsche guote
mit ganzlîchem muote
sich in ir herzen des enstuont,
als die minnenden alle tuont,   1080
daz ir geselle Riwalîn
ir herzen vröude müese sîn,
ir meister trôst, ir beste leben:
sî begunde im ouge und ouge geben
und sach in, swâ sî'n mohte sehen.   1085
swenne ez diu vuoge lie geschehen,
sô gruozte sî'n vil tougen
mit inneclîchen ougen.
ir senelîche blicke
die sâhen in vil dicke   1090
lange unde minneclîchen an.
dô daz der minnende man,
ir vriunt, begunde merken,
alrêrste begunde in sterken
diu minne und ouch sîn trôst an ir;   1095

wegen meines jungfräulichen Ansehens,   1060
so denke ich, daß das Herzweh,
das ich um seinetwegen erleide,
von nichts anderem als der Liebe herkommt.
Das merke ich daran,
daß ich so gerne bei ihm wäre.   1065
Und was auch immer das bedeuten möge,
hier entsteht etwas für mich,
das Liebe bedeutet und Mann.
Denn was ich mein Leben lang
von wahrhaft verliebten Frauen   1070
und von der Liebe gehört habe,
das ist jetzt in mein Herz getreten:
Der süße Herzschmerz,
der viele vornehme Herzen
mit süßen Schmerzen quält,   1075
liegt nun auch in meinem Herzen.«
Als nun das vornehme Mädchen
mit vollem Herzen
in ihrem Innersten eingesehen hatte
(wie es alle Verliebten tun),   1080
daß ihr Gefährte Riwalin
ihrem Herzen zur Freude gereichen
und ihr größter Trost, ihr bestes Leben sein würde,
da begann sie, ihm viele Blicke zu schenken
und ihn zu sehen, wo immer sie konnte.   1085
Wann immer der Anstand es erlaubte,
grüßte sie ihn heimlich
mit zärtlichen Blicken.
Ihre sehnsuchtsvollen Augen
sahen ihn häufig   1090
lang und verliebt an.
Als das der liebende Mann,
ihr Geliebter, zu bemerken begann,
da erst verstärkte sich
seine Liebe und sein Vertrauen zu ihr,   1095

alrêrste enbran sîn herzegir,
und sach der süezen allez sider
baltlîcher unde süezer wider,
dan er ie dâ vor getaete.
swenne er die state haete,   1100
sô gruozte ouch er mit ougen dar.
nu sîn diu schoene wart gewar,
daz er si meinde als si in,
dô was ir meistiu sorge hin;
wan sî wânde allez ê, daz er   1105
hin z'ir enhaete keine ger.
nu wiste aber sî wol, daz sîn muot
hin z'ir was süeze und alse guot,
als liebes muot ze liebe sol.
daz selbe wiste er an ir wol.   1110
daz selbe enzunte ir beider sin.
dâ von begunden s'under in
sich meinen unde minnen
mit herzenlîchen sinnen.
ez ergienc in rehte, als man giht: 1115
swâ liep in liebes ouge siht,
daz ist der minnen viure
ein wahsendiu stiure.

Nu Markes hôhgezît ergie
und sich diu hêrschaft gar zerlie,   1120
dô kâmen Marke maere,
daz ein sîn vîent waere,
ein künec, geriten in sîn lant
mit alsô creftiger hant,
der in niht schiere taete wider,   1125
er braeche im allez daz dernider,
daz er berîten kunde.
zehant und an der stunde
besande Marke ein michel her
und kam in an mit starker wer.   1130

da erst entzündete sich seine Leidenschaft,
und seither erwiderte er die Blicke der Schönen
kühner und verliebter
als zuvor.
Wenn es ging,   1100
grüßte auch er mit den Augen zu ihr hin.
Als nun die Schöne erkannte,
daß er sie so liebte wie sie ihn,
da war ihre größte Sorge dahin.
Denn zuvor hatte sie geglaubt, daß er   1105
nach ihr kein Verlangen hätte.
Nun aber wußte sie genau, daß seine Empfindungen
für sie freundlich waren und so zärtlich,
wie es bei Verliebten sein soll.
Dasselbe wußte er von ihr.   1110
Das entflammte beide.
Dadurch begannen sie, einander
zu begehren und zu lieben
mit aller Kraft des Herzens.
Es erging ihnen genauso wie in dem Sprichwort: 1115
Wo Verliebte sich ansehen,
erhält das Feuer ihrer Liebe
neue Nahrung.

Als nun Markes Fest vorüber war
und die vornehmen Gäste auseinandergegangen waren, 1120
da erhielt Marke die Nachricht,
daß einer seiner Widersacher,
ein König, in sein Reich
mit solcher Gewalt eingedrungen sei,
daß er, wenn man ihn nicht bald zurückschlüge,   1125
Marke alles zerstören würde,
was er zu Pferde erreichen könnte.
Sogleich
bot Marke ein starkes Heer auf
und stellte sich ihm mit großem Aufgebot.   1130

er vaht mit ime und sigete im an
und sluog und vienc sô manegen man,
daz ez von grôzen saelden was,
der dannen kam oder dâ genas.
dâ wart der werde Riwalîn   1135
mit eime sper zer sîten în
gestochen und sô sêre wunt,
daz in die sîne sâ zestunt
vür einen halptôten man
mit manegem jâmer vuorten dan   1140
hin heim ze Tintajêle wider.
dâ leiten sî'n tôtsiechen nider.
zehant erschullen maere,
Canêlengres der waere
tôtwunt und in dem strîte erslagen.   1145
des wart ein jaemerlîchez clagen
in dem hove und in dem lande.
swer sîne tugende erkande,
dem was sîn schade von herzen leit.
sî clageten, daz sîn vrümekeit,   1150
sîn schoener lîp, sîn süeziu jugent,
sîn wol gelobetiu hêrren tugent
sô schiere solte an ime zergân
und ein sô vrüejez ende hân.
sîn vriunt der künic Marke   1155
der clagete in alsô starke,
daz er durch nie dekeinen man
sô nâhe gênde clage gewan.
in weinde manic edele wîp,
manc vrouwe clagete sînen lîp.   1160
und swer in ie dâ vor gesach,
den erbarmete sîn ungemach.
Swaz aber ir aller swaere
umbe sînen schaden waere,
sô was ez iemer eine   1165
sîn Blanscheflûr, diu reine,

Er kämpfte mit ihm und besiegte ihn
und erschlug und nahm so viele Männer gefangen,
daß jeder von Glück reden konnte,
der entkam oder überlebte.
Da wurde der vornehme Riwalin   1135
von einem Speer in die Seite
gestochen und so schwer verwundet,
daß seine Gefolgsleute ihn sogleich
halbtot
unter lautem Klagen   1140
heimbrachten nach Tintajol.
Dort legten sie ihn todkrank nieder.
Sofort verbreitete sich die Nachricht,
Kanelengres sei   1144
tödlich verletzt und in der Schlacht verwundet worden.
Darüber entstand ein großes Wehklagen
bei Hofe und im Reich.
Jeder, der seine Vorzüge kannte,
betrauerte sein Unglück zutiefst.
Sie jammerten, daß seine Kühnheit,   1150
seine Schönheit, seine liebliche Jugend
und seine hochgerühmte Ritterlichkeit
so bald vergehen
und ein so frühes Ende nehmen sollten.
Sein Freund, König Marke,   1155
klagte so sehr um ihn,
wie er noch um keinen Mann
herzzerreißend geklagt hatte.
Viele vornehme Frauen weinten um ihn,
manche Dame beklagte sein Leben.   1160
Und wer ihn jemals zuvor gesehen hatte,
beklagte sein Mißgeschick.
Wie groß auch immer jedoch ihr Kummer
wegen seines Unglücks war:
Einzig und allein   1165
Blanscheflur, die schöne,

diu höfsche, diu guote,
diu mit durnehtem muote,
mit ougen und mit herzen
ir herzeliebes smerzen   1170
beclagete und ouch beweinete;
und aber, dô sî vereinete
und sî ze clagene state gewan,
dô gie si sich mit handen an:
die sluoc si tûsent stunde dar   1175
und niuwan dar, da'z ir dâ war;
da engegen, dâ daz herze lac,
dar tete diu schoene manegen slac.
sus quelte daz vil süeze wîp
ir jungen, schoenen, süezen lîp   1180
mit alsô clegelîcher nôt,
daz s'einen anderen tôt,
der niht von minnen waere komen,
dô haete vür ir leben genomen.
und waere iedoch verdorben   1185
und in dem leide erstorben,
wan daz sî der trôst labete
und der gedinge ûf habete,
daz sî'n binamen wolte sehen,
swie sô'z möhte geschehen;   1190
und alse sî'n gesaehe,
swaz ir dar nâch geschaehe,
daz sî daz allez gerne lite.
hie vriste sî daz leben mite,
biz daz sî wider ze sinnen kam   1195
und in ir trahte dô genam,
wie sî'n gesehen möhte,
als ez ir leide töhte.

Sus kam ir in ir sinne
umbe eine ir meisterinne,   1200
diu s'alle zît und alle wege

vornehme und gute,
war es, die unverrückbar treu
mit Augen und Herz
die Leiden ihres Liebsten   1170
beklagte und beweinte.
Und wenn sie alleine war
und ihrem Schmerz freien Lauf lassen konnte,
legte sie Hand an sich:
Tausendmal schlug sie immer wieder   1175
dorthin, wo es sie schmerzte,
dorthin, wo das Herz lag,
dorthin schlug wiederholt die Schöne.
So sehr marterte die liebliche Frau
ihren jungen, schönen, lieblichen Körper   1180
mit so jammervollem Schmerz,
daß sie einen anderen Tod,
der nicht von der Liebe herrührte,
ums Leben gerne angenommen hätte.
Dennoch wäre sie verendet   1185
und aus Gram gestorben,
wenn nicht die Zuversicht sie gestärkt
und die Hoffnung sie aufrecht erhalten hätte,
daß sie ihn gewiß noch einmal sehen würde
– wie auch immer es geschähe.   1190
Und wenn sie ihn gesehen hätte –
was ihr danach geschähe,
wollte sie freudig ertragen.
So hielt sie sich am Leben,
bis sie wieder zu Verstand kam   1195
und darüber nachsann,
wie sie ihn sehen könnte,
wie es ihr Leiden erforderte.

So entsann sie sich
einer ihrer Erzieherinnen,   1200
die sie früher immer und überall

haete in ir lêre und in ir pflege
und s'ûz ir huote nie verlie:
die nam sî sunder unde gie,
dâ nieman was niwan sî zwô,   1205
und huop ir clage hin z'ir alsô,
als sî ie tâten und noch tuont,
den ir dinc stât, als ez ir stuont:
ir ougen über wielen,
die heizen trehene vielen   1210
gedîhteclîche und ange
über ir vil liehtiu wange;
ir hende sî zesamene vielt,
vlêhlîche sî die vür sich hielt:
»ach mînes lîbes!« sî dô sprach   1215
»ach« sprach si »mînes lîbes ach!
ach herzeliebiu meisterîn,
nu tuo mir dîner triuwe schîn,
der vil und wunder an dir ist!
und sît du nû sô saelic bist,   1220
daz al mîn saelde und al mîn rât
niwan an dîme râte stât,
sô clage ich dir mîn herzeleit
ûf alle dîne saelekeit:
dune helfes mir, sô bin ich tôt!«   1225
»nu vrouwe, waz ist iuwer nôt
und iuwer clegelîchez clagen?«
»ei trût, getar ich dir'z gesagen?«
»jâ liebiu vrouwe, sprechet an!«
»mich toetet dirre tôte man,   1230
von Parmenîe Riwalîn:
den saehe ich gerne, möhte ez sîn
und wiste ich, wie ich'z erwürbe,
ê danne er volle erstürbe;
wan leider ern mac niht genesen.   1235
maht dû mir dar zuo guot gewesen,
ich engân dir niemer nihtes abe,

unterrichtet und umsorgt
und niemals aus ihrer Aufsicht entlassen hatte.
Die nahm sie jetzt beiseite und ging
mit ihr, wo außer ihnen niemand war,   1205
und klagte ihr ihr Leid –
so wie es alle taten und noch tun,
denen es ums Herz ist wie ihr.
Die Augen gingen ihr über,
die heißen Tränen liefen   1210
ihr dicht und unaufhörlich
über die blassen Wangen.
Sie faltete die Hände
und hielt sie flehentlich vor sich.
»Ach, mein Leben!« sagte sie.   1215
»Ach!« sagte sie. »Ach, mein Leben!
Ach, liebste Meisterin,
nun beweise mir deine Verbundenheit,
über die du in so großem Maße verfügst.
Und weil du so begnadet bist,   1220
daß mein ganzes Glück und meine ganze Rettung
allein von deiner Hilfe abhängen,
so klage ich dir meine Herzensnot
im Vertrauen auf deine Güte.
Wenn du mir nicht hilfst, muß ich sterben.«   1225
»Nun, Herrin, warum seid Ihr so bekümmert
und klagt so schmerzlich?«
»Ach, liebe Freundin, darf ich es dir sagen?«
»Ja, liebe Herrin, sagt es nur!«
Mich tötet dieser tote Mann,   1230
Riwalin von Parmenien.
Ich sähe ihn so gerne, wenn es nur ginge
und ich wüßte, wie ich es schaffen kann,
bevor er vollends stirbt.
Denn zu meinem Schmerz wird er nicht wieder gesund   1235
Wenn du mir dabei helfen kannst,   [werden.
will ich dir nichts abschlagen,

die wîle und ich daz leben habe.«
Diu meisterinne gedâhte dô:
»gestate ich dirre dinge alsô,   1240
waz mag dâ schaden gewahsen an?
wan dirre halptôte man
der stirbet morgen oder noch:
sô hân ich mîner vrouwen doch
gevristet lîp und êre   1245
und bin ir iemer mêre
lieber danne ein ander wîp.«
»trût vrouwe« sprach sî »lieber lîp,
iur clage ist mir von herzen leit
und swâ ich iuwer arbeit   1250
mit mînem lîbe erwenden kan,
dane gezwîvelt niemer an.
ich sol selbe gân dar nider
und in gesehen und iesâ wider.
ich sol die state erkunnen dâ,   1255
wie er dâ lige oder wâ,
und ouch der liute nemen war.«
sus kam s'in den gebaerden dar,
als sî sîn angest wolte clagen
und begunde im tougenlîche sagen,   1260
ir vrouwe wolte in gerne sehen,
daz er ez lieze geschehen
nâch vuogen und nâch êren.
sus begunde sî dô kêren
mit disen maeren wider dan.   1265
si nam die maget und leite ir an
eines armen betewîbes cleit;
ir antlützes schônheit
mit dicken rîsen sî verbant
und nam ir vrouwen an ir hant   1270
und kam ze Riwalîne.
nu haete ouch er die sîne
al besunder ûz getriben

solange ich lebe.«
Da dachte sich die Erzieherin:
»Wenn ich dies erlaube,   1240
was kann es schaden?
Denn dieser Halbtote
stirbt ohnehin bald.
Dann habe ich meiner Herrin
Leben und Ansehen bewahrt   1245
und bin ihr auf ewig
lieber als jede andere Frau.«
»Liebste Herrin«, sprach sie, »teures Leben,
ich bedaure zutiefst Euren Schmerz,
und wo ich Eurem Kummer   1250
mit meinem Leben abhelfen kann,
da faßt Mut.
Ich werde selbst hingehen,
ihn sehen und sogleich wiederkommen.
Ich werde herausfinden,   1255
wie er untergebracht ist und wo,
und auch auf die Leute achten.«
So ging sie hin,
als ob sie seine Not beklagen wollte,
und sagte ihm heimlich,   1260
daß ihre Herrin ihn zu sehen sehr wünsche,
damit er es ermögliche
im Rahmen von Sitte und Anstand.
Dann kehrte sie
mit dieser Nachricht wieder zurück.   1265
Sie kleidete das Mädchen
in das Gewand einer elenden Bettlerin.
Die Schönheit ihres Gesichts
verhüllte sie mit einem dicken Kopftuch,
nahm ihre Herrin bei der Hand   1270
und kam zu Riwalin.
Auch er hatte inzwischen seine Betreuer
alle weggeschickt

und was al eine beliben.
er sagete in allen unde jach, 1275
einoete waere sîn gemach.
ouch jach diu meisterinne,
si braehte ein arzaetinne,
und erwarp, daz man si zuo z'im liez.
daz slôz si vür die tür dô stiez. 1280
»nu vrouwe« sprach si »sehet in!«
und sî, diu schoene, diu gie hin
und dô si'm under ougen sach,
»ach« sprach si »hiute und iemer ach!
owê daz ich ie wart geborn: 1285
wie ist mîn trôst alsus verlorn!«
Alsus neig ir dô Riwalîn
vil kûme, als ez dô mohte sîn
von eime tôtsiechem man.
ouch sach si daz vil lützel an 1290
und nam es harte cleine war,
wan saz et blintlîchen dar
und leite Riwalîne
ir wange an daz sîne,
biz daz ir aber dô beide 1295
von liebe und ouch von leide
ir lîbes craft dâ von gesweich.
ir rôsevarwer munt wart bleich,
ir lîch diu kam vil garwe
von der viel liehten varwe, 1300
diu dâ vor an ir lîbe lac.
ir clâren ougen wart der tac
trüebe unde vinster als diu naht.
sus lac si in der unmaht
und âne sinne lange, 1305
ir wange an sînem wange,
gelîche als ob si waere tôt.
Nu daz sî dô von dirre nôt
ein lützel wider ze crefte kam,

und war alleine.
Er hatte ihnen gesagt, 1275
Einsamkeit tue ihm gut.
Die Erzieherin sagte,
sie brächte eine Ärztin
und erreichte so, daß man sie zu ihm ließ.
Dann verriegelte sie die Tür. 1280
»Herrin«, sprach sie, »nun seht ihn.«
Und die Schöne ging hin
und sah ihm in die Augen.
»Ach«, seufzte sie, »heute und auf ewig ach!
Ach, daß ich je geboren wurde! 1285
All meine Hoffnung ist hin!«
Da neigte Riwalin sein Haupt vor ihr
ein klein wenig, soweit es
ein Sterbenskranker vermag.
Sie bemerkte das jedoch kaum 1290
und nahm es fast nicht wahr.
Sie saß nur leeren Blickes da
und schmiegte
ihre Wange an Riwalins,
bis ihr dann 1295
vor Liebe und Kummer
die Sinne schwanden.
Ihre rosigen Lippen erbleichten,
ihre Gesichtsfarbe
wurde ganz fahl, 1300
die sie vorher gehabt hatte.
In ihren klaren Augen wurde der Tag
so trübe und dunkel wie die Nacht.
So lag sie ohnmächtig
und besinnungslos eine lange Zeit, 1305
ihre Wange an der seinen,
als ob sie tot wäre.
Als sie sich dann von ihrer Schwäche
ein wenig wieder erholt hatte,

ir trût si an ir arm dô nam   1310
und leite ir munt an sînen munt
und kuste in hundert tûsent stunt
in einer cleinen stunde,
unz ime ir munt enzunde
sinne unde craft zer minne,   1315
wan minne was dar inne:
ir munt der tete in vröudehaft,
ir munt der brâhte im eine craft,
daz er daz keiserlîche wîp
an sînen halptôten lîp   1320
vil nâhe und inneclîche twanc.
dar nâch sô was vil harte unlanc,
unz daz ir beider wille ergienc
und daz vil süeze wîp enpfienc
ein kint von sînem lîbe.   1325
ouch was er von dem wîbe
und von der minne vil nâch tôt;
wan daz im got half ûz der nôt,
sône kunde er niemer sîn genesen:
sus genas er, wan ez solte wesen.   1330

Sus was, daz Riwalîn genas
und Blanscheflûr diu schoene was
von ime entladen unde beladen
mit zweier hande herzeschaden:
grôz leit lie sî bî dem man   1335
unde truoc daz groezer dan;
sî lie dâ senede herzenôt
und truoc mit ir von dan den tôt:
die nôt sî mit der minne lie,
den tôt sî mit dem kinde enpfie.   1340
und iedoch swie sô sî genas,
in swelher wîse sô sî was
von ime entladen unde beladen
sô mit vrumen sô mit schaden,

nahm sie ihren Liebsten in die Arme,   1310
legte ihren Mund an seinen
und küßte ihn hunderttausendmal
in kurzer Zeit,
bis ihr Mund in ihm entfachte
die Sinne und die Liebeskraft.   1315
Denn in ihren Lippen war Liebe.
Ihr Mund machte ihn glücklich
und gab ihm so viel Kraft,
daß er die herrliche Frau
an seinen halbtoten Körper   1320
eng und innig drückte.
Da dauerte es nicht lange,
bis ihrer beider Verlangen erfüllt wurde
und die liebliche Frau
ein Kind von ihm empfing.   1325
Er dagegen war durch die Frau
und die Liebe dem Tode nahe.
Wenn Gott ihm nicht geholfen hätte,
wäre er gewiß nicht am Leben geblieben.
So aber wurde er gesund, denn es sollte so sein.   1330

Riwalin wurde also gesund
und die schöne Blanscheflur wurde
durch ihn beladen und befreit
mit und von zweierlei Herzenskummer:
Sie ließ großes Leid bei ihm zurück   1335
und trug noch größeres davon;
sie ließ dort den Liebesschmerz
und nahm den Tod mit;
durch die Liebe verging ihr Schmerz,
mit dem Kind empfing sie den Tod.   1340
Wie auch immer sie jedoch gesundete
und auf welche Weise sie auch
von ihm belastet und befreit worden war –
einerseits zum Nutzen, andererseits zum Schaden:

sone sach sî doch niht anders an   1345
wan liebe liebe und lieben man.
weder kint noch tôdes ungeschiht
enwiste s'an ir lîbe niht:
minne unde man wiste si wol
und tete reht als der lebende sol   1350
und als der minnende tuot:
ir herze, ir sin, ir gernder muot
lac niwan an Riwalîne.
dâ wider lac ouch der sîne
an ir und an ir minnen.   1355
si haeten in ir sinnen
beide eine liebe und eine ger.
sus was er sî und sî was er.
er was ir und sî was sîn.
dâ Blanscheflûr, dâ Riwalîn,   1360
dâ Riwalîn, dâ Blanscheflûr,
dâ beide, dâ lêal amûr.
ir leben was vil gemeine dô,
sî wâren mit ein ander vrô
und hôhten ir gemüete   1365
mit vil gemeiner güete.
und swenne sî mit vuogen
ir state in ein getruogen,
sô was ir werltwunne vol,
sô was in sanfte und alsô wol,   1370
daz sî enhaeten niht ir leben
umb kein ander himelrîche gegeben.
Doch werte daz unlange.
wan in ir anevange,
dô s'allerbeste lebeten   1375
und in dem wunsche swebeten,
dô kâmen Riwalîne boten:
Morgân sîn vînt haete geboten
eine starke samenung in sîn lant.
mit disem maere und al zehant   1380

sie hatte doch für nichts anderes Augen   1345
als für die Liebe und den Geliebten.
Weder von dem Kind noch von dem Unheil des Todes
wußte sie etwas.
Wohl aber wußte sie von der Liebe und dem Mann,
und sie handelte so, wie es die Lebenden sollen   1350
und wie es die Liebenden tun:
Ihr Herz, ihr Sinnen und Trachten
waren nur auf Riwalin gerichtet.
Andererseits galt auch sein Verlangen
einzig ihr und ihrer Liebe.   1355
Ihrer beider Denken war beherrscht
von nur einer Liebe und nur einem Wunsch.
Er war sie und sie war er.
Er war ihr und sie war sein.
Wo Blanscheflur war, war auch Riwalin;   1360
wo Riwalin war, war auch Blanscheflur;
wo beide waren, war aufrichtige Liebe.
Sie lebten ein gemeinsames Leben.
Sie waren glücklich miteinander
und erfreuten sich gegenseitig   1365
mit völlig einträchtiger Freundlichkeit.
Und wenn sie mit Anstand
zusammen sein konnten,
dann war ihr Glück vollkommen,
dann war ihnen so froh und wohl,   1370
daß sie ihr Leben
nicht gegen das Himmelreich eingetauscht hätten.
Jedoch dauerte das nicht lange.
Denn schon zu Beginn,
als sie noch herrlich lebten   1375
und in vollkommenem Glück,
da kamen Boten zu Riwalin:
Morgan, sein Widersacher, hätte
ein großes Heer in sein Reich entboten.
Gleich nach dieser Nachricht   1380

wart Riwalîne ein schif bereit
und al sîn dinc dar an geleit;
spîse unde ros, daz allez wart
zehant bereitet an die vart.

Diu minneclîche Blanschefluor,   1385
dô sî diu leiden maere ervuor
umbe den vil herzelieben man,
alrêrste gienc ir kumber an.
von herzeleide ir aber geschach,
daz sîne gehôrte noch gesach.   1390
ir lîch wart an ir lîbe
als eime tôten wîbe.
ûz ir munde gie niemê
wan daz vil arme wort »owê!«
daz eine sprach s'und ouch niemê.   1395
»owê!« sprach sî vil lange »owê!
owê nu minne und ouwê man!
wie sît ir mich gevallen an
mit alsô maneger arbeit!
minne, al der werlde unsaelekeit,   1400
sô kurziu vröude als an dir ist,
sô rehte unstaete sô du bist,
waz minnet al diu werlt an dir?
ich sihe doch wol, du lônest ir,
als der vil valschafte tuot.   1405
dîn ende daz ist niht sô guot,
als dû der werlde geheizest,
sô dû sî von êrste reizest
mit kurzem liebe ûf langez leit.
dîn gespenstigiu trügeheit,   1410
diu in sô valscher süeze swebet,
diu triuget allez, daz der lebet.
daz ist an mir wol worden schîn.
daz al mîn vröude solte sîn,
dâ von hân ich nû niht mêre   1415

wurde ein Schiff für Riwalin gerüstet,
auf dem seine ganze Ausrüstung verstaut wurde:
Verpflegung und Pferde, alles wurde
sogleich für die Reise vorbereitet.

Als die liebliche Blanscheflur   1385
die traurige Nachricht
über den Geliebten hörte,
da erst begann ihr Leiden.
Ihr Schmerz bewirkte,
daß sie nichts hörte und sah.   1390
Ihre Haut färbte
sich leichenblaß.
Aus ihrem Munde kam nichts
als das klägliche Wörtchen »o weh«.
Sie sprach nur das und sonst nichts.   1395
»O weh!« sagte sie immer wieder. »O weh!
O weh Liebe, und o weh Mann!
Wie seid ihr nur über mich gekommen
mit so schwerem Kummer!
Liebe, du Unheil für uns alle,   1400
das Glück, das du bescherst, ist so kurz,
du bist so unbeständig;
was nur liebt alle Welt an dir?
Ich sehe genau, daß du es ihr lohnst,
so wie Betrüger es tun.   1405
Dein Ende ist nicht so angenehm,
wie du es jedem versprichst,
wenn du ihn zunächst verlockst
mit kurzem Glück zu langem Schmerz.
Deine verzaubernde Falschheit,   1410
die sich mit trügerischer Wonne umgibt,
täuscht alles, was lebt.
Dafür bin ich ein gutes Beispiel.
Was mein ganzes Glück sein sollte,
davon habe ich nun nur noch   1415

wan tôtlîch herzesêre.
mîn trôst vert hin und lât mich hie!«
In disem clagemaere gie
ir trûtgeselle Riwalîn
mit weinendem herzen în   1420
und wolte nemen urloup von ir.
»vrouwe« sprach er »gebietet mir,
ich sol und muoz ze lande varn;
iuch, schoene, müeze got bewarn:
weset iemer saelec unde gesunt!«   1425
alsus geswant ir anderstunt,
aber viel sî von der herzenôt
vor ime in unmaht und vür tôt
in ir meisterinne schôz.
der ir getriuwe senegenôz   1430
dô der daz michel ungemach
an sîme herzeliebe ersach,
er leiste ir wol gesellekeit;
wan er nam sich ir senede leit
vil inneclîche mit ir an.   1435
sîn varwe und al sîn craft began
an sînem lîbe swachen.
nâch clegelîchen sachen
gesaz er riuweclîchen nider
und erbeite kûme, daz si wider   1440
und alsô vil ze creften kam,
daz er sî dô mit handen nam
und hiels daz vröudelôse wîp
vil suozeclîche an sînen lîp
und kuste ie z'eteslîcher stunt   1445
ir wange, ir ougen unde ir munt
und trûte sî sus unde sô,
biz sî ze jungeste dô
z'ir selber kam baz unde baz
und ûfreht von ir selber saz.   1450
Nu Blanscheflûr z'ir selber kam

tödliches Herzweh.
Meine Hoffnung geht fort und läßt mich zurück.«
Während dieser Klage kam
ihr Liebster Riwalin
mit weinendem Herzen herein,   1420
um Abschied von ihr zu nehmen.
»Herrin«, sprach er, »lebt wohl,
ich muß und werde heimfahren.
Möge Gott Euch, meine Schöne, behüten.
Bleibt immer glücklich und wohl!«   1425
Da schwanden ihr erneut die Sinne,
abermals fiel sie vor Herzweh
vor ihm in Ohnmacht und wie tot
ihrer Erzieherin in den Schoß.
Als ihr getreuer Leidensgenosse   1430
den großen Schmerz
seiner Liebsten sah,
da ließ er sie nicht allein.
Denn ihren tiefen Kummer
nahm er sich sehr zu Herzen.   1435
Seine Gesichtsfarbe und seine Kräfte begannen
zu schwinden.
Wie man es bei traurigen Anlässen tut,
setzte er sich schmerzerfüllt nieder
und konnte kaum erwarten, daß sie wieder   1440
so weit zu Kräften kam,
daß er sie bei den Händen hielt
und die unglückliche Frau
zärtlich an sich drückte
und immer wieder   1445
ihre Wangen, ihre Augen und ihre Lippen küßte
und sie liebkoste,
bis sie schließlich
mehr und mehr zu sich kam
und aufrecht allein sitzen konnte.   1450
Als nun Blanscheflur bei Besinnung war

und aber ir vriundes war genam,
sî sach in jaemerlîchen an:
»ach« sprach si »saeliger man,
wie ist mir sô leide an iu geschehen!   1455
hêrre, wie hân ich iuch gesehen
ze sô vil maneger herzeclage,
als ich an mînem herzen trage
von iu, von iuwern schulden!
getörste ich ez mit hulden   1460
hin z'iu gereden, sô möhtet ir
vriuntlîcher tuon und baz ze mir.
hêrre unde vriunt, ich hân von iu
manc leit und vor den allen driu,
diu toedic unde unwendic sint.   1465
daz eine ist, daz ich trage ein kint,
des entrûwe ich niemer genesen,
got enwelle mîn gehelfe wesen.
daz ander deist noch mêrre:
mîn bruoder und mîn hêrre   1470
sô der an mir dise ungeschiht
und ouch sîn selbes laster siht,
der heizet mich verderben
und lesterlîche ersterben.
daz dritte ist aber diu meiste nôt   1475
und maneges erger danne der tôt:
ich weiz wol, ob daz wol ergât,
daz mich mîn bruoder leben lât
und er mich niht ersterbet,
daz er mich aber enterbet   1480
und nimet mir guot und êre.
sô muoz ich iemer mêre
unwert und swaches namen sîn.
dar zuo muoz ich mîn kindelîn,
daz einen lebenden vater hât,   1485
ziehen âne vater rât.
Und enwolte ich daz niemêr geclagen,

und abermals ihren Geliebten erblickte,
sah sie ihn kummervoll an.
»Ach«, sagte sie, »mein Liebster,
wie habt Ihr mir wehgetan.
Herr, warum nur habe ich Euch angeschaut,   1455
wenn mir jetzt so viel bitteres Leid
das Herz erfüllt
wegen Euch und durch Eure Schuld.
Getraute ich mich, es Euch mit Eurer Erlaubnis   1460
zu sagen, so müßtet Ihr
mich freundlicher und sanfter behandeln.
Herr und Geliebter, Euretwegen
leide ich viel und vor allem an drei Dingen,
die tödlich und unausweichlich sind.   1465
Das eine ist, daß ich schwanger bin
und die Geburt gewiß nicht überleben werde,
wenn Gott mir nicht hilft.
Das zweite ist noch schlimmer:
Wenn mein Bruder und Herr   1470
mein Unglück
und seine eigene Schande bemerkt,
dann wird er mich verdammen
und schmachvoll sterben lassen.
Das dritte aber ist am schrecklichsten   1475
und viel gräßlicher als der Tod:
Ich bin sicher – falls denn
mein Bruder mich leben läßt
und nicht umbringt –,
daß er mich trotzdem enterben   1480
und mir Besitz und Ansehen rauben würde.
Dann müßte ich auf ewig
unwürdig und verachtet leben.
Zudem müßte ich mein Kind,
dessen Vater noch lebt,   1485
ohne väterliche Hilfe aufziehen.
Trotzdem würde ich mich darüber nicht beklagen,

solt ich daz laster eine tragen,
daz mîn vil hôch geslehte
und der künic mîn bruoder mehte   1490
des itewîzes unde mîn
mit êren ledec und âne sîn.
swenne aber alle, die nu sint,
diu maere sagent, ich habe ein kint
erworben kebeslîche,   1495
deist disem und jenem rîche,
Curnwâle und Engelande
ein offenbaeriu schande.
und ouwê, swenne daz geschiht,
daz man mich mit den ougen siht,   1500
daz zwei lant von den schulden mîn
genidert unde geswechet sîn,
sô waere ich eine bezzer tôt.
seht hêrre« sprach si »deist diu nôt,
daz ist diu wernde herzeclage,   1505
in der ich alle mîne tage
mit lebendem lîbe sterben muoz.
hêrre, iuwer helfe diu entuoz
und got envüege ez danne alsô,
sone wirde ich niemer mêre vrô.«   1510

»Trût vrouwe« sprach er dô ze ir
»habet ir dekeine nôt von mir,
die sol ich büezen, ob ich mac,
und ouch bewarn vür disen tac,
daz iu durch mîne schulde iht mê   1515
leit oder laster ûf erstê.
ich hân, swaz her nâch süle geschehen,
sô lieben tac an iu gesehen,
daz ez unbillîch waere,
ob ir dekeine swaere   1520
mit mînem willen soltet tragen.
vrouwe, ich wil iu rehte sagen

wenn diese Schande nur mich träfe.
Meine vornehme Familie
und mein königlicher Bruder mögen   1490
von der Schmach und von mir
in Ehren befreit sein!
Wenn aber alle
die Nachricht verbreiten, daß ich
ein uneheliches Kind habe,   1495
dann wäre das für dieses und für jenes Land,
für Cornwall und England,
eine öffentliche Schande.
Und ach, wenn das geschieht,
daß jedermann es sehen kann,   1500
daß zwei Länder durch meine Schuld
gedemütigt und verächtlich gemacht wurden,
dann wäre ich allein lieber tot.
Seht, Herr«, sagte sie, »das ist der Kummer,
das ist der dauernde Schmerz,   1505
an dem ich zeit meines Lebens
lebendig sterben muß.
Herr, wenn Ihr nicht helft
und Gott es nicht so schickt,
dann werde ich nie wieder glücklich sein.«   1510

»Liebe Herrin«, antwortete er ihr,
»wenn Ihr meinetwegen leiden müßt,
dann will ich das wiedergutmachen, soweit ich kann,
und Euch von nun an davor schützen,
daß Euch durch mein Verschulden je wieder   1515
Kummer und Schande entstehe.
Ich habe, was auch immer noch geschehen möge,
so glücklich mit Euch gelebt,
daß es unrecht wäre,
wenn Ihr irgendein Leid   1520
um meinetwillen ertragen solltet.
Herrin, ich will Euch entdecken

mîn herze und allen mînen muot.
leit unde liep, übel unde guot
und allez daz, daz iu geschiht,   1525
dâ von enscheide ich mich niht.
dâ wil ich iemer wesen bî,
swie kumberlîch ez danne sî,
und biute iu zweier dinge kür,
diu leget iuwerm herzen vür: 1530
weder ich belîbe oder var.
hier under nemet selbe war.
welt ir, daz ich hie bestê
und sehe, wie iuwer dinc ergê,
daz sî. geruochet aber ir   1535
heim unde hinnen varn mit mir,
ich selbe und allez, daz ich hân,
daz ist iu iemer undertân.
ir erbietet mir ez hie sô wol,
daz ich es wol gedenken sol   1540
mit aller slahte guote.
swes iu nu sî ze muote,
vrouwe, des bewîset mich,
wan swaz ir wellet, daz wil ich.«
»Genâde hêrre« sprach si dô   1545
»ir redet und bietet mir'z alsô,
als iu got lônen müeze
und alse ich iuwer vüeze
iemer gerne suochen sol.
vriunt unde hêrre, ir wizzet wol,   1550
belîbens mac hie niht gesîn:
mîn angest umb min kindelîn
die enmag ich leider niht verheln.
wan möhte êt ich mich hin versteln!
daz waere nû der beste rât   1555
nâch dem dinge, als ez mir stât.
vriunt hêrre, dar zuo râtet ir.«
»nû vrouwe« sprach er »volget mir:

mein Herz und meine Gefühle.
Kummer und Freude, Schlimmes und Gutes,
alles, was Euch widerfährt,   1525
davon trenne ich mich nicht.
Immer will ich dabei sein,
wie schmerzlich es auch sein möge,
und ich biete Euch die Wahl zwischen zwei Dingen,
die prüft im Herzen: 1530
Entweder ich bleibe oder ich gehe.
Bedenkt es selbst.
Wenn Ihr wünscht, daß ich bleibe
und erlebe, wie es Euch ergeht,
so sei es. Wollt Ihr aber   1535
mit mir davon und nach Hause fahren,
soll Euch alles, was ich habe, und ich selbst
auf ewig zur Verfügung stehen.
Ihr habt mich hier so gut behandelt,
daß ich mich dafür erkenntlich zeigen will   1540
mit allen Gefälligkeiten.
Wie Ihr Euch nun entschieden habt,
Herrin, das laßt mich wissen,
denn Euer Wunsch ist auch der meine.«
»Danke, Herr«, sagte sie,   1545
»Ihr sprecht und behandelt mich so,
daß Gott es Euch lohnen möge
und ich Euch zu Füßen
immer gerne fallen werde.
Geliebter und Herr, Ihr wißt,   1550
wir können hier nicht bleiben.   ⌐befinde,
Die Bedrängnis, in der ich mich wegen meines Kindes
kann ich unglückseligerweise nicht verbergen.
Könnte ich mich doch nur heimlich fortstehlen!
Das wäre die beste Lösung für mich   1555
nach Lage der Dinge.
Geliebter Herr, helft mir.«
»Folgt mir, Herrin«, sagte er.

ze naht als ich ze schiffe gê,
sô vüeget ir daz, daz ir ê   1560
vil tougenlîche dar sît komen
(biz daz hân ich urloup genomen),
daz ich iuch danne vinde
bî mînem ingesinde.
sus werbet! alsô muoz ez sîn.«   1565
mit dirre rede kam Riwalîn
ze Marke und seite im maere,
waz ime enboten waere
umbe sîn liut und umb sîn lant.
urloup nam er von ime zehant,   1570
dâ nâch von al den sînen.
die clageten Riwalînen,
daz er die clage ê nie gesach,
diu dô und dâ nâch ime geschach.
manc segen wart im nâch gegeben,   1575
daz got sîn êre und sîn leben
geruohte in sînem schirme hân.
nu'z an die naht begunde gân
und er ze sînem schiffe kam
und al sîn dinc dar an genam,   1580
dô vand er sîne vrouwen dâ,
die schoenen Blanscheffliure. ie sâ
sô wart daz schif gestôzen an.
alsus sô vuoren sî von dan.

Nû Riwalîn ze lande kam   1585
und die vil grôze nôt vernam,
die Morgân haete ûf in gewant
mit übercrefteclîcher hant,
sînen marschalc er besande,
an dem er triuwe erkande,   1590
an dem sîn meister trôst dô lac,
der aller sîner êren pflac
über sîn liut und über sîn lant:

»Wenn ich nachts zum Schiff gehe,
dann richtet es so ein, daß Ihr schon vorher   1560
ganz heimlich dorthin gekommen seid
(bis ich mich verabschiedet habe),
damit ich Euch dann finde
bei meinem Gefolge.
Tut das. Es muß so sein.«   1565
Nach diesen Worten ging Riwalin
zu Marke und erzählte ihm,
was er gehört hatte
über sein Reich und sein Volk.
Sogleich verabschiedete er sich von ihm   1570
und danach von seinem Hofe.
Sie alle beklagten Riwalin so,
daß er nie zuvor ein solches Klagen vernommen hatte
wie das, das sich dort und dann um seinetwillen erhob.
Viele Segenswünsche wurden ihm mitgegeben,   1575
damit Gott seine Ehre und sein Leben
beschützen möge.
Als es dann Nacht wurde
und er zu seinem Schiff kam
und alles an Bord brachte,   1580
fand er dort auch seine Herrin,
die schöne Blanscheflur. Sofort
stieß das Schiff von Land ab.
So fuhren sie davon.

Als Riwalin zuhause ankam   1585
und von der schweren Bedrängnis hörte,
in die Morgan ihn
mit seinem übermächtigen Heer gestürzt hatte,
ließ er seinen Marschall kommen,
dessen Zuverlässigkeit er kannte   1590
und dem er am meisten vertraute,
der für ihn die Herrschergewalt
über Land und Leute ausübte.

daz was Rûal li foitenant,
der êren unde der triuwe ein habe,   1595
der nie gewancte an triuwen abe.
der seite im aller hande,
als er ez wol erkande,
waz engeslîcher swaere
dem lande erstanden waere.   1600
»doch« sprach er »sît daz ir enzît
ze trôste uns allen komen sît
und iuch got wider gesendet hât,
sô sol sîn alles werden rât
und mugen vil harte wol genesen.   1605
wir suln nu hôhes muotes wesen,
unser angest sol nu cleine sîn.«
Hier under sagete im Riwalîn
die lieben âventiure
umbe sîne Blanschefliure.   1610
des wart er innneclîche vrô.
»ich sihe wol, hêrre« sprach er dô
»iuwer êre wehset alle wîs,
iuwer werdekeit und iuwer prîs,
iuwer vröude und iuwer wunne   1615
diu stîget als diu sunne.
irne möhtet ûf der erden
von wîbe niemer werden
sô hôhes namen als von ir.
von danne, hêrre, volget mir.   1620
habe sî wol ze iu getân,
des sult ir sî geniezen lân.
sô wir unser dinc nu genden,
die nôt von uns gewenden,
diu uns nu sô ze rucke lît,   1625
sô gebietet eine hôhgezît
wol hêrlîche unde rîche:
dâ nemet sî offenlîche
vor mâgen und vor mannen ze ê.

Das war Rual li Foitenant,
ein Muster an Aufrichtigkeit und Verläßlichkeit,   1595
der in seiner Loyalität nie geschwankt hatte.
Der erzählte ihm vieles,
wie er es wohl wußte,
in welch gefährliche Lage
das Land geraten sei.   1600
»Weil Ihr aber«, sagte er, »rechtzeitig
uns allen zu Hilfe gekommen seid
und Gott Euch heimgeschickt hat,
so wird sich alles wenden,
und wir werden alle am Leben bleiben.   1605
Wir wollen nun frohgestimmt sein
und unsere Angst vergessen.«
Dann berichtete ihm Riwalin
von seiner zärtlichen Begegnung
mit seiner Blanscheflur.   1610
Darüber freute er sich sehr.
»Ich bemerke«, meinte er,
»Euer Ansehen wächst in jeder Hinsicht.
Euer Ansehen und Euer Ruhm,
Euer Glück und Eure Herrlichkeit   1615
gehen auf wie die Sonne.
Auf der ganzen Welt könnt Ihr
durch keine Frau
Euren Namen so veredeln wie durch sie.
Deshalb, Herr, folgt meinem Rat.   1620
Wenn sie so freundlich zu Euch war,
dann lohnt ihr das jetzt.
Wenn wir unsere Angelegenheit abgeschlossen
und die Gefahr abgewendet haben,
die uns so schwer auf den Schultern lastet,   1625
dann ordnet ein Fest an,
das herrlich und prachtvoll sein soll.
Dann heiratet sie öffentlich
vor Anverwandten und Gefolge.

und râte zwâre, daz ir ê   1630
ze kirchen ir geruochet jehen,
da ez pfaffen unde leien sehen,
der ê nach cristenlîchem site.
dâ saeleget ir iuch selben mite.
und wizzet waerlîchen daz,   1635
iuwer dinc sol iemer deste baz
ze êren und ze guote ergân.«

Nu daz geschach, daz was getân,
daz er des alles vollekam.
und alse er sî dô ze ê genam,   1640
er bevalch si hant von hande
dem getriuwen Foitenande.
der vuorte sî ze Canoêl
ûf daz selbe castêl,
nâch dem sîn hêrre, als ich ez las,   1645
Canêlengres genennet was,
Canêl nach Canoêle.
ûf dem selben castêle
haete er dô sîn selbes wîp,
ein wîp, diu muot unde lîp   1650
mit wîplîcher staete
der werlt gewerldet haete.
der bevalch er sîne vrouwen dô
und schuof ir ir gemach alsô,
als ez ir namen wol gezam.   1655
Nu Rûal wider zem hêrren kam,
do wurden sî zwêne under in zwein
umbe ir angest in ein,
alse ez in dô was gewant.
si sanden über al ir lant   1660
und samenten ir ritterschaft;
alle ir state und alle ir craft
die kêrten sî niwan ze wer.
alsus kâmen sî mit her

Und ich rate ernstlich, daß Ihr noch vorher   1630
in der Kirche bekräftigen möget
– damit Priester und Laien es sehen –
die Ehe nach christlichem Brauch.
Das bringt Euch Segen.
Und seid versichert,   1635
daß Ihr so stets um so mehr
Ansehen und Besitz erwerben werdet.«

Das wurde getan und es geschah,
damit er dies alles vollbrachte.
Und als er sie geheiratet hatte,   1640
übergab er sie der Hand
des getreuen Foitenant.
Der brachte sie nach Kanoel
auf eben das Schloß,
nach dem sein Herr, wie ich gelesen habe,   1645
Kanelengres genannt wurde,
Kanel wie Kanoel.
Auf diesem Schlosse
hatte er seine eigene Frau,
eine Frau, die ihr Denken und Tun   1650
mit weiblicher Beständigkeit
der höfischen Welt gewidmet hatte.
Ihr vertraute er seine Herrin an
und schuf ihr so die Bequemlichkeiten,
auf die sie durch ihren Stand ein Anrecht hatte.   1655
Dann kehrte Rual zu seinem Herrn zurück,
und die beiden
berieten die Bedrängnis,
der sie sich gegenüber sahen.
Sie schickten Boten überall ins Reich   1660
und versammelten ihr Heer.
Ihre ganze Heeresmacht und Kraft
setzten sie für den Kampf ein.
So traten sie mit ihrer Streitmacht

Morgâne engegene geriten.   1665
ouch wart ir harte wol gebiten
von Morgâne und von den sînen:
sî enpfiengen Riwalînen
mit einer herten vehte.
hei waz dâ guoter knehte   1670
gevellet unde geveiget wart!
wie lützel der dâ wart gespart!
wie manic man kam dâ ze nôt,
und wie vil maneger lac dâ tôt
und wunt von ietwederm her!   1675
an dirre veigen lantwer
wart der vil clagebaere erslagen,
den al diu werlt wol solte clagen,
ob clegelîchiu swaere
nâch tôde nütze waere.   1680
Canêlengres der guote,
der ritterlîchem muote
noch hêrren tugende an keiner stete
nie vuoz noch halben wanc getete,
der lac dâ jaemerlîchen tôt.   1685
iedoch in aller dirre nôt
kâmen die sînen über in
und brâhten in mit noeten hin.
mit maneger clage vuorten si'n dan
und bestatten in als einen man,   1690
der minner noch mêre
niwan ir aller êre
mit ime dô vuorte hin ze grabe.
daz ich nu vil von ungehabe
und von ir jâmer sagete,   1695
waz iegelîcher clagete,
waz solte daz? es waere unnôt.
si wâren alle mit im tôt
an êren unde an guote,
an allem dem muote,   1700

Morgan entgegen.   1665
Sie wurden schon sehr erwartet
von Morgan und den Seinen:
Sie empfingen Riwalin
mit einem heftigen Gefecht.
Oh, so mancher tapfere Krieger   1670
wurde da niedergehauen und erschlagen;
niemand wurde geschont.
So mancher geriet in arge Bedrängnis,
und sehr viele lagen tot
oder verletzt von beiden Heeren.   1675
In dieser furchtbaren Verteidigungsschlacht
wurde der beklagenswerte Mann erschlagen,
über dessen Verlust alle Welt jammern sollte,
falls betrübtes Jammern
nach dem Tode noch Sinn hätte.   1680
Der edle Kanelengres,
der von ritterlicher Gesinnung
und vornehmer Vollkommenheit niemals
auch nur um einen halben Fuß abgewichen war,
lag dort beklagenswert erschlagen.   1685
Trotz aller Drangsal
schirmten die Seinen ihn ab
und brachten ihn unter Mühen weg.
Unter lautem Wehklagen trugen sie ihn fort
und begruben ihn wie einen Mann,   1690
der nicht mehr und nicht weniger
als ihrer aller Ansehen
mit sich ins Grab nahm.
Wenn ich nun ausführlich von ihrem Kummer
und von ihrem Klagen berichtete,   1695
was sie in ihrem Schmerz beweinten,
wozu sollte es dienen? Es wäre umsonst.
Sie alle waren mit ihm gestorben
an Ansehen und Besitz
und an jener Gesinnung,   1700

der guoten liuten solte geben
saelde und saeleclîchez leben.

Diz ist geschehen, ez muoz nu sîn.
er ist tôt der guote Riwalîn.
dane hoeret nû niht mêre zuo   1705
wan eine, daz man umbe in tuo
als mit rehte umb einen tôten man.
da enist doch nû niht anders an:
man sol und muoz sich sîn bewegen,
und sol sîn got von himele pflegen,   1710
der edeler herzen nie vergaz!
und sul wir sprechen vürbaz, .
wie'z umbe Blanschefliure kam.
dô diu vil schoene vernam
diu clagebaeren maere,   1715
wie dô ir herzen waere,
got hêrre, daz solt dû bewarn,
daz wir daz iemer ervarn!
ich enhân dâ keinen zwîvel an,
gewan ie wîp durch lieben man   1720
tôtlîchen herzesmerzen,
dern waere ouch in ir herzen.
daz was tôtlîches leides vol.
sî bewârte al der werlde wol,
daz ir sîn tôt ze herzen gie.   1725
ir ougen diu enwurden nie
in allem disem leide naz.
jâ got hêrre, wie kam daz,
daz dâ niht wart geweinet?
dâ was ir herze ersteinet.   1730
da enwas niht lebenes inne
niwan diu lebende minne
und daz vil lebelîche leit,
daz lebende ûf ir leben streit.
geclagete s'aber ir hêrren iht   1735

die vornehmen Menschen
Glück und Segen vermitteln sollte.

Es ist nun einmal geschehen und muß so sein:
Der edle Riwalin ist tot.
Nun bleibt nichts mehr zu tun,   1705
als an ihm so zu handeln,
wie man an einem Toten handeln muß.
Denn so ist nun einmal:
Man soll und muß auf ihn verzichten.
Gott im Himmel möge sich um ihn kümmern,   1710
der noch nie einen vornehmen Menschen vergessen hat.
Wir dagegen wollen nun fortfahren zu erzählen,
wie es Blanscheflur erging.
Als die Schöne
die traurige Geschichte hörte,   1715
wie ihr da zumute war –
o Herr, mögest du uns davor schützen,
daß wir es je erfahren.
Ich bin mir völlig sicher:
Wenn je eine Frau um ihren geliebten Mann   1720
tödliches Herzweh erlitt,
dann tat sie dies auch im Herzen.
Das ihre war voller Todesleid.
Sie bewies deutlich vor aller Welt,
daß sein Tod ihren Lebensnerv getroffen hatte.   1725
Niemals wurden ihre Augen
in all diesem Schmerz tränenfeucht.
Ja, Gott und Herr, warum
weinte sie nicht?
Ihr Herz war versteinert.   1730
Kein Leben war darin
außer der lebendigen Liebe
und dem sehr lebendigen Schmerz,
der lebendig gegen ihr Leben ankämpfte.
Beklagte sie denn ihren Herren nicht   1735

mit clageworten? nein sî niht.
sî erstummete an der stunde,
ir clage starp in ir munde.
ir zunge, ir munt, ir herze, ir sin,
daz was allez dô dâ hin.   1740
diu schoene enclagete dô niemê.
sine sprach dô weder ach noch wê.
si seic et nider unde lac
quelende unz an den vierden tac
erbermeclîcher danne ie wîp;   1745
si want sich unde brach ir lîp
sus unde sô, her unde dar
und treip daz an, biz sî gebar
ein sünelîn mit maneger nôt.
seht, daz genas und lac si tôt.   1750

O wê der ougenweide,
dâ man nâch leidem leide
mit leiderem leide
siht leider ougenweide!

D er êre an Riwalîne lac,   1755
der er nâch grôzen êren pflac,
die wîle ez got wolte,
daz er ir pflegen solte,
der leit was leider alze grôz
und alles leides übergenôz.   1760
wan al ir trôst und al ir craft,
ir tuon und al ir ritterschaft,
ir êre und al ir werdekeit,
daz allez was dô hin geleit.
sîn tôt was aber wol lobelîch,   1765
der ir ze sêre erbermeclîch.
swie schedelîch diu swaere
liute unde lande waere,
diu von ir hêrren tôde kam,

mit Worten der Klage? Nein, nicht sie.
Sie verstummte sogleich.
Die Klage starb ihr auf den Lippen.
Ihre Zunge, ihr Mund, ihr Herz, ihr Gefühl,
das alles war dahin. 1740
Die Schöne klagte nicht.
Sie sagte weder weh noch ach.
Sie brach zusammen und lag
vier Tage lang in Schmerzensqualen,
bedauernswerter als jemals eine Frau. 1745
Sie wand und bäumte sich
hin und her
und tat dies, bis sie
unter schweren Qualen ein Söhnchen gebar.
Seht, das blieb am Leben, aber sie verstarb. 1750

O weh über den Anblick,
da sich nach leidvollem Leid
mit noch leidvollerem Leid
ein leidvollerer Anblick bietet.

Deren Ansehen von Riwalin abhing 1755
und um die er sich höchst ehrenhaft kümmerte,
solange Gott zuließ,
daß er es tat,
deren Leid war nun schmerzlich übermächtig
und schwerer als alles Leid. 1760
Denn all ihre Hoffnung und Kraft,
ihr Tun und ihr ritterliches Leben,
ihr Ansehen und ihre Würde,
das alles war nun dahin.
Sein Tod war zwar ruhmvoll, 1765
der ihre jedoch erbarmenswürdig.
Wie unheilvoll auch immer der Kummer
für Land und Leute war,
den der Tod ihres Herren bewirkte,

ezn was doch niht sô clagesam,   1770
sô daz man dise quelende nôt
und den erbermeclîchen tôt
an dem vil süezen wîbe sach.
ir jâmer unde ir ungemach
beclage ein ieclîch saelec man.   1775
und swer von wîbe ie muot gewan
oder iemer wil gewinnen,
der trahte in sînen sinnen,
wie lîhte misselinge
an sus getânem dinge   1780
guoten liuten ûf erstât,
wie lîhte ez in ze leide ergât
an vröuden unde an lîbe,
und sî dem reinen wîbe
genâden wünschende umbe got,   1785
daz sîn güete und sîn gebot
ir helfe, ir trôst geruoche sîn!
und sagen wir umbe daz kindelîn,
daz vater noch muoter haete,
waz got mit deme getaete.   1790

so war er doch nicht so beklagenswert   1770
wie der, als man diese Schmerzensqual
und den erbarmungswürdigen Tod
dieser überaus lieblichen Frau sah.
Ihren Kummer und ihr Unglück
möge jeder glückliche Mensch beklagen.   1775
Wer jemals durch Frauen glücklich wurde
oder noch werden wird,
der bedenke,
wie leicht ein Unglück
in solchen Dingen   1780
den Guten widerfahren kann,
wie leicht sich ihnen in Schmerz verwandeln
ihr Glück und Wohlergehen,
und er möge der makellosen Frau
Gottes Segen wünschen,   1785
damit seine Güte und sein Gebot
ihr Hilfe und Hoffnung sein mögen.
Jetzt wollen wir von dem Kind berichten,
das weder Vater noch Mutter hatte,
was Gott mit ihm tat.   1790

Riwalins Tod und Begräbnis

Tristans Jugend: Taufe, Erziehung, Entführung

Riuwe unde staetiu triuwe
nâch vriundes tôde ie niuwe,
dâ ist der vriunt ie niuwe:
daz ist diu meiste triuwe.

Swer nâch dem vriunde riuwe hât,   1795
nâch tôde triuwe an ime begât,
daz ist vor allem lône,
deist aller triuwe ein crône.
mit der selben crône was
gecroenet dô, als ich ez las,   1800
der marschalc und sîn saelec wîp,
die beide ein triuwe unde ein lîp
got unde der werlde wâren,
des sî guot bilde bâren
beidiu der werlde unde gote,   1805
wan sî wol nâch gotes gebote
ganzlîcher triuwe wielten
und ouch die wol behielten
âne alle missewende
unz an ir beider ende.   1810
solt ieman ûf der erden
von triuwen halben werden
künic oder künigîn,
binamen daz möhten sî wol sîn,
als ich iu von in beiden   1815
waerlîche mag bescheiden,
wie er gevuor und sî gewarp.
dô Blanscheflûr, ir vrouwe, erstarp
und Riwalîn begraben was,
des weisen dinc, der dô genas,   1820
daz gevuor nâch ungenâden wol
als des, der vürbaz komen sol:

III. Rual li Foitenant

Trauer und unverbrüchliche Loyalität,
die nach dem Tod des Freundes fortbesteht,
erhält auch den Freund.
Das ist äußerste Loyalität.

Wer dem Freunde nachtrauert   1795
und nach dem Tode unverbrüchlich zu ihm hält,
der verdient höchstes Lob
und die Krone der Loyalität.
Mit eben dieser Krone waren,
wie ich gelesen habe, gekrönt   1800
der Marschall und seine tüchtige Frau,
die an Treue und an Leib beide eins
waren vor Gott und der Welt.
Dafür waren sie ein gutes Beispiel
vor der Welt und Gott,   1805
weil sie ganz nach Gottes Gebot
unverbrüchliche Treue wahrten
und diese auch einhielten
ohne jeden Makel
bis an ihr Ende.   1810
Wenn irgend jemand auf der Erde
nur kraft seiner Loyalität
zum König oder zur Königin werden sollte,
dann hätten sie das durchaus werden können,
wie ich Euch von ihnen beiden   1815
wahrhaftig versichern kann,
wie er handelte und sie sich benahm.
Als Blanscheflur, ihre Herrin, verschieden
und Riwalin begraben war,
da erging es dem Waisenkind, das überlebt hatte,   1820
den mißlichen Umständen entsprechend so gut
wie einem, der vorwärtskommen soll.

der marschalc und diu marschalkîn
nâmen daz cleine weiselîn
und burgen ez vil tougen   1825
den liuten von den ougen.
si sageten unde hiezen sagen,
ir vrouwe haete ein kint getragen,
daz waere in ir und mit ir tôt.
von der gedrîeten nôt   1830
wart aber des landes clage dô mê;
ir clage wart aber dô mê dan ê:
clage, daz Riwalîn erstarp,
clage, daz Blanscheflûr verdarp,
clage umbe ir beider kindelîn,   1835
an dem ir trôst dô solte sîn,
daz daz verdorben waere.
zuo aller dirre swaere
gieng in diu starke vorhte,
die Morgân an in worhte,   1840
als nâhen alse ir hêrren tôt.
wan diz daz ist diu meiste nôt,
die man zer werlde haben mac:
swâ sô der man naht unde tac
den tôtvînt vor ougen hât,   1845
daz ist diu nôt, diu nâhen gât,
und ist ein lebelîcher tôt.
in aller dirre lebenden nôt
wart Blanscheflûr ze grabe getragen.
michel jâmer unde clagen   1850
daz wart begangen ob ir grabe.
ir muget wol wizzen, ungehabe
der was dâ vil und alze vil.
nune sol ich aber noch enwil
iuwer ôren niht beswaeren   1855
mit z'erbermeclîchen maeren,
wan ez den ôren missehaget,
swâ man von clage ze vil gesaget;

Der Marschall und seine Frau
nahmen das Waisenkindchen
und verbargen es heimlich
vor den Augen der Leute.   1825
Sie sagten und ließen verbreiten,
ihre Herrin hätte ein Kind getragen,
das in ihr und mit ihr verstorben sei.
Durch diesen dreifachen Kummer   1830
wurde das Jammern im Reiche noch heftiger.
Das Jammern steigerte sich noch:
Jammer, daß Riwalin starb,
Jammer, daß Blanscheflur umkam,
Jammer wegen ihrer beider Kind,   1835
das ihre Hoffnung sein sollte,
daß es gestorben war.
Zusätzlich zu all diesem Kummer
berührte sie die tiefe Angst,
die Morgan in ihnen erregte,   1840
so sehr wie der Tod ihres Herrn.
Denn das ist die schlimmste Not,
die es auf der Welt gibt:
wenn man Tag und Nacht
den Todfeind vor Augen hat.   1845
Das ist die Not, die das Innerste aufwühlt;
sie ist ein lebendiger Tod.
In der Not all dieser Lebenden
wurde Blanscheflur begraben.
Viel Jammern und Klagen   1850
erhob sich an ihrem Grabe.
Ihr sollt wissen: Verzweiflung
gab es dort im Übermaß.
Nun darf ich aber und will auch nicht
eure Ohren belasten   1855
mit gar zu traurigen Geschichten.
Denn es mißfällt den Ohren,
wenn man ihnen zuviel Schmerzliches erzählt.

und ist vil lützel iht sô guot,
ez enswache, der's ze vil getuot.   1860
von diu sô lâzen langez clagen
und vlîzen uns, wie wir gesagen
umbe daz verweisete kint,
von dem diu maere erhaben sint.

Sich treit der werlde sache   1865
vil ofte z'ungemache
und aber von ungemache
wider ze guoter sache.

Reht in den noeten sol der vrome,
ze swelhem ende ez danne kome,   1870
bedenken, wie sîn werde rât.
die wîle und er daz leben hât,
sô sol er mit den lebenden leben,
im selben trôst ze lebene geben.
als tete der marschalc Foitenant.   1875
wan ez ime ze sorgen was gewant,
dô bedâhte er mitten in der nôt
des landes schaden, sîn selbes tôt.
wan ime diu wer niht tohte
noch sich mit wer enmohte   1880
wider den vînt gevristen,
dô vriste er sich mit listen.
er sprach die hêrren al zehant
über allez sînes hêrren lant
und brâhte sî ze suone.   1885
wan in was niht ze tuone
wan vlêhen unde sich ergeben.
sie ergâben guot unde leben
an Morgânes hulde.
die hazlîchen schulde   1890
under Morgâne und under in
die legeten sî mit listen hin

Und es gibt so gut wie nichts,
das nicht durch Übertreiben verlöre.   1860
Deshalb lassen wir langes Jammern
und berichten wir statt dessen
von dem verwaisten Kind,
welches der eigentliche Gegenstand unserer Geschichte ist.

Die Dinge auf Erden fügen sich   1865
sehr oft zum Unglück,
andererseits aber auch vom Unglück
zurück zum guten Ende.

Mitten in schlimmen Zeiten soll der Tüchtige,
was auch immer dann folgen möge,   1870
daran denken, wie ihm geholfen werden könne.
Solange er lebt,
soll er mit den Lebenden leben
und sich selbst Mut zum Leben machen.
So tat es der Marschall Foitenant.   1875
Weil es schlimm mit ihm stand,
bedachte er inmitten aller Bedrängnis
das Unglück des Reiches, seinen eigenen Tod.
Weil ihm Verteidigung nichts mehr nutzte
und er sich mit Waffengewalt nicht   1880
vor dem Feinde schützen konnte,
rettete er sich mit Klugheit.
Er beriet sich sogleich mit den Vornehmen
überall im Reiche seines Herrn
und veranlaßte sie, Frieden zu schließen,   1885
denn es blieb ihnen nichts übrig,
als um Gnade zu bitten und sich zu ergeben.
Sie lieferten sich und ihren Besitz
der Gnade Morgans aus.
Alle Feindseligkeiten   1890
mit Morgan und untereinander
legten sie aus Klugheit bei

und nerten ir liut unde ir lant.
Der getriuwe marschalc Foitenant
vuor heim und sprach sîn saelic wîp   1895
und bevalch ir verre und an den lîp,
daz sî sich in leite
nâch der gewonheite,
als ein wîp kindes inne lît,
und daz si nâch der selben zît   1900
jaehe unde jehende waere,
daz sî daz kint gebaere,
daz ir junchêrre solte sîn.
diu saelege marschalkîn,
diu guote, diu staete,   1905
diu reine Floraete,
diu wîbes êre ein spiegelglas
und rehter güete ein gimme was,
diu was des lîhte gemant,
daz ir doch z'êren was gewant.   1910
sie stalte ir muot und al ir lîp
ze clage und rehte alse ein wîp,
diu eines kindes sol genesen.
si hiez ir kamere unde ir wesen
stellen unde machen   1915
ze heinlîchen sachen.
und wande s'ouch erkande wol,
wie man hie zuo gebâren sol,
dô nam si'r willeclage hier abe.
si gelîchsente grôz ungehabe   1920
an muote unde an lîbe
gelîch einem wîbe,
diu ze solhen noeten gât,
diu al ir dinc gestellet hât
ze sus getâner arbeit.   1925
sus wart daz kint zuo z'ir geleit
vil tougenlîche unde alsô,
daz ez vil lützel ieman dô

und retteten so ihr Land und ihre Untertanen.
Der treue Marschall Foitenant
kehrte heim und redete mit seiner tüchtigen Frau   1895
und befahl ihr dringlich und bei Todesstrafe,
daß sie sich niederlegen solle
in der Weise,
wie eine Frau im Kindbett liegt,
und daß sie nach angemessener Zeit   1900
sagen solle,
sie hätte ein Kind geboren,
das ihr junger Herr sein würde.
Die tüchtige Marschallin,
die edle und verläßliche,   1905
die makellose Floraete,
die das Abbild weiblicher Ehre
und ein Edelstein an Vornehmheit war,
ließ sich gerne bitten zu etwas,
das doch ihrem Ansehen dienlich war.   1910
Sie stellte sich seelisch und leiblich
auf Jammern um – wie eine Frau,
die ein Kind erwartete.
Sie ließ ihre Kammer und Wohnung
herrichten   1915
zur Niederkunft.
Und weil sie genau wußte,
wie man sich dabei benehmen muß,
ahmte sie so die vorgegebenen Schmerzen nach.
Sie heuchelte großen Schmerz   1920
an Geist und Körper –
wie eine Frau,
die solche (Geburts-)Qualen erleidet
und die sich ganz eingestellt hat
auf solche Schmerzen.   1925
Dann wurde das Kind zu ihr gelegt
ganz heimlich und so,
daß niemand

âne eine ir ammen bevant.
hie wart ein maere sâ zehant,   1930
diu guote marschalkinne
laege eines sunes inne.
ez was ouch wâr, sie tete alsô:
si lag des sunes inne dô,
der ir sunlîcher triuwe pflac   1935
unz an ir beider endetac.
daz selbe süeze kint truoc ir
als süezelîche kindes gir,
als ein kint sîner muoter sol.
und was daz billîch unde wol.   1940
si leite ouch allen ir sin
mit muoterlîcher liebe an in
und was des alsô staete,
als ob sî'n selbe ie haete
under ir brüsten getragen.   1945
als wir daz maere hoeren sagen,
sone geschach ez weder sît noch ê,
daz ein man unde ein wîp ie mê
mit solher liebe ir hêrren zugen.
als wir her nâch erkennen mugen   1950
an disem selben maere,
wie veterlîche swaere
und wie vil manege arbeit
der getriuwe marschalc durch in leit.

Nu daz diu guote marschalkîn   1955
der noete genesen solte sîn
und nâch ir sehs wochen,
als den vrouwen ist besprochen,
des suns ze kirchen solte gân,
von dem ich her gesaget hân,   1960
si selbe in an ir arm nam
und truog in suoze, als ir gezam,
mit ir zem gotes hûse alsô.

außer einer Amme davon wußte.
Sogleich wurde verbreitet, 1930
die edle Marschallin
habe einen Sohn geboren.
Und es stimmte, sie hatte es wirklich getan:
einen Sohn geboren,
der ihr Sohnestreue erwies 1935
bis zu ihrer beider Tod.
Dieses liebliche Kind hing an ihr
mit eben der innigen Kindesliebe,
die ein Kind seiner Mutter entgegenbringen soll.
Und so sollte es auch sein. 1940
All ihr Denken widmete sie
mit mütterlicher Liebe nur ihm
und war dabei so hingegeben,
als ob sie selbst ihn
unter ihrem Herzen getragen hätte. 1945
Wie wir durch die Geschichte erfahren,
haben weder vorher noch danach jemals
ein Mann und eine Frau
ihren Herrn mit solcher Liebe aufgezogen.
Wir werden noch sehen 1950
in dieser Geschichte,
welche väterliche Bekümmernis
und wieviel schwere Mühe
der treue Marschall um seinetwillen erlitt.

Als nun die gute Marschallin 1955
sich, wie es hieß, von ihren Qualen erholt hatte
und nach sechs Wochen,
wie es Frauen vorgeschrieben ist,
wegen ihres Sohnes zur Kirche gehen sollte,
von dem ich zuvor gesprochen habe, 1960
da nahm sie selbst ihn auf den Arm
und trug ihn sanft, wie es ihr zukam,
auf diese Weise in das Gotteshaus.

und als si ir înleite dô
gotelîche haete enpfangen   1965
und was von opfer gangen
mit schoenem ingesinde,
dô was dem cleinen kinde
der heilege touf bereit,
durch daz ez sîne cristenheit   1970
in gotes namen enpfienge,
swie'z ime dar nâch ergienge,
daz ez doch cristen waere.
nu daz sîn toufaere
alles sînes dinges was bereit,   1975
nâch touflîcher gewonheit
er vrâgete umb daz kindelîn,
wie sîn name solte sîn.
diu höfsche marschalkîn gie dan
und sprach vil tougenlîche ir man   1980
und vrâgete in, wie er wolte,
daz man ez nennen solte.
der marschalc der sweic lange.
er trahte ange und ange,
waz namen ime gebaere   1985
nâch sînen dingen waere.
hier under sô betrahte er
des kindes dinc von ende her,
rehte alse er haete vernomen,
wie sîn dinc allez dar was komen: 1990
»seht« sprach er »vrouwe, als ich vernam
von sînem vater, wie'z dem kam
umbe sîne Blanschefliure,
mit wie vil maneger triure
ir gernder wille an ime ergie,   1995
wie sî diz kint mit triure enpfie,
mit welher triure sî'z gewan,
sô nenne wir in Tristan.«
nu heizet triste triure,

Und als sie ihren Wöchnerinnensegen dort
feierlich empfangen   1965
und ihren Opfergang beendet hatte
mit ihrem prächtigen Gefolge,
da wurde dem kleinen Kinde
die Heilige Taufe bereitet,
durch die es sein Christentum   1970
im Namen Gottes erhalten sollte
und damit es, wie es ihm auch ergehen möge,
jedenfalls ein Christ sei.
Als nun der Taufpriester
alles vorbereitet hatte,   1975
wie es bei Taufen üblich ist,
da fragte er,
wie denn der Name des Kindes sein sollte.
Die vornehme Marschallin ging fort
und sprach heimlich mit ihrem Mann   1980
und fragte ihn, wie man nach seiner Ansicht
das Kind nennen sollte.
Der Marschall schwieg lange.
Er dachte sehr tief nach,
welcher Name   1985
seinen Lebensumständen angemessen sei.
Dabei bedachte er
das Schicksal des Kindes von Anfang an,
so wie er es kennengelernt hatte,
wie es sich bis jetzt entwickelt hatte.   1990
»Seht, Herrin«, sagte er, »wie ich gehört habe
von seinem Vater, wie es dem
wegen seiner Blanscheflur erging,
mit welchem großen Schmerz
sie ihren sehnlichen Wunsch erreichte,   1995
wie sie dieses Kind in Trauer empfing
und mit welcher Trauer sie es gebar,
sollten wir ihn Tristan nennen.«
›Triste‹ heißt ›Trauer‹,

und von der âventiure   2000
sô wart daz kint Tristan genant,
Tristan getoufet al zehant.
von triste Tristan was sîn nam.
der name was ime gevallesam
und alle wîs gebaere.   2005
daz kiesen an dem maere.
sehen wir trûreclîch ez was,
dâ sîn sîn muoter genas.
sehen wie vruo im arbeit
und nôt ze rucke wart geleit.   2010
sehen wie trûreclîch ein leben
ime ze lebene wart gegeben.
sehen an den trûreclîchen tôt,
der alle sîne herzenôt
mit einem ende beslôz,   2015
daz alles tôdes übergenôz
und aller triure ein galle was.
diz maere, der daz ie gelas,
der erkennet sich wol, daz der nam
dem lebene was gehellesam.   2020
er was reht alse er hiez ein man
und hiez reht alse er was: Tristan.
und swer nu gerne haete erkant,
durch welhe liste Foitenant
daz hieze sagen ze maere,   2025
daz Tristan daz kint waere
von der gebürteclîchen nôt
in sîner tôten muoter tôt,
den suln wir ez wizzen lân:
ez wart durch triuwe getân.   2030
der getriuwe tete ez umbe daz:
er vorhte Morgânes haz.
ob er daz kint dâ wiste,
daz er ez sô mit liste
sô mit gewalt verdarpte,   2035

und deshalb   2000
wurde das Kind Tristan genannt
und sogleich auf den Namen Tristan getauft.
Sein Name Tristan leitete sich von ›triste‹ her.
Der Name paßte zu ihm
und war in jeder Weise angemessen.   2005
Das wollen wir an der Geschichte überprüfen.
Sehen wir, wie traurig es war,
als seine Mutter ihn gebar.
Sehen wir, wie frühzeitig ihm Mühe
und Drangsal aufgebürdet wurden.   2010
Sehen wir, welch trauriges Leben
ihm zu leben aufgegeben wurde.
Sehen wir, wie sein trauriger Tod
all seine Herzensqualen
mit einem Ende abschloß,   2015
das schlimmer war als jeder Tod
und bitterer als alle Trauer.
Jeder, der diese Geschichte gelesen hat,
sieht genau, daß der Name
dem Leben entsprach.   2020
Er war genau so, wie er hieß,
und er hieß, was er war: Tristan.
Und wer nun gerne wissen will,
aus welchem schlauen Grunde Foitenant
die Nachricht verbreiten ließ,   2025
daß das Kind Tristan
durch die Schwere der Geburt
in seiner toten Mutter gestorben sei,
dem wollen wir sagen:
Es geschah aus Loyalität.   2030
Der Treue tat es,
weil er Morgans Feindseligkeit fürchtete.
Wenn der von dem Kinde erführe,
würde er es durch Klugheit
oder Gewalt umbringen   2035

daz lant an ime entarpte.
durch daz nam der getriuwe man
ze kinde sich den weisen an
und zôch ez alsô schône,
daz ime diu werlt ze lône   2040
der gotes genâden wünschen sol.
daz verdiente er an dem weisen wol.

Nu daz daz kint getoufet wart,
nâch cristenlîchem site bewart,
diu tugende rîche marschalkîn   2045
nam aber ir liebez kindelîn
in ir vil heinlîche pflege.
si wolte wizzen alle wege
und sehen, ob ime sîn sache
stüende ze gemache.   2050
sîn süeziu muoter leite an in
mit alsô süezem vlîze ir sin,
daz s'ime des niht engunde,
daz er ze keiner stunde
unsanfte nider getraete.   2055
Nu sî daz mit im haete
getriben unz an sîn sibende jâr,
daz er wol rede und ouch gebâr
vernemen kunde und ouch vernam,
sîn vater der marschalc in dô nam   2060
und bevalch in einem wîsen man.
mit dem sante er in iesâ dan
durch vremede sprâche in vremediu lant.
und daz er aber al zehant
der buoche lêre an vienge   2065
und den ouch mite gienge
vor aller slahte lêre.
daz was sîn êrstiu kêre
ûz sîner vrîheite.
dô trat er in daz geleite   2070

und das Land seines Erben berauben.
Deshalb nahm der getreue Mann
die Waise als Kind an
und erzog es so vortrefflich,
daß alle Welt ihm zum Lohn   2040
den Segen Gottes wünschen sollte.
Den hatte er sich um die Waise wohl verdient.

Als das Kind nun getauft   ⌜versehen war,
und nach christlichem Brauch mit den Sakramenten
nahm die vorbildliche Marschallin   2045
das liebliche Kind erneut
in ihre liebevolle Obhut.
Sie wollte stets wissen
und sehen, ob es ihm
gut erginge.   2050
Seine liebe Mutter wandte sich
ihm mit so reizendem Eifer zu,
daß sie es nicht zuließ,
daß er auch nur einmal
hart aufträte.   2055
Als sie das mit ihm
bis zu seinem siebenten Lebensjahr getrieben hatte,
da er Sprache und auch Benehmen
schon verstehen konnte und auch verstand,
nahm sein Vater, der Marschall, ihn   2060
und vertraute ihn einem klugen Manne an.
Mit diesem sandte er ihn dann
ins Ausland, damit er Fremdsprachen lerne.
Außerdem sollte er sofort
mit dem Lesen von Büchern beginnen   2065
und das intensiver betreiben als
alle anderen Studien.
Das war seine erste Abkehr
von der Freiheit.
Da machte er Bekanntschaft   2070

betwungenlîcher sorgen,
die ime dâ vor verborgen
und vor behalten wâren.
in den ûf blüenden jâren,
dô al sîn wunne solte enstân,   2075
dô er mit vröuden solte gân
in sînes lebenes begin,
dô was sîn beste leben hin.
dô er mit vröuden blüen began,
dô viel der sorgen rîfe in an,   2080
der maneger jugent schaden tuot,
und darte im sîner vröuden bluot.
in sîner êrsten vrîheit
wart al sîn vrîheit hin geleit.
der buoche lêre und ir getwanc   2085
was sîner sorgen anevanc.
und iedoch dô er ir began,
dô leite er sînen sin dar an
und sînen vlîz sô sêre,
daz er der buoche mêre   2090
gelernete in sô kurzer zît
danne ie kein kint ê oder sît.
Under disen zwein lernungen
der buoche unde der zungen
sô vertete er sîner stunde vil   2095
an iegelîchem seitspil.
dâ kêrte er spâte unde vruo
sîn emezekeit sô sêre zuo,
biz er es wunder kunde.
er lernete alle stunde   2100
hiute diz, morgen daz,
hiure wol, ze jâre baz.
über diz allez lernet er
mit dem schilte und mit dem sper
behendeclîche rîten,   2105
daz ors ze beiden sîten

mit auferlegten Mühen,
die ihm bis dahin erspart
und ferngehalten worden waren.
In seinen aufblühenden Jahren,
da sein ganzes Glück erst beginnen,   2075
da er mit Freuden in den
Frühling seines Lebens eintreten sollte,
da war sein schönstes Leben schon vorüber.
Als er mit Freuden aufzublühen begann,
da befiel ihn der Rauhreif der Sorge,   2080
der häufig der Jugend Schaden zufügt,
und ließ die Blüten seines Glücks verdorren.
In seiner ersten Freiheit
wurde all seine Freiheit vernichtet.
Die Wissenschaft und ihr Zwang   2085
wurden der Beginn seines Kummers.
Und trotzdem: als er damit anfing,
konzentrierte er sein Denken
und seinen Eifer so sehr darauf,
daß er mehr Bücher   2090
studierte in so kurzer Zeit
als jemals ein Kind zuvor oder danach.
Neben dem Studium
der Bücher und der Sprachen
widmete er viele Stunden   2095
allen Arten des Saitenspiels.
Darauf wandte er von früh bis spät
soviel Fleiß,
bis er es vorzüglich konnte.
Er lernte unentwegt,   2100
heute das, morgen dies,
in diesem Jahre gut, im nächsten noch besser.
Daneben lernte er,
mit Schild und Speer
geschickt zu reiten,   2105
das Pferd zu beiden Seiten

bescheidenlîche rüeren,
von sprunge ez vreche vüeren,
turnieren und leisieren,
mit schenkeln sambelieren   2110
rehte und nâch ritterlîchem site.
hie bankete er sich ofte mite.
wol schirmen, starke ringen,
wol loufen, sêre springen,
dar zuo schiezen den schaft,   2115
daz tete er wol nâch sîner craft.
ouch hoere wir diz maere sagen,
ezn gelernete birsen unde jagen
nie kein man sô wol sô er,
ez waere dirre oder der.   2120
aller hande hovespil
diu tete er wol und kunde ir vil.
ouch was er an dem lîbe,
daz jungelinc von wîbe
nie saeleclîcher wart geborn.   2125
sîn dinc was allez ûz erkorn
beide an dem muote und an den siten.
nu was aber diu saelde undersniten
mit werndem schaden, als ich ez las,
wan er leider arbeitsaelic was.   2130

Nu sîn vierzehende jâr vür kam,
der marschalc in hin heim dô nam
und hiez in z'allen zîten
varn unde rîten,
erkunnen liute unde lant,   2135
durch daz im rehte würde erkant,
wie des landes site waere.
diz tete der lobebaere
sô lobelîchen unde alsô,
daz in den zîten unde dô   2140
in allem dem rîche

richtig zu spornen,
es kühn zum Galopp anzutreiben,
zu wenden und frei laufen zu lassen,
es durch Schenkeldruck zu lenken   2110
auf ritterliche Weise.
Daran erfreute er sich oft.
Gut parieren, heiß kämpfen,
schnell laufen, mächtig springen,
den Speer werfen –   2115
das alles tat er mit aller Kraft.
Auch sagt uns die Geschichte,
daß niemand das Pirschen und Jagen
so gut wie er erlernte,
wer es auch sei.   2120
Alle höfischen Gesellschaftsspiele
beherrschte er gut und kannte viele.
Auch war er so schön,
daß niemals von einer Frau
ein liebreizenderes Kind geboren wurde.   2125
Alles an ihm war erlesen,
sowohl was seinen Geist als auch sein Benehmen anging.
Dieses Glück war jedoch vermischt
mit andauerndem Unglück, wie ich gelesen habe,
denn ach, er war mit Kummer gesegnet.   2130

Als sein vierzehntes Lebensjahr herankam,
holte der Marschall ihn heim
und ließ ihn immerzu
reisen und reiten,
Reich und Volk erkunden,   2135
damit er genau kennenlerne,
wie es dort zugehe.
Dies tat der Rühmliche
so lobenswert und so,
daß zu jener Zeit   2140
in dem ganzen Reich

nie kint sô tugentlîche
gelebete alse Tristan.
al diu werlt diu truog in an
vriundes ouge und holden muot,   2145
als man dem billîche tuot
des muot niwan ze tugende stât,
der alle untugende unmaere hât.

niemals ein Kind so rechtschaffen
lebte wie Tristan.
Alle Welt begegnete ihm
mit freundlichem Auge und Wohlwollen,   2145
so wie man es von Rechts wegen tut mit einem,
der nur nach Vollkommenheit strebt
und dem Unwürdigkeit ein Greuel ist.

In den zîten unde dô
kam ez von âventiure alsô,   2150
daz von Norwaege über sê
ein koufschif unde dekeinez mê
in daz lant ze Parmenîe kam
und sîn gelende dâ genam
und ûz gestiez ze Canoêl   2155
vür daz selbe castêl,
dâ der marschalc ze staete
sîn wesen ûfe haete
und sîn junchêrre Tristan.
nu daz die vremeden koufman   2160
ir market haeten ûz geleit,
vil schiere wart ze hove geseit,
waz dâ koufrâtes waere.
hier under kâmen maere
Tristande z'unheile: 2165
dâ waeren valken veile
und ander schoene vederspil.
und wart des maeres alsô vil,
biz zwei des marschalkes kint
(wan kint der dinge vlîzec sint)   2170
under in zwein wurden in ein,
daz sî Tristanden zuo z'in zwein,
ir wânbruoder, nâmen
und an ir vater kâmen
und bâten den bihanden,   2175
daz er in durch Tristanden
der valken koufen hieze.
der edele Rûal lieze
und haete ez nôte verlân,
ez enmüese allez vür sich gân,   2180
des sîn vriunt Tristan baete,

IV. Die Entführung

Damals
trug es sich zu, 2150
daß über das Meer aus Norwegen
ein einzelnes Handelsschiff
nach Parmenien kam
und dort anlegte
und in Kanoel landete 2155
vor eben dem Schloß,
in dem der Marschall
für gewöhnlich wohnte
und sein junger Herr Tristan.
Als nun die fremden Kaufleute 2160
ihre Waren ausgebreitet hatten,
wurde sogleich am Hofe erzählt,
was es da zu kaufen gäbe.
Dabei drang eine Nachricht
zu Tristan, die ihm Unglück bringen sollte: 2165
Es gäbe dort Falken
und andere hübsche Jagdvögel.
Davon wurde so viel erzählt,
bis zwei Kinder des Marschalls
(denn Kinder sind darin emsig) 2170
sich einigten,
daß sie Tristan,
ihren vermeintlichen Bruder, mitnahmen
und zu ihrem Vater gingen
und ihn inständig baten, 2175
daß er ihnen für Tristan
Falken einzukaufen auftrüge.
Der vornehme Rual ließ es geschehen
und hätte gewiß nichts unterlassen,
damit alles vor sich gehe, 2180
worum sein Freund Tristan bat.

wan er in werder haete
und bôt ez baz im einem
dan aller der dekeinem
von lande oder von gesinde.   2185
sîner eigenen kinde
was er sô vlîzec niht sô sîn.
dar an tete er der werlde schîn,
wie vollekomener triuwe er pflac,
waz tugende und êren an im lac.   2190
Er stuont ûf unde nam zehant
sînen sun Tristanden an die hant
nâch vil vaterlîchem site.
sîn ander süne giengen mite
und dar zuo hovegesindes vil,   2195
die sô durch ernest sô durch spil
in volgeten unz an den kiel.
und swaz ieman dâ geviel,
dâ in sîn wille zuo getruoc,
des vant er umbe kouf genuoc.   2200
kleinoede, sîden, edele wât:
des was dâ rât über rât.
ouch was dâ schoene vederspil,
valken pilgerîne vil,
smirlîne und sperwaere,   2205
habeche mûzaere
und ouch in rôten vederen:
von disen ietwederen
vant man vollen market dâ.
Tristande hiez man koufen sâ   2210
valken unde smirlîn.
die sîne bruoder solten sîn,
den wart ouch dâ gekouft durch in.
man gewan in allen drin,
swes iegelîcher gerte.   2215
Nu man sî dô gewerte
alles, des sî wolten,

Denn er schätzte ihn höher
und behandelte ihn besser
als jeden anderen
im Reich oder bei Hofe.   2185
Um seine eigenen Kinder
bemühte er sich nicht so sehr wie um ihn;
dadurch bewies er jedermann,
wie völlig loyal er war,
wie vollkommen und ehrenhaft.   2190
Er erhob sich und nahm sogleich
seinen Sohn Tristan bei der Hand,
ganz wie ein Vater es tut.
Seine anderen Söhne kamen mit
und außerdem viele aus dem Gefolge,   2195
die dienstlich oder zum Vergnügen
ihnen zu dem Schiff folgten.
Und was dort jemandem gefiel
und was er haben wollte,
das fand er in Fülle angeboten.   2200
Geschmeide, Seidenstoffe, kostbare Kleidung,
das gab es dort im Übermaß.
Auch waren da schöne Jagdvögel,
viele Wanderfalken,
Merlinfalken und Sperber,   2205
ausgewachsene Habichte
und jüngere,
von all diesen
war der Markt voll.
Tristan ließ man dort   2210
Falken und Merlinfalken kaufen.
Für seine angeblichen Brüder
wurde ihm zuliebe dort auch eingekauft.
Für alle drei erstand man,
was jeder wollte.   2215
Als man ihnen dort alles schenkte,
was sie sich wünschten,

und dannen kêren solten,
von âventiure ez dô geschach,
daz Tristan in dem schiffe ersach   2220
ein schâchzabel hangen,
an brete und an den spangen
vil schône und wol gezieret,
ze wunsche gefeitieret.
dâ bî hienc ein gesteine   2225
von edelem helfenbeine
ergraben wol meisterlîche.
Tristan der tugende rîche
der sach ez vlîzeclîchen an.
»ei« sprach er »edelen koufman,   2230
sô helfe iu got! und kunnet ir
schâchzabelspil? daz saget mir!«
und sprach daz in ir zungen.
nu sâhen sî den jungen
aber noch vlîzeclîcher an,   2235
dô er ir sprâche reden began,
die lützel ieman kunde dâ.
sus begunden s'an dem jungen sâ
merken elliu sîniu dinc.
nun gedûhte sî nie jungelinc   2240
sô saeleclîche sîn getân
noch alsô schoene site hân.
»jâ« sprach ir einer »vriunt, ir ist
under uns genuoc, die disen list
wol kunnen; wellet ir'z besehen,   2245
sô mag ez harte wol geschehen.
wol her, sô wil ich iuch bestân!«
Tristan der sprach: »diz sî getân!«
sus sâzen sî zwêne über daz spil.
der marschalc sprach: »Tristan, ich wil   2250
wider ûf ze herbergen gân.
wiltû, du maht wol hie bestân.
mîn ander süne die gên mit mir.

und wieder umkehren wollte,
da ergab es sich zufällig,
daß Tristan auf dem Schiff   2220
ein Schachspiel hängen sah,
dessen Brett und Beschläge
wunderschön und verziert,
herrlich gefertigt waren.
Daneben hingen Figuren,   2225
aus kostbarem Elfenbein
meisterhaft geschnitzt.
Der wohlerzogene Tristan
sah es aufmerksam an.
»Ei«, sagte er, »edle Kaufleute,   2230
Gott beschütze Euch. Könnt Ihr
Schach spielen? Das sagt mir!«
Und er sagte das in ihrer Sprache.
Sie sahen den jungen Mann
noch einmal genauer an,   2235
als er in ihrer Sprache zu reden anfing,
die dort niemand kannte.
Also begannen sie, den Jungen
aufmerksam anzuschauen.
Noch niemals glaubten sie einen Jüngling gesehen zu 2240
der so schön war   [haben,
und so feines Benehmen hatte.
»Ja, mein Freund«, sagte einer von ihnen,
»unter uns sind viele, die das
durchaus können. Wenn Ihr es sehen wollt,   2245
so läßt sich das sehr leicht einrichten.
Kommt her, und ich will gegen Euch spielen!«
Tristan erwiderte: »Also gut!«
So setzten die beiden sich an das Spiel.
Der Marschall sagte: »Tristan, ich will   2250
zurückgehen zum Schloß.
Wenn du willst, dann darfst du gerne hier bleiben.
Meine anderen Söhne kommen mit mir.

sô sî dîn meister hie bî dir,
der neme dîn war und hüete dîn.«   2255
sus gie der marschalc wider în
und sîn liut al gemeine
niwan Tristan al eine
und sîn meister, der sîn pflac,
von dem ich iu wol sagen mac   2260
vür wâr, als uns diz maere seit,
daz knappe nie von höfscheit
und von edeles herzen art
baz noch schôner geedelt wart;
und was der Curvenal genant.   2265
er haete manege tugende erkant,
als er dem wol ze lêre zam,
der ouch von sîner lêre nam
vil manegiu tugentlîchiu dinc.

Der tugende rîche jungelinc,   2270
der wol gezogene Tristan
saz unde spilte vür sich an
sô schône und sô höfschlîche,
daz in gemeinlîche
die vremeden aber an sâhen   2275
und in ir herzen jâhen,
sine gesaehen nie dekeine jugent
gezieret mit sô maneger tugent.
swaz vuoge er aber an der stete
mit gebaerden oder mit spil getete,   2280
daz was in dâ wider alse ein wint:
si nam des wunder, daz ein kint
sô manege sprâche kunde;
die vluzzen ime ze munde,
daz sî'z ê nie vernâmen,   2285
an swelhe stat sî ie kâmen.
der höfsche hovebaere
lie sîniu hovemaere

Dein Lehrmeister soll bei dir bleiben
und auf dich achtgeben.«   2255
Damit ging der Marschall wieder hinein
und sein ganzes Gefolge,
außer allein Tristan
und seinem Lehrer, der sich um ihn kümmerte
und von dem ich Euch wahrhaftig berichten kann,   2260
wie diese Erzählung bestätigt,
daß noch niemals jemand durch höfisches Betragen
und vornehme Gesinnung
besser oder herrlicher geadelt worden war.
Sein Name war Kurvenal.   2265
Er hatte viele höfische Fertigkeiten erlernt
und war deshalb ein guter Lehrer für den,
der in seinem Unterricht
viele dieser Fertigkeiten erwarb.

Der hochbegabte   2270
und wohlerzogene Tristan
saß und spielte
so gut und nach höfischem Stil,
daß ihn
die Fremden erneut ansahen   2275
und bei sich dachten,
daß sie noch niemals irgendeinen jungen Mann erblickt
der so viel Talent besaß.   [hätten,
Welche Geschicklichkeit aber er dort
in Benehmen und Spiel bewies,   2280
so schien ihnen das gering im Vergleich mit etwas anderem:
Es wunderte sie, daß ein Kind
so viele Sprachen beherrschte,
die ihm aus dem Munde flossen,
wie sie es nie gehört hatten,   2285
wo immer sie gewesen waren.
Der höfisch gebildete Knabe
ließ seine höfisch-elegante Konversation

und vremediu zabelwortelîn
under wîlen vliegen în.   2290
diu sprach er wol und kunde ir vil,
dâ mite sô zierte er in sîn spil.
ouch sang er wol ze prîse
schanzûne und spaehe wîse,
refloit und stampenîe.   2295
alsolher cûrtôsîe
treip er vil und sô vil an,
biz aber die werbenden man
ze râte wurden under in:
kunden s'in iemer bringen hin   2300
mit keiner slahte sinnen,
sî möhten sîn gewinnen
grôzen vrumen und êre.
und biten ouch dô nimêre:
sî gebuten ir ruoderaeren,   2305
daz sî bereite waeren,
und zugen sî selbe ir anker în,
als ez der rede niht solte sîn.
si stiezen an und vuoren dan:
sô lîse, daz es Tristan   2310
noch Curvenal nie wart gewar,
biz sî si haeten von dem var
wol eine grôze mîle brâht.
wan jene die wâren verdâht
an ir spil sô sêre,   2315
daz sî dô nihtes mêre
niwan ir spiles gedâhten.
nu sî'z dô vollebrâhten,
sô daz Tristan daz spil gewan,
und er sich umbe sehen began,   2320
dô sach er wol, wie'z was gevarn.
nune gesâhet ir nie muoterbarn
sô rehte leidegen als in.
ûf sprang er und stuont under in.

und fremdartige Schachausdrücke
gelegentlich einfließen. 2290
Die formulierte er schön und konnte viele,
mit denen er sein Spiel für sie schmückte.
Auch sang er vorzüglich
Lieder und kunstvolle Weisen,
Strophen mit Refrain und zur Geige. 2295
Solche höfischen Künste
betrieb er in solcher Vielfalt,
daß die Kaufleute
übereinkamen,
wenn sie ihn wegschaffen könnten 2300
durch irgendeine List,
könnten sie sich durch ihn
großen Nutzen und Ansehen erwerben.
Da zögerten sie nicht mehr
und befahlen den Ruderern, 2305
sich bereit zu halten.
Und sie selbst lichteten die Anker,
als wenn nichts dabei wäre.
Sie stießen ab und fuhren davon –
so sanft, daß weder Tristan 2310
noch Kurvenal es bemerkten,
bis sie sie von dem Landeplatz
eine Meile entführt hatten.
Jene nämlich waren
so sehr in ihr Spiel vertieft, 2315
daß sie an nichts anderes
als ihr Spiel dachten.
Als es ihnen nun gelungen war,
daß Tristan das Spiel gewonnen hatte,
und er sich umschaute, 2320
da bemerkte er, was geschehen war.
Noch nie habt Ihr einen Menschen
so kummervoll gesehen wie ihn.
Er sprang auf und ging zu ihnen

»ach« sprach er »edelen koufman,   2325
durch got waz gât ir mit mir an?
saget, wâ welt ir mich hin?«
»seht, vriunt« sprach einer under in
»diz enmac nu nieman bewarn,
ir enmüezet hinnen mit uns varn.   2330
gehabet iuch et wol und sît vrô!«
Tristan der arme der huop dô
sô jaemerlîchez clagen an,
daz Curvenal sîn vriunt began
mit ime von herzen weinen   2335
und solhe clage erscheinen,
daz al daz kielgesinde
von ime und von dem kinde
unmuotic wart und sêre unvrô.
Curvenâlen satzten sî dô   2340
in ein vil cleine schiffelîn
und leiten zuo z'ime dar în
ein ruoder unde ein cleine brôt
zer verte und zer hungers nôt
und sprâchen, daz er kêrte,   2345
swar in sîn muot gelêrte.
Tristan der müese hin mit in.
mit der rede vuoren si hin
und liezen in dâ swebenden,
in manegen sorgen lebenden.   2350

Curvenal swebete ûf dem sê.
in manegen wîs sô was im wê:
wê umbe daz michel ungemach,
daz er an Tristande sach;
wê umbe sîn selbes nôt,   2355
durch daz er vorhte den tôt,
wan er niht varn kunde
noch es nie dâ vor begunde.
und clagende sprach er wider sich:

»Ach«, sagte er, »edle Kaufleute, 2325
was, um Gottes Willen, tut Ihr mit mir?
Sagt, wohin schafft Ihr mich?«
»Seht, Freund«, erwiderte einer von ihnen,
»niemand kann etwas daran ändern,
daß Ihr jetzt mit uns davon fahrt. 2330
Nehmt es hin und seid gelassen!«
Der arme Tristan begann da,
so erbarmungswürdig zu jammern,
daß auch sein Freund Kurvenal anfing,
aus tiefstem Herzen mit ihm zu weinen 2335
und solchen Kummer zu äußern,
daß die ganze Schiffsmannschaft
durch ihn und das Kind
verdrießlich und sehr unglücklich wurde.
Sie setzten Kurvenal 2340
in ein kleines Schiffchen
und legten ihm
ein Ruder und ein kleines Brot hinein
zur Fahrt und gegen den Hunger
und sagten, daß er sich wenden solle, 2345
wohin er wolle.
Tristan aber müsse mit ihnen weiter.
Mit diesen Worten fuhren sie davon
und ließen ihn auf den Wogen schwimmend zurück,
bedroht von vielen Gefahren. 2350

Kurvenal trieb auf dem Meer.
Er hatte vielerlei Kummer:
Kummer wegen des großen Unglücks,
in dem er Tristan wußte;
Kummer wegen seiner eigenen Drangsal, 2355
denn er fürchtete den Tod,
weil er nicht rudern konnte
und es auch niemals zuvor getan hatte.
Er jammerte bei sich:

»got hêrre, wie gewirbe ich?   2360
ine wart alsus besorget nie.
nu bin ich âne liute hie
und enkan ouch selbe niht gevarn.
got hêrre, dû solt mich bewarn
und mîn geverte hinnen sîn!   2365
ich wil ûf die genâde dîn,
des ich nie begân, beginnen.
wis mîn geleite hinnen!«
hie mite greif er sîn ruoder an.
in gotes namen vuor er dan   2370
und kam in kurzer stunde,
als es im got gegunde,
wider heim und seite maere,
wie ez gevaren waere.
Der marschalc und sîn saelic wîp   2375
diu beidiu leiten an ir lîp
sô jaemerlîche clagenôt,
und waere er vor ir ougen tôt,
daz in diu selbe swaere
niht nâher gangen waere.   2380
sus giengen sî dô beide
in ir gemeinem leide
und al ir ingesinde
nâch ir verlornem kinde
weinen ûf des meres stat.   2385
manec zunge dâ mit triuwen bat,
daz got sîn helfe waere.
dâ wart manic clagemaere.
ir clage was sus, ir clage was sô.
und alse ez an den abent dô   2390
und an ein scheiden muose gân,
ir clage, diu ê was undertân,
diu wart dô gar einbaere.
si triben dô niwan ein maere,
si riefen hie, si riefen dort   2395

»Herr und Gott, was soll ich tun?   2360
Noch nie habe ich mich so geängstigt.
Ganz allein bin ich hier
und kann selbst nicht rudern.
Rette mich, Herrgott,
und geleite mich aus der Gefahr.   2365
Im Vertrauen auf Deine Hilfe
will ich tun, was ich nie getan habe.
Führe mich aus der Gefahr!«
Damit ergriff er das Ruder.
In Gottes Namen fuhr er davon   2370
und kam nach kurzer Zeit,
weil Gott es ihm gewährte,
wieder nach Hause und berichtete,
was geschehen war.
Der Marschall und seine tüchtige Frau   2375
empfanden beide
so schmerzliche Trauer,
daß, selbst wenn er vor ihren Augen gestorben wäre,
ihnen dieser Jammer
nicht stärker zu Herzen gegangen wäre.   2380
So gingen sie beide
in ihrem gemeinsamen Schmerz
und ihr ganzes Gefolge,
um ihrem verlorenen Kind
am Meeresstrande nachzuweinen.   2385
Viele baten da inständig,
daß Gott ihn retten möge.
Da gab es viele Klagen.
Ihre Klage klang einmal so und einmal anders.
Und als es Abend wurde   2390
und man sich trennen mußte,
da wurde ihre Klage, die zuvor so unterschiedlich gewesen
vollkommen einmütig.   ⌊war,
Sie sagten dort nur eins,
sie riefen hier und dort   2395

niht anders wan daz eine wort:
»bêâs Tristant, cûrtois Tristant,
tun cors, ta vie a dê commant!
dîn schoener lîp, dîn süeze leben
daz sî hiute gote ergeben!«   2400

In disen dingen vuorten in
die Norwaegen allez hin
und haeten ez alsô bedâht,
si haeten an im vollebrâht
ir willen allen unde ir ger.   2405
dô widerschuof ez allez der,
der elliu dinc beslihtet,
beslihtende berihtet,
dem winde, mer und elliu craft
bibenende sint dienesthaft.   2410
als der wolte unde der gebôt,
dô huop sich ein sô michel nôt
von sturmwetere ûf dem sê,
daz s'alle samet in selben mê
enmohten niht ze staten gestân,   2415
wan daz s'et ir schif liezen gân,
dar ez die wilden winde triben,
und si selbe âne trôst beliben
umbe ir lîp und umbe ir leben.
si haeten sich mitalle ergeben   2420
an die vil armen stiure,
diu dâ heizet âventiure.
si liezen ez an die geschiht,
weder si genaesen oder niht.
wan ir dinges was nimê,   2425
wan daz si mit dem wilden sê
ûf als in den himel stigen
und iesâ wider nider sigen
als in daz abgründe.
si triben die tobenden ünde   2430

nur diesen einen Satz:
»Guter Tristan, höfischer Tristan,
deinen Leib und dein Leben befehle ich Gott an!
Dein schöner Leib, dein liebliches Leben
seien dem Schutz Gottes anvertraut!«   2400

Unterdessen führten ihn
die Norweger weiter fort
und hatten es so eingerichtet,
daß sich an ihm erfüllte
ihre Absicht und ihr Streben.   2405
Das machte jener alles zunichte,
der alle Dinge ausgleicht
und dadurch ordnet,
dem die Winde, das Meer und alle Naturgewalten
zitternd gehorchen.   2410
Wie der es wollte und befahl,
erhob sich dort ein so gewaltiger
Sturm auf dem Meer,
daß sie alle sich
nicht anders zu helfen wußten,   2415
als daß sie ihr Schiff gehen ließen,
wohin die wilden Winde es trieben.
Sie selbst hatten keine Hoffnung mehr
für ihre Gesundheit und für ihr Leben.
Sie hatten sich allesamt ergeben   2420
dem armseligen Ruder,
das da ›Zufall‹ heißt.
Sie überließen es dem Schicksal,
ob sie davonkamen oder nicht.
Denn ihnen blieb nichts übrig,   2425
als daß sie mit der tosenden See
wie in den Himmel emporstiegen
und alsbald wieder herabstürzten
wie in den Abgrund.
Auf den rasenden Wellen trieben sie   2430

wîlent ûf und wîlent nider,
iezuo dar und iesâ wider.
ir aller keiner kunde
noch enmohte keine stunde
ûf sînen vüezen gestân.   2435
alsus sô was ir leben getân
wol ahte tage und ahte naht.
hie von sô haeten s'alle ir maht
vil nâch verlorn unde ir sin.
Nu sprach ir einer under in: 2440
»ir hêrren alle, sammir got,
mich dunket, diz sî gotes gebot
umbe unser angestlîchez leben.
daz wir sô kûme lebende sweben
in disen tobenden ünden,   2445
deist niuwan von den sünden
und von den untriuwen komen,
daz wir Tristanden hân genomen
sînen vriunden rouplîche.«
»jâ« sprâchen s'al gelîche   2450
»sich, dû hâst wâr, im ist alsô.«
hie mite berieten sî sich dô:
möhten sî stille vinden
an wazzer unde an winden,
daz sî ze stade gestiezen,   2455
daz sî'n vil gerne liezen
vrîliche, swar er wolte, gân.
und iesâ dô diz was getân,
daz diz ir aller wille wart,
dô wart ir kumberlîchiu vart   2460
gesenftet an der stunde
wint unde wâc begunde
sich sâ zerloesen und zerlân,
daz mer begunde nider gân,
diu sunne schînen liehte als ê.   2465
hie mite enbiten s'ouch dô nimê,

mal auf, mal ab,
hierhin und dorthin.
Von ihnen konnte keiner
auch nur einen Moment
auf den Füßen stehen bleiben. 2435
So ging es
wohl acht Tage und Nächte lang.
Dadurch hatten sie alle Kraft
und jede Besinnung völlig verloren.
Da sagte einer: 2440
»Bei Gott, Männer,
ich glaube, das ist Gottes Wille,
dieses unser schreckliches Leben.
Daß wir so halbtot umhertreiben
in diesen rasenden Wellen, 2445
das kommt nur von der Sünde
und dem Verbrechen,
daß wir Tristan
seinen Verwandten geraubt haben.«
»Ja«, sagten sie alle. 2450
»Du hast recht, es ist so.«
Danach beschlossen sie,
daß, wenn sich beruhigten
Wasser und Wind,
sie landen 2455
und ihn bereitwillig laufen lassen wollten,
ungehindert, wohin er wollte.
Und als es soweit war,
daß sie darüber Einmütigkeit erzielten,
da wurde ihre schreckliche Reise 2460
sogleich gemildert.
Winde und Wellen begannen
sich aufzulösen und zu legen,
die See beruhigte sich,
und die Sonne schien so hell wie zuvor. 2465
Da zögerten sie nicht mehr,

wan der wint haete sî geslagen
innerthalp den ahte tagen
in daz lant ze Curnewâle
und wâren zuo dem mâle   2470
bî dem stade sô nâhen,
daz sî'n bereite sâhen,
und stiezen ûz ze lande aldâ.
Tristanden nâmen si sâ
und satzten den ûz an daz lant   2475
und gâben ime brôt an die hant
und anderre ir spîse ein teil.
»vriunt« sprâchen sî »got gebe dir heil
und müeze dînes lîbes pflegen!«
hie mite sô buten s'im alle ir segen   2480
und kêrten iesâ wider dan.

Nu wie gewarp dô Tristan?
Tristan der ellende? jâ,
dâ saz er unde weinde aldâ;
wan kint kunnen anders niht   2485
niwan weinen, alse in iht geschiht.
der trôstlôse ellende
der vielt ûf sîne hende
ze gote vil innéclîche:
»ei« sprach er »got der rîche,   2490
sô rîche dû genâden bist,
sô vil güete als an dir ist,
vil süezer got, sô bite ich dich,
daz dû genâde wider mich
und dîne güete noch begâst,   2495
sît daz du des verhenget hâst,
daz ich alsus vervüeret bin.
und wîse mich doch noch dâ hin,
dâ ich bî liuten müge gesîn!
nu warte ich allenthalben mîn   2500
und sihe niht lebendes umbe mich.

denn der Wind hatte sie getrieben
innerhalb von acht Tagen
vor die Küste Cornwalls,
und sie waren mit einemmal   2470
dem Strand so nahe,
daß sie ihn schon sehen konnten.
Da legten sie an.
Sie nahmen Tristan,
brachten ihn an Land   2475
und gaben ihm Brot in die Hand
und noch mehr von ihrem Proviant.
Sie sagten: »Freund, Gott segne dich
und möge dich schützen!«
Damit segneten sie ihn alle   2480
und fuhren wieder davon.

Was aber tat nun Tristan,
der Heimatlose? Ja,
er setzte sich hin und weinte.
Denn Kinder können nichts anderes tun   2485
als weinen, wenn ihnen etwas zustößt.
Der verzweifelte Heimatlose
rang seine Hände
flehentlich zu Gott.
»Ach, mächtiger Gott«, sagte er,   2490
»du bist so reich an Gnade
und so gütig,
liebster Gott, ich bitte dich,
daß du mir deine Gnade
und deine Güte erweist,   2495
zumal du zugelassen hast,
daß ich auf diese Weise verschleppt wurde.
Nun weise mir den Weg dorthin,
wo ich bei Menschen sein kann.
Wenn ich mich jetzt umblicke,   2500
sehe ich kein Leben um mich herum.

dise grôze wilde die vürht ich.
swar ich mîn ougen wende,
da ist mir der werlde ein ende.
swâ ich mich hin gekêre,   2505
dane sihe ich ie nimêre
niwan ein toup gevilde
und wüeste unde wilde,
wilde velse und wilden sê.
disiu vorhte tuot mir wê.   2510
über daz allez sô vürhte ich,
wolve unde tier diu vrezzen mich,
swelhen enden ich gekêre.
ouch sîget der tac sêre
gegen der âbentzîte.   2515
swaz ich nu mê gebîte,
daz ich von hinnen niht engân,
daz ist vil übele getân.
ich enîle hinnen balde,
ich benahte in disem walde   2520
und enwirt mîn danne niemer rât.
nu sihe ich, daz hie bî mir stât
hôher velse und berge vil.
ich waene, ich ûf ir einen wil
climmen, ob ich iemer mac,   2525
und sehen, die wîle ich hân den tac,
ob keiner slahte bû hie sî
eintweder verre oder nâhen bî,
dâ ich liute vinde,
ze den ich mich gesinde,   2530
mit den ich aber vürbaz genese,
in swelher wîse ez danne wese.«
Sus stuont er ûf und kêrte dan.
roc unde mantel haete er an
von einem pfelle, der was rîch   2535
und an gewührte wunderlîch.
er was von Sarrazînen

Diese schreckliche Wildnis ängstigt mich.
Wohin ich meine Augen wende,
scheint mir die Welt aufzuhören.
Wohin ich gehe,   2505
sehe ich nichts
als Ödland,
Wüste und Wildnis,
schroffe Felsen und wilde See.
Diese Angst quält mich.   2510
Darüber hinaus befürchte ich,
daß Wölfe und wilde Tiere mich auffressen,
wohin ich auch gehe.
Auch neigt der Tag sich rasch
dem Abend zu.   2515
Wenn ich nun noch länger warte,
von hier wegzugehen,
dann ist das sehr schlimm.
Wenn ich nicht bald forteile,
dann muß ich in diesem Wald übernachten,   2520
und dann bin ich verloren.
Ich sehe in der Nähe
hohe Felsen und Berge in großer Zahl.
Ich denke, ich will auf einen von ihnen
klettern, wenn ich kann,   2525
und sehen, solange es noch Tag ist,
ob hier nicht irgendeine Siedlung ist
weiter weg oder nahebei,
wo ich Leute finde,
zu denen ich mich geselle   2530
und bei denen ich mich retten kann
auf irgendeine Weise.«
Damit stand er auf und ging davon.
Er trug Rock und Mantel
aus einem Seidenstoff, der prächtig war   2535
und wundervoll gewirkt.
Er war von Sarazenen

mit cleinen bortelînen
in vremedeclîchem prîse
nâch heidenischer wîse   2540
wol underworht und underbriten
und was der alsô wol gesniten
nâch sînem schoenem lîbe,
daz von manne noch von wîbe
enwurden edeler cleider nie   2545
baz gesniten danne die.
dar zuo seit uns daz maere,
der selbe pfelle er waere
ingrüener danne ein meiesch gras,
und dâ mit er gevüllet was,   2550
daz was sô rehte wîz hermîn,
daz ez niht wîzer kunde sîn.
hie mite bereitet er sich dô
weinende unde sêre unvrô
ûf sîne kumberlîche vart,   2555
dô ime diu vart unwendic wart.
under sînen gürtel zôher
sînen roc ein lützel hôher.
den mantel wand er in ein
und leite in ûf sîn ahselbein   2560
und streich ûf gein der wilde
durch walt und durch gevilde.
ern haete weder wec noch pfat,
wan alse er selbe getrat.
mit sînen vüezen wegeter,   2565
mit sînen handen stegeter.
er reit sîn arme und sîniu bein.
über stoc und über stein
wider berc er allez clam,
unz er ûf eine hoehe kam.   2570
dâ vand er von geschihte
einen waltstîc âne slihte
mit grase verwahsen unde smal.

mit zierlichen Borten
in fremdartiger Herrlichkeit
auf heidnische Art   2540
durchwebt und bestickt
und war so vorzüglich angepaßt
seinem herrlichen Körper,
daß von Männern oder Frauen
niemals vornehmere Kleider   2545
angefertigt wurden als diese.
Dazu berichtet uns die Geschichte,
dieser Seidenstoff sei
grüner als Maiengras gewesen,
und er war gefüttert   2550
mit schneeweißem Hermelin,
wie er weißer nicht sein konnte.
Damit machte er sich
weinend und tief unglücklich
auf den beschwerlichen Weg,   2555
der ihm unabwendbar war.
Unter seinem Gürtel zog er
seinen Rock ein wenig nach oben.
Den Mantel schlug er ein,
legte ihn sich über die Schulter   2560
und eilte auf die Wildnis zu
durch Wälder und Felder.
Er hatte weder Weg noch Pfad
außer dem, den er sich selbst trampelte.
Mit den Füßen bahnte er sich einen Weg,   2565
mit den Händen einen Steg.
Er ging auf Händen und Knien.
Über Stock und Stein
kletterte er den Berg hinauf,
bis er zu einer Anhöhe kam.   2570
Dort fand er zufällig
einen gewundenen Waldweg,
der von Gras überwuchert und eng war.

den kêrte er anderhalp ze tal:
er trüege in eine rihte hin.   2575
in kurzer wîle brâhte er in
ûf eine schoene strâze,
diu was ze guoter mâze
breit unde geriten hin unde her.
An dem selben wege saz er   2580
durch ruowe weinende nider.
nu truog in ie sîn herze wider
zen vriunden und zem lande,
dâ er die liute erkande.
diz truog in grôzen jâmer an.   2585
vil jaemerlîche er aber began
ze gote clagen sîn ungemach;
ze himel er inneclîche sach:
»got« sprach er »hêrre guoter,
mîn vater und mîn muoter   2590
wie hânt si mich alsus verlorn!
owê wie wol haete ich verborn
mîn veigez schâchzabelspil,
daz ich iemer hazzen wil!
sperwaere, valken, smirlîn   2595
die lâze got unsaelic sîn!
die hânt mich mînem vater benomen,
von der schulden bin ich komen
von vriunden und von kunden.
und alle, die mir gunden   2600
gelückes unde guotes,
die sint nu swaeres muotes
und sêre trûric umbe mich.
â süeziu muoter, wie du dich
mit clage nu quelest, daz weiz ich wol.   2605
vater, dîn herze ist leides vol.
ich weiz wol, ir sît beide
sêre überladen mit leide.
und ouwê hêrre, wiste ich doch,

Dem folgte er jenseits ins Tal hinab in der Annahme,
er werde ihn auf den richtigen Pfad führen.   2575
Nach kurzer Zeit brachte er ihn
auf eine schöne Straße,
die war ausreichend
breit und begehbar.
An diesem Wege setzte er sich   2580
weinend zur Rast nieder.
Jetzt trug sein Herz ihn wieder
zu den Seinen und in das Land,
wo er die Menschen kannte.
Das machte ihn sehr traurig.   2585
Voller Kummer begann er abermals,
Gott sein Unglück zu klagen.
Flehentlich blickte er zum Himmel auf
und sprach: »Gott, gütiger Herr,
wie haben mein Vater und meine Mutter   2590
mich so verloren!
Ach, wie gern hätte ich verzichtet
auf das unselige Schachspiel,
das ich auf ewig verwünschen will.
Sperber, Falken, Merlinfalken,   2595
Gott verwünsche sie alle!
Die haben mich meinem Vater geraubt,
und durch ihre Schuld habe ich verloren
Verwandte und Bekannte.
Und alle, die mir wünschten   2600
Glück und Freude,
sind nun unglücklich
und tieftraurig um meinetwillen.
Ach, liebe Mutter, wie du dich
nun grämst, weiß ich genau.   2605
Vater, dein Herz ist voller Kummer.
Ich bin sicher, ihr beide seid
mit Leid schmerzlich überladen.
O Herr, wenn ich nur wüßte,

daz ir daz wistet, daz ich noch   2610
mit wol gesundem lîbe lebe,
daz waere ein michel gotes gebe
iu beiden unde dâ nâch mir.
wan zwâre ich weiz vil wol, daz ir
kûme oder niemer werdet vrô,   2615
ezn gevüege danne got alsô,
daz ir bevindet, daz ich lebe.
aller sorgaere râtgebe,
got hêrre, nû gevüege daz!«

Under diu dô er sô saz   2620
clagende, als ich gesaget hân,
dô gesach er zuo von verren gân
zwêne alte wallaere.
die wâren gote gebaere,
getaget unde gejâret,   2625
gebartet unde gehâret,
alsô diu wâren gotes kint
und wallaere dicke sint.
die selben wallenden man
die truogen unde haeten an   2630
lînkappen unde solhe wât,
diu wallaeren rehte stât,
und ûzen an ir waete
mermuschelen genaete
und vremeder zeichen genuoc.   2635
ir ietwederer der truoc
einen wallestap an sîner hant.
ir hüete unde ir beingewant
daz stuont wol nâch ir rehte.
die selben gotes knehte   2640
die truogen an ir schenkelen
lînhosen, die ob ir enkelen
wol einer hende erwunden,
nâhe an ir bein gebunden.

daß ihr wißt, daß ich noch   2610
gesund bin und lebe,
dann wäre das ein großes Gottesgeschenk
für euch beide und für mich.
Denn ich weiß wahrhaftig genau, daß ihr
niemals wieder glücklich werdet,   2615
wenn Gott es nicht so schickt,
daß ihr herausfindet, daß ich lebe.
Helfer aller Besorgten,
Gott und Herr, laß das geschehen!«

Als er dort so saß   2620
und klagte, wie ich berichtet habe,
sah er von weitem sich nähern
zwei alte Pilger.
Die sahen fromm aus,
alt und hochbetagt,   2625
mit langem Bart und Haar,
so wie die echten Gotteskinder
und Pilger es oft haben.
Diese Pilger
trugen   2630
Leinenkutten und solche Kleidung,
die Wallfahrern angemessen ist,
und außen an ihren Gewändern
waren Meermuscheln angenäht
und viele fremdartige Zeichen.   2635
Jeder von ihnen trug
einen Pilgerstab in der Hand.
Ihre Hüte und Beinkleider
waren ihrem Stand angemessen.
Diese Gottesdiener   2640
trugen an den Beinen
Leinenhosen, die gut eine Handbreit
über ihren Knöcheln endeten
und eng ans Bein gebunden waren.

vüeze und enkele wâren blôz   2645
vür den trit und vür den stôz.
ouch truogen s'über ir ruckebein,
dar an ir riuwic leben schein,
geistlîche stênde palmen.
ir gebet unde ir salmen   2650
und swaz si guotes kunden,
daz lâsen s'an den stunden.
Tristan dâ mite und er s'ersach,
vorhtlîche er wider sich selben sprach:
»genaedeclîcher trehtîn,   2655
welch rât gewirdet aber nu mîn?
jene zwêne man, die dort her gânt,
ist daz sî mich ersehen hânt,
die mugen mich aber wol vâhen.«
Nu s'ime begunden nâhen   2660
und er ir dinc erkande
an staben und an gewande,
zehant erkande er wol ir leben
und begunde im selben herze geben.
sîn gemüete wart ein lützel vrô.   2665
ûz vollem herzen sprach er dô:
»lop dich, hêrre trehtîn!
diz mugen wol guote liute sîn;
ine darf kein angest von in haben.«
vil schiere wart, daz sî den knaben   2670
vor in sitzen sâhen.
nu s'ime begunden nâhen,
höfschlîche er ûf gein in spranc,
sîne schoene hende er vür sich twanc.
nu begunden in die zwêne man   2675
vil vlîzeclîche sehen an
und nâmen sîner zühte war.
guotlîche giengen si dar
und gruozten in vil suoze
mit disem süezen gruoze: 2680

Füße und Knöchel waren nackt   2645
dem Weg und seinen Hindernissen ausgesetzt.
Außerdem trugen sie auf dem Rücken,
zum Zeichen der Buße,
heilige Palmenzweige.
Ihre Gebete und Psalmen   2650
und alles, was sie an Gutem kannten,
sangen und sagten sie gerade.
Als Tristan sie sah,
sagte er angstvoll zu sich:
»Gnädiger Gott,   2655
was geschieht nun mit mir?
Wenn jene beiden Männer, die dort kommen,
mich sehen,
können sie mich leicht fangen.«
Als sie ihm jedoch näher kamen   2660
und er genauer sah
ihre Stöcke und Gewänder,
da erkannte er ihren Stand
und faßte wieder Mut.
Er wurde ein wenig froh   2665
und sprach aus vollem Herzen:
»Gelobt seist du, Gott und Herr!
Dies werden gewiß gute Menschen sein;
ich brauche mich vor ihnen nicht zu fürchten.«
Bald sahen auch sie den Knaben   2670
vor sich sitzen.
Als sie sich ihm näherten,
stand er wohlerzogen vor ihnen auf
und kreuzte grüßend seine zarten Hände vor der Brust.
Da schauten ihn die beiden Männer   2675
sehr aufmerksam an
und bemerkten seine feine Erziehung.
Freundlich gingen sie hin
und begrüßten ihn milde
mit diesem frommen Gruß: 2680

»dêu sal, bêâs amîs!
vil lieber vriunt, swer sô du sîs,
got müeze dich gehalten.«
Tristan geneic den alten:
»ei« sprach er »dê benîe   2685
si sainte companîe!
sus heilege geselleschaft
die gesegene got mit sîner craft!«
Aber sprâchen ime die zwêne zuo:
»vil liebez kint, wannen bist duo   2690
oder wer hât dich dâ her brâht?«
Tristan der was vil wol bedâht
und sinnesam von sînen tagen,
er begunde in vremediu maere sagen:
»saelegen hêrren« sprach er z'in   2695
»von disem lande ich bürtic bin
und solte rîten hiute,
ich und ander liute,
jagen ûf disem walde alhie.
do entreit ich, ine weiz selbe wie,   2700
den jegeren unde den hunden.
die die waltstîge kunden,
die gevuoren alle baz dan ich.
wan âne stîc verreit ich mich,
unz daz ich gar verirret wart.   2705
sus traf ich eine veige vart,
diu truoc mich unz ûf einen graben,
dane kunde ich mîn pfert nie gehaben,
ezn wolte allez nider vür sich.
ze jungest gelac pfert und ich   2710
beidiu z'einem hûfen nider.
done kunde ich nie sô schiere wider
ze mînem stegereife komen,
ezn haete mir den zügel genomen
und lief allez den walt în.   2715
sus kam ich an diz pfedelîn,

»Gott sei mit dir, lieber Freund!
Liebster Freund, wer du auch seist,
Gott möge dich schützen.«
Tristan verbeugte sich vor den Alten
und sprach: »Gott segne   2685
eine so fromme Gesellschaft.
Eine so heilige Bruderschaft
möge Gott mit seiner Macht segnen!«
Erneut sprachen die beiden zu ihm:
»Liebreizendes Kind, woher kommst du,   2690
und wer hat dich hierher gebracht?«
Tristan war sehr vorsichtig
und besonnen für sein Alter
und erzählte ihnen eine wunderliche Geschichte.
»Ihr frommen Männer«, sagte er zu ihnen,   2695
»ich komme aus diesem Land
und sollte heute reiten,
zusammen mit anderen,
in diesem Walde auf die Jagd.
Da habe ich, ohne zu wissen wie,   2700
die Jäger und die Hunde verloren.
Die die Waldwege kannten,
hatten es alle besser als ich.
Denn ich kam vom Wege ab,
bis ich mich ganz verirrt hatte.   2705
So stieß ich auf einen falschen Weg,
der mich zu einer Schlucht führte.
Dort konnte ich mein Pferd nicht halten,
das nach unten drängte.
Schließlich lagen wir beide   2710
übereinander am Boden.
Dort konnte ich so schnell nicht wieder
in den Steigbügel kommen,
so daß es mir die Zügel entriß
und in den Wald davonlief.   2715
So kam ich an diesen kleinen Weg,

daz hât mich unz her getragen.
nu enkan ich nieman gesagen,
wâ ich bin oder war ich sol.
nu guoten liute, tuot sô wol   2720
und saget mir, wâ welt ir hin?«
»vriunt« sprâchen sî dô wider in
»geruochet unser trehtîn,
sô welle wir noch hînaht sîn
ze Tintajêle in der stat.«   2725
Tristan guotlîche sî dô bat,
daz sî'n mit in dar liezen gân.
»vil liebez kint, daz sî getân«,
sprâchen die wallenden man
»wil dû dâ hin, sô kêre dan.«   2730

Tristan der kêrte mit in hin.
hie mite sô huop sich under in
maneger slahte maere.
Tristan der hovebaere
der was mit rede alsô gewar,   2735
si vrâgeten her oder dar,
daz er des alles antwurt bôt
niwan ze staten und ze nôt.
er haete sîne mâze
an rede und an gelâze   2740
sô wol, daz es die wîsen,
die getageten und die grîsen
ze grôzen saelden jâhen
und aber ie baz besâhen
sîne gebaerde und sîne site   2745
und sînen schoenen lîp dâ mite;
sîniu cleider, diu er an truoc,
diu gemarcten sî genuoc,
durch daz si wâren sêre rîch
und an gewürhte wunderlîch.   2750
und sprâchen in ir muote:

der mich hierher gebracht hat.
Ich könnte nun niemandem sagen,
wo ich bin oder wohin ich muß.
Ihr guten Leute, seid so freundlich   2720
und sagt mir, wohin Ihr geht.«
Sie antworteten ihm: »Freund,
wenn Gott es gestattet,
wollen wir heute nacht noch
in der Stadt Tintajol sein.«   2725
Tristan bat sie freundlich,
ob er mit ihnen gehen dürfe.
»Liebes Kind, das soll geschehen«,
sagten die Pilger,
»wenn du dorthin willst, komm mit uns.«   2730

Tristan ging mit ihnen.
Dabei entspannen sich
viele Unterhaltungen.
Der höfisch gebildete Tristan
war in Gesprächen sehr vorsichtig.   2735
Sie mochten ihn so oder so fragen,
er antwortete nur insoweit,
als die Umstände es geboten.
Er beherrschte
Gespräch und Benehmen   2740
so gut, daß die Weisen,
Alten und Grauen
ihn für überaus begnadet erklärten
und noch genauer betrachteten
seine Gebärden, sein Betragen   2745
und seine Schönheit.
Die Kleider, die er trug,
sahen sie genau an,
denn sie waren überaus prächtig
und wunderbar gewebt.   2750
Sie sagten bei sich:

»â hêrre got der guote,
wer oder wannen ist diz kint,
des site sô rehte schoene sint?«
sus giengen sî'n betrahtende   2755
und allez sîn dinc ahtende
(diz was ir kurzewîle)
wol eine welsche mîle.

»Gütiger Herr und Gott,
wer und woher ist dieses Kind,
das über so feinen Anstand verfügt?«
So gingen sie, während sie ihn ansahen   2755
und auf alles an ihm achteten
(das war ihr Zeitvertreib),
eine kleine Meile.

Nu kam ez in kurzer stunde:
sînes oeheimes hunde,   2760
Markes von Curnewâle,
die haeten zuo dem mâle,
als uns daz wâre maere saget,
einen zîtegen hirz gejaget
zuo der strâze nâhen.   2765
dâ liez er sich ergâhen
und stuont aldâ ze bîle.
im haete vluht und île
alle sîne craft benomen.
nu wâren ouch die jegere komen   2770
mit michelem geschelle
hürnende zuo gevelle.
Tristan dô er den bîl ersach,
wider die pilgerîne er sprach
wîslîche, als er wol kunde: 2775
»ir hêrren, dise hunde,
disen hirz und dise liute,
die verlôs ich hiute.
nu hân ich s'aber vunden.
diz sint mîne kunden.   2780
gebietet mir, ze den wil ich.«
»kint« sprâchen sî »got segene dich.
ze saelden müezest dû gevarn!«
»genâde, und got müez iuch bewarn!«
sprach aber der guote Tristan.   2785
sus neic er in und kêrte dan
gein dem hirze ûf sîne vart.

Nu daz der hirz gevellet wart,
der dâ jegermeister was,
der stracte in nider ûf daz gras   2790

V. Die Jagd

Bald darauf geschah es,
daß die Hunde seines Onkels,
Markes von Cornwall,
damals,
wie uns die Erzählung berichtet,
einen ausgewachsenen Hirsch gejagt hatten
in die Nähe der Straße.   2765
Dort ließ er sich einholen
und stellte sich zur Wehr.
Die Flucht und Hast hatten ihn
völlig entkräftet.
Auch die Jäger waren dorthin gekommen   2770
mit lautem Getöse,
um das Horn zum Todesstoß zu blasen.
Als Tristan sah, wie das Wild gestellt wurde,
sprach er zu den Pilgern
so klug, wie er es gut verstand: 2775
»Ihr Herren, diese Hunde,
diesen Hirsch und diese Männer
habe ich heute verloren.
Nun habe ich sie wiedergefunden.
Das sind meine Bekannten.   2780
Entlaßt mich, ich will zu ihnen.«
Sie sagten: »Kind, Gott segne dich.
Das Glück sei bei dir.«
»Habt Dank! Gott schütze Euch!«
erwiderte der edle Tristan.   2785
Damit verneigte er sich vor ihnen und wandte
sich dem Hirsch zu.

Als nun der Hirsch getötet worden war,
legte der Jägermeister
ihn in das Gras nieder   2790

üf alle viere alsam ein swîn:
»wie nû meister, waz sol diz sîn?«
sprach aber der höfsche Tristan:
»lât stân! durch got, waz gât ir an?
wer gesach ie hirz zewürken sô?«   2795
der jeger stuont ûf hôher dô;
er sach in an und sprach im zuo:
»wie wiltu, kint, daz ich im tuo?
hie ze lande enist kein ander list,
wan alse der hirz enthiutet ist,   2800
sô spaltet man in über al
von dem houbete ze tal
und dâ nâch danne in viere,
sô daz der vier quartiere
dekeinez iht vil groezer sî   2805
danne daz ander dâ bî.
diz ist in disem lande site.
kint, kanstu ihtes iht dâ mite?«
»Jâ meister« sprach er wider in
»daz lant, dâ ich gezogen bin,   2810
dane ist der site niht alsô.«
»wie danne?« sprach der meister dô.
»man enbestet dâ den hirz.«
»entriuwen, vriunt, du enzeiges mir'z,
sone weiz ich, waz enbesten ist.   2815
ez enweiz nieman disen list
in disem künicrîche hie.
sone gehôrte in ouch genennen nie
von kunden noch von gesten.
trût kint, waz ist enbesten?   2820
als guot du sîs, nu zeige mir'z.
gâ her, enbeste disen hirz!«
Tristan sprach: »lieber meister mîn,
sol ez mit iuwern hulden sîn
und mag iu liep dar an geschehen,   2825
sô lâze ich iuch vil gerne sehen,

auf alle viere, wie ein Schwein.
»Was soll das, Meister?«
sagte der höfische Tristan.
»Hört auf! Um Gottes willen, was tut Ihr?
Zerlegt man so einen Hirsch?« 2795
Daraufhin trat der Jäger zurück,
sah ihn an und sagte zu ihm:
»Wie glaubst du, Kind, muß ich es tun?
Hierzulande macht man es nicht anders,
als daß, wenn der Hirsch abgehäutet ist, 2800
man ihn völlig zerteilt,
vom Kopfe abwärts
und dann in vier Stücke,
so daß von den vier Vierteln
keines größer sei 2805
als das andere.
So tut man es in diesem Lande.
Verstehst du etwas davon, Kind?«
»Ja, Meister«, sagte er zu ihm,
»wo ich aufgewachsen bin, 2810
besteht diese Sitte nicht so.«
»Wie denn?« fragte da der Meister.
»Dort entbästet man den Hirsch.«
»Wahrlich, Freund, wenn du es mir nicht zeigst,
weiß ich nicht, was entbästen ist. 2815
Niemand beherrscht diese Kunst
in diesem Königreiche.
Wir haben davon auch niemals reden hören
unsere Bekannten und Gäste.
Liebes Kind, was ist entbästen denn? 2820
Sei so gut und zeige es mir.
Komm her und entbäste diesen Hirsch!«
Tristan sprach: »Mein lieber Meister,
wenn Ihr erlaubt
und es Euch Freude macht, 2825
so will ich Euch gerne zeigen,

als verre als ichs gemerket hân,
wie mîn lantsite ist getân,
als ir dâ vrâget umbe den bast.«
der meister sach den jungen gast   2830
vil guotlîche lachende an,
wan er was selbe ein höfscher man
und erkante al die vuoge wol,
die guot man erkennen sol.
»jâ« sprach er »lieber vriunt, nû tuo!   2835
wol her, bistû ze cranc derzuo,
trût geselle, liebez kint,
ich selbe und die hie mit mir sint,
wir helfen dir'n mit henden
legen und umbe wenden,   2840
swie sô du vor gebiutest
und mit dem vinger tiutest.«

Tristan der ellende knabe
sînen mantel zôch er abe
und leite den ûf einen stoc.   2845
er zôch hôher sînen roc;
sîn ermel vielt er vorne wider.
sîn schoene hâr daz streich er nider,
ûf sîn ôre leite er daz.
nu besâhen si'n baz unde baz,   2850
die dâ zem baste wâren.
sîn gelâz und sîn gebâren
daz nâmen s'alle in ir muot
und dûhte sî daz also guot,
daz sî'z vil gerne sâhen   2855
und in ir herzen jâhen,
sîn dinc waere allez edelîch,
sîniu cleider vremede unde rîch,
sîn lîp ze wunsche getân.
sî begunden alle zuo z'im gân   2860
und sîner dinge nemen war.

soweit ich mir gemerkt habe,
wie unser Landesbrauch ist,
was Ihr mich zum Bast gefragt habt.«
Der Jägermeister sah den jungen Fremdling   2830
freundlich lächelnd an,
denn er war selbst ein höfisch erzogener Mann
und kannte sich genau aus in jenen Sitten,
um die der Vornehme wissen soll.
»Ja, lieber Freund«, sagte er, »tu das!   2835
Komm her, und wenn du zu schwach dazu bist,
werter Freund und lieber Junge,
werden alle, die mit mir sind, und ich selbst
dir helfen, ihn mit unseren Händen
hinzulegen und umzuwenden,   2840
so wie du es befiehlst
und mit dem Finger zeigst.«

Der Knabe Tristan, der fern seiner Heimat war,
zog seinen Mantel aus
und legte ihn über einen Baumstumpf.   2845
Er zog den Rock etwas höher
und schlug die Ärmel zurück.
Sein schönes Haar strich er zurück
und legte es hinter die Ohren.
Alle betrachteten ihn mit wachsendem Interesse,   2850
die beim Entbästen dabei waren.
Seine Gestalt und sein Benehmen
beobachteten sie alle genau,
und es schien ihnen so vorzüglich,
daß sie beglückt zusahen.   2855
Sie waren überzeugt,
daß er durch und durch vornehm war,
seine Kleider fremdartig und prächtig,
sein Körper makellos.
Sie traten alle näher   2860
und verfolgten, was er tat.

nu gie der ellende dar,
der junge meister Tristan.
er greif den hirz mit handen an
und wolte in ûf den rucke legen.   2865
done kunde er in nie dar gewegen,
wan er was ime ze swaere.
dô bat der hovebaere,
daz sî'n im rehte leiten
und ûf den bast bereiten.   2870
nu daz was schiere getân.
zem hirze gieng er obene stân.
dâ begunde er in entwaeten,
er sneit in unde entnaeten
unden von dem mûle nider.   2875
ze den buocbeinen kêrte er wider,
diu entrante er beide nâch ir zît,
daz rehte vor, daz linke sît.
diu zwei hufbein er dô nam
unde beschelte diu alsam.   2880
dô begunde er die hût scheiden
von den sîten beiden,
dô von den heften über al,
al von obene hin ze tal
und breite sîne hût dô nider.   2885
ze sînen büegen kêrte er wider.
von der brust enbaste er die,
daz er die brust dô ganze lie.
die büege leite er dort hin dan.
sîne brust er dô began   2890
ûz dem rucke scheiden
und von den sîten beiden
ietwederhalp driu rippe dermite.
daz ist der rehte bastsite.
diu lât er iemer dar an,   2895
der die brust geloesen kan.
und al zehant sô kêrte er her,

Nun begann der Heimatlose,
der junge Jägermeister Tristan.
Er ergriff den Hirsch mit den Händen
und wollte ihn auf den Rücken drehen.   2865
Da konnte er ihn nicht bewegen,
weil er ihm zu schwer war.
Da bat der Wohlerzogene,
sie möchten ihn ihm zurechtlegen
und zum Entbästen vorbereiten.   2870
Das war bald getan.
Er ging an das Kopfende des Hirsches.
Da begann er ihn aus der Decke zu schlagen.
Er schnitt ihn und trennte ihn auf
vom Maule abwärts.   2875
Er kehrte zu den Vorderläufen zurück
und löste sie nacheinander ab,
zuerst den rechten, dann den linken.
Dann nahm er die Hinterläufe
und enthäutete sie ebenso.   2880
Dann begann er, die Haut aufzuschneiden
auf beiden Seiten,
von allen Sehnen zu trennen,
von oben bis unten
abzuziehen und auszubreiten.   2885
Er kehrte zum Vorderteil zurück.
Er häutete die Brust ab
und ließ die Brust unzerteilt.
Die Keulen legte er beiseite.
Dann begann er, die Brust   2890
vom Rücken zu trennen
und von beiden Seiten
zugleich drei Rippen dazu.   [schlagen.
Das ist die richtige Art, den Hirsch aus der Decke zu
Immer läßt derjenige sie dran,   2895
der die Brust abzulösen versteht.
Sogleich kehrte er zurück

vil kündeclîche enbaste er
beidiu sîniu hufbein,
besunder niht wan beide in ein.   2900
ir reht er ouch den beiden liez,
den brâten, dâ der rucke stiez
über lanken gein dem ende
wol anderhalber hende,
daz die dâ cimbre nennent,   2905
die den bastlist erkennent.
die rieben er dô beide schiet,
beide er si von dem rucke schriet,
dar nâch den panzen ûf den pas.
und wan daz ungebaere was   2910
sînen schoenen handen, dô sprach er:
»wol balde zwêne knehte her!
tuot diz dort hin danne baz
unde bereitet uns daz!«
sus was der hirz enbestet,   2915
diu hût billîche entlestet.
die brust, die büege, sîten, bein,
daz haete er allez über ein
vil schône dort hin dan geleit.
hie mite sô was der bast bereit.   2920

Tristan der ellende gast
»seht« sprach er »meister, deist der bast
und alse ist disiu kunst getan.
nu geruochet ir her nâher gân
ir unde iur massenîe   2925
und machet die furkîe!«
»furkîe? trût kint, waz ist daz?
du nennest mir vor, ine weiz waz.
du hâst uns disen jagelist,
der vremede und guot ze lobene ist,   2930
wol meisterlîchen her getân.
nu lâz in ouch noch vür sich gân.

und enthäutete geschickt
die beiden Hinterläufe,
beide gemeinsam, nicht einzeln.   2900
Er wurde auch den beiden Fleischstücken gerecht
dort, wo der Rücken
über den Lenden in den Schwanz übergeht,
etwa eineinhalb Handbreit,
und die man Ziemer nennt,   2905
wenn man sich in der Kunst des Zerlegens auskennt.
Er trennte die Rippen ab,
indem er sie vom Rücken abschlug,
danach den Pansen mit dem Gedärm.
Und weil das unpassend war   2910
für seine zarten Hände, sagte er:
»Zwei Männer sollen schnell herkommen!
Bringt dies fort
und bereitet es uns vor!«
So wurde der Hirsch entbästet   2915
und die Haut geschickt abgelöst.
Die Brust, die Vorderkeulen, Flanken, Läufe,
das alles hatte er übereinander
säuberlich dort hingelegt.
Damit war das Entbästen beendet.   2920

Tristan, der heimatlose Fremdling,
sprach: »Seht, Meister, das ist der Bast,
und so wird es gemacht.
Nun aber kommt näher,
Ihr und Euer Gefolge,   2925
und macht die Furkie.«
»Furkie? Liebes Kind, was ist das?
Ich weiß nicht, was du meinst.
Du hast uns diese Jagdkunst,
die fremdartig ist und lobenswert,   2930
meisterhaft vorgeführt.
Nun tu ein Übriges

volvüere dîne meisterschaft!
wir sîn dir iemer dienesthaft.«
Tristan spranc enwec zehant.   2935
eine zwisele hiu er an die hant,
daz die dâ furke nennent,
die die furkîe erkennent.
doch enist niht sunders an den zwein:
furke und zwisele deist al ein.   2940
sus kam er wider mit sîme stabe.
die lebere sneit er sunder abe,
netze unde lumbele schiet er dan.
die cimberen er abe gewan
von dem lide, an dem si was.   2945
sus saz er nider ûf daz gras,
diu stucke nam er elliu driu.
an sîne furken bant er diu
mit sînem netze vaste.
mit einem grüenen baste   2950
verstricte er'z sus unde sô.
»nu seht, ir hêrren« sprach er dô
»diz heizent sî furkîe
in unser jegerîe.
und wan ez an der furken ist,   2955
durch daz sô heizet dirre list
furkîe und vüeget ouch daz wol,
sît ez an der furken wesen sol.
diz neme ein kneht an sîne hant!
nu tâlanc weset ir gemant   2960
umbe iuwer curîe.«
»curîe? dê benîe!«
sprâchen s'alle »waz ist daz?
wir vernaemen sarrazênesch baz!
waz ist curîe, lieber man?   2965
swîc unde sage uns niht hie van.
swaz ez sî, daz lâ geschehen,

und laß uns dein ganzes Können sehen.
Es würde uns dir auf immer verpflichten.«
Sofort sprang Tristan weg   2935
und schnitt sich einen gegabelten Zweig,
der Furke genannt wird von denen,
die sich in der Furkie auskennen.
Jedoch gibt es zwischen beiden keinen Unterschied,
Zweiggabel und Furke sind dasselbe.   2940
Dann kam er mit seinem Ast zurück.
Er schnitt die Leber gesondert heraus,
trennte danach Netz und Nieren ab
und löste die Hoden ab,
wo sie angewachsen waren.   2945
Dann setzte er sich ins Gras
und nahm alle drei Stücke.
An seiner Furke band er sie
mit dem Netz fest.
Mit grünem Bast   2950
umwickelte er sie kreuz und quer.
»Seht nun, meine Herren«, sagte er dann,
»das heißt die Furke
in unserer Jägerkunst.
Weil man es mit der Furke macht,   2955
nennt man die Kunst
Furkie, und das paßt gut,
weil die Furke gut dazu taugt.
Ein Diener soll es nun in die Hand nehmen.
Schließlich seid noch erinnert   2960
an Eure Curie.«
»Curie? Gott segne uns!«
sagten sie alle. »Was ist das?
Sarazenisch verstünden wir besser.
Was ist Curie, lieber Mann?   2965
Schweig und sage es uns nicht.
Was es auch sein mag, führe es uns vor,

daz wir'z mit ougen ane sehen.
diz tuo durch dîne hövescheit!«

Nu Tristan der was aber bereit.   2970
den herzeric er dô gevienc
(ich meine, an dem daz herze hienc)
und enblôzte in aller sîner habe.
daz herze sneit er halbez abe
hin gegen dem spitzen ende   2975
und nam ez in sîne hende.
er begunde ez teilieren,
in criuzewîs zevieren
und warf daz ûf die hût nider.
ze sîme ricke kêrte er wider.   2980
milz unde lungen lôste er abe.
dô was si hin des rickes habe.
nu daz lac ûf der hiute dâ,
ric unde gorgen sneit er sâ
obene, dâ diu brust da want.   2985
daz houbet lôste er al zehant
mit dem gehürne von dem cragen
und hiez daz zuo der brüste tragen.
»nu wol her balde!« sprach er z'in
»nemt balde disen rucke hin!   2990
kome ieman armer liute her,
der es geruoche oder ger,
dem teilet disen rucke mite
oder tuot dermite nâch iuwerm site.
sô mache ich die curîe.«   2995
dar gie diu cumpanîe
und nâmen sîner künste war.
Tristan hiez im bringen dar,
daz er im ê bereiten bat.
nu daz lac allez an der stat   3000
wol gemachet unde bereit,
als er in haete vor geseit.

damit wir es mit eigenen Augen sehen können.
Tu es um deiner guten Erziehung willen!«

Tristan war wiederum dazu bereit.   2970
Er nahm das Herzband
(ich meine die Luftröhre, an der auch das Herz hing)
und befreite es von allem.
Er halbierte das Herz
zum spitzen Ende hin   2975
und nahm es in seine Hände.
Er zerschnitt es
kreuzweise in vier Stücke
und legte es nieder auf die Haut.
Dann kehrte er zu dem Band zurück.   2980
Er trennte Milz und Lunge ab.
Nun war das Band von allen Anhängseln befreit.
Als nun alles auf der Haut lag,
schnitt er Eingeweide und Gurgel
oben ab, wo die Brust sich wölbte.   2985
Sogleich löste er den Kopf
mit dem Geweih vom Hals.
Dazu ließ er die Brust legen.
»Nun kommt schnell her!« sagte er zu ihnen.
»Nehmt schnell dieses Rückgrat!   2990
Wenn arme Leute kommen
und etwas davon haben wollen,
dann gebt ihnen von diesem Rücken
oder tut damit, wie Ihr es gewohnt seid.
So mache ich die Curie.«   2995
Die Gesellschaft kam näher
und bestaunte sein Können.
Tristan ließ sich bringen,
was er vorher vorzubereiten gebeten hatte.
Nun lag alles dort,   3000
fertiggemacht und bereit,
wie er es ihnen zuvor gesagt hatte.

nû wâren der quartiere
von dem herzen viere
vier halben ûf die hût geleit   3005
nâch jegelîcher gewonheit
und lâgen ûf der hiute alsô.
milz unde lungen sneit er dô,
dar nâch den panzen unde den pas
und swaz der hunde spîse was,   3010
in alsô cleiniu stuckelîn,
als ez ein vuoge mohte sîn,
und spreite ez allez ûf die hût.
hie mite begunde er überlût
den hunden ruofen: »zâ zâ zâ!«   3015
vil schiere wâren s'alle dâ
und stuonden ob ir spîse.
»seht« sprach der wortwîse
»diz heizent sî curîe
dâ heime in Parmenîe   3020
und wil iu sagen umbe waz.
ez heizet curîe umbe daz,
durch daz ez ûf der cuire lît,
swaz man den hunden danne gît.
als hât diu jegerîe   3025
den selben namen curîe
von cuire vunden unde genomen.
von cuire sô ist curîe komen.
und zwâre ez wart den hunden
ze guoten dingen vunden   3030
und ist ein guot gewonheit,
wan swaz man in dar ûf geleit,
daz ist in süeze durch daz bluot
und machet ouch die hunde guot.
nu sehet an disen bastsite,   3035
da enist kein ander spaehe mite.
nemt war, wie er iu gevalle.«
»â hêrre!« sprâchen s'alle

Die vier Viertel
vom Herzen
lagen an den vier Enden der Haut,   3005
wie es der Jagdbrauch vorschreibt,
und waren dort so arrangiert.
Da schnitt er Milz und Lunge,
danach Pansen und Gedärm
und was die Hunde fraßen,   3010
in so kleine Stückchen,
wie es nötig war,
und breitete alles auf der Haut aus.
Danach begann er, mit lauter Stimme
die Hunde zu rufen: »Za, za, za!«   3015
Die waren gleich alle da
und standen über ihrem Fressen.
Der Beredte sagte: »Seht,
das nennt man Curie
daheim in Parmenien,   3020
und ich will Euch sagen, warum.
Es heißt Curie,
weil es auf der ›cuire‹ liegt,
was man dann den Hunden gibt.
So hat die Jagdkunst   3025
den Namen Curie
von ›cuire‹ genommen.
Aus ›cuire‹ ist Curie entstanden.
Und wahrhaftig, es wurde den Hunden
zum Vorteil erfunden   3030
und ist ein guter Brauch.
Denn was man ihnen dorthin legt,
das mögen sie wegen des Bluts,
und es macht die Hunde scharf.
Das ist der Bast,   3035
mehr ist nicht dabei.
Prüft, wie er Euch gefällt.«
»Ach, Herr!« sagten alle,

»waz seistu, saeligez kint?
wir sehen wol, dise liste sint   3040
bracken unde hunden
ze grôzen vrumen vunden.«

Aber sprach der guote Tristan:
»nu nemet iuwer hût hin dan,
wan ine kan hie mite niht baz.   3045
und wizzet waerlîche daz,
kund ich iu baz gedienet hân,
daz haete ich gerne getân.
der man der houwe sîne wit
und widet ûf sunder iuriu lit.   3050
daz houbet vüeret an der hant
und bringet iuwern prîsant
ze hove nâch hovelîchem site.
dâ hovet ir iuch selben mite.
sô wizzet ouch ir selbe wol,   3055
wie man den hirz prîsanten sol.
prîsantet in ze rehte!«
den meister und die knehte
die nam aber dô wunder,
daz in daz kint besunder   3060
und mit bescheidenheite
sô manc jagereht vür leite
und daz ez sô vil wiste
von sus getânem liste.
»sich« sprâchen sî »saeligez kint!   3065
diu wunderlîchen underbint,
diu du uns vür zelst und hâst gezalt,
diu dunkent uns sô manicvalt:
wirn sehen sî noch baz z'ende gân,
swaz dû biz dâ her hâst getân,   3070
daz ahte wir ze nihte.«
sus zugen s'ime enrihte
ein pferit dar und bâten in,

»Was sagst du, begnadetes Kind?
Wir sehen genau, daß es
für Spür- und Jagdhunde   3040
von großem Nutzen ist.«

Der edle Tristan fuhr fort:
»Nehmt nun Eure Haut,
denn ich weiß damit nichts weiter anzufangen.   3045
Und glaubt mir:
Hätte ich Euch besser helfen können,
würde ich es mit Freuden getan haben.
Jeder möge sich einen Zweig abhauen
und sein Fleischstück darauf binden.   3050
Den Kopf tragt in der Hand,
und bringt Eure Gabe
mit angemessenem Zeremoniell zum Hofe.
Damit vermehrt Ihr Euer eigenes Ansehen.
Sicher wißt Ihr selbst genau,   3055
wie man den Hirsch darbringen muß.
Tut es in der richtigen Weise!«
Der Jägermeister und seine Gehilfen
wunderten sich erneut,
daß das Kind ihnen einzeln   3060
und mit Sachverstand
so viele Jägerpflichten aufzählte
und daß es so viel wußte
von dieser Kunst.
Sie sagten: »Sieh, vortreffliches Kind!   3065
Die eigentümlichen Unterschiede,
die du uns zeigst und gezeigt hast,
scheinen uns so vielfältig.
Wenn wir sie nicht bis zum Ende sehen,
werden wir das, was du bisher getan hast,   3070
gering achten.«
Also brachten sie ihm schnell
ein Pferd und baten ihn,

daz er durch sîne tugent mit in
nâch sîner kunst ze hove rite   3075
und er si sînen lantsite
unz an ein ende lieze sehen.
Tristan sprach: »daz mac wol geschehen.
nemet den hirz ûf und wol hin!«
suz saz er ûf und reit mit in.   3080

Nu s'also mit ein ander riten,
nu haeten jene vil kûme erbiten
der state unde der stunde.
ir iegelîch begunde
entwerfen sîniu maere,   3085
von welhem lande er waere
und wie er dâ hin waere komen.
sî haeten gerne vernomen
sîn dinc und sîn ahte.
diz nam in sîne trahte   3090
der sinnesame Tristan.
vil sinneclîche er aber began
sîn âventiure vinden.
sîn rede diu enwas kinden
niht gelîch noch sus noch sô.   3095
vil sinneclîche sprach er dô:
»jensît Britanje lît ein lant,
deist Parmenîe genant.
dâ ist mîn vater ein koufman,
der wol nâch sîner ahte kan   3100
der werlde leben schône unde wol,
ich meine aber, alse ein koufman sol.
und wizzet endeclîche:
ern ist doch niht sô rîche
der habe unde des guotes   3105
sô tugentlîches muotes.
der hiez mich lêren, daz ich kan.
nû kâmen dicke koufman

daß er um seiner Güte willen mit ihnen
nach allen Regeln seiner Kunst zum Hofe ritte   3075
und sie seinen Landesbrauch
bis zum Ende sehen ließe.
Tristan sagte: »Das soll geschehen.
Nehmt den Hirsch auf und laßt uns gehen!«
Damit saß er auf und ritt mit ihnen fort.   3080

Als sie so miteinander ritten,
konnten jene gar nicht erwarten
Zeitpunkt und Gelegenheit.
Jeder von ihnen begann,
sich Tristans Lebensgeschichte vorzustellen,   3085
woher er
und wie er dahin gekommen sei.
Nur zu gerne hätten sie erfahren
seine Lebensumstände und seinen Stand.
Damit rechnete   3090
der besonnene Tristan.
Listig begann er erneut,
eine Geschichte zu erfinden.
Seine Erzählung sah einem Kind
nicht ähnlich, in keiner Hinsicht.   3095
Schlau sagte er:
»Jenseits von Britannien liegt ein Land
mit Namen Parmenien.
Dort ist mein Vater ein Kaufmann,
der seinem Stande angemessen   3100
behäbig und gut lebt,
wie es ein Kaufmann, meine ich, soll.
Darüber hinaus müßt Ihr wissen,
daß er nicht so reich ist
an Besitz und Gut   3105
wie an edler Gesinnung.
Der hat mir beibringen lassen, was ich kann.
Häufig kamen Kaufleute

von vremeden künicrîchen dar.
der dinges nam ich sô vil war   3110
beide an ir sprâche und an ir siten,
unz mich mîn muot begunde biten
und schünden staeteclîche
in vremediu künicrîche.
und wan ich gerne haete erkant   3115
unkunde liute und vremediu lant,
dô was ich spâte unde vruo
alsô betrahtic dar zuo,
biz daz ich mînem vater entran
und vuor mit koufliuten dan.   3120
als bin ich her ze lande komen.
Nu habet ir al mîn dinc vernomen.
ine weiz, wie'z iu gevalle.«
»â trût kint« sprâchen s'alle
»ez was an dir ein edeler muot.   3125
unkünde ist manegem herzen guot
und lêret maneger hande tugent.
trût geselle, süeziu jugent,
gebenedîet sî daz lant
von gote, dâ ie kein marschant   3130
erzôch sô tugentlîchez kint!
alle die künege, die nu sint,
dien erzügen alle ein kint niht baz.
nu liebez kint, nu sage uns daz:
dîn höfscher vater wie nante er dich?«   3135
»Tristan« sprach er »Tristan heiz ich.«
»dêus adjût« sprach einer dô
»durch got, wie nante er dich dô sô?
du waerest zwâre baz genant
juvente bêle et la riant,   3140
diu schoene jugent, diu lachende.«
sus riten s'ir maere machende,
dirre sus und jener sô.
ir kurzewîle diu was dô

aus fernen Ländern dorthin.
An ihnen bemerkte ich so viel,   3110
was Sprache und Verhalten anging,
daß meine Phantasie sich zu wünschen begann
und mich unentwegt reizte,
in die Fremde zu gehen.
Und weil ich gerne sehen wollte   3115
unbekannte Menschen und ferne Länder,
war ich von früh bis spät
so sehr darauf bedacht,
daß ich schließlich meinem Vater weglief
und mit Kaufleuten davonsegelte.   3120
So bin ich in dieses Land gekommen.
Ihr habt nun meine ganze Geschichte gehört.
Ich weiß nicht, ob sie Euch gefällt.«
»Ach, liebes Kind«, sagten sie alle,
»in dir war ein edles Streben.   3125
Das Leben in der Fremde tut vielen gut
und vermittelt viele nützliche Kenntnisse.
Lieber Freund, zarter Jüngling,
das Land sei gesegnet
von Gott, in dem ein Kaufmann   3130
ein so vorzügliches Kind aufgezogen hat!
Alle Könige, die es gibt,
haben ihre Kinder nicht besser erzogen.
Nun sage uns, liebes Kind:
Wie nannte dich dein höfisch gesonnener Vater?«   3135
»Tristan«, antwortete er, »ich heiße Tristan.«
»Gott bewahre«, sagte da einer,
»um Gottes willen, warum nannte er dich so?
Wahrlich hießest du besser
›juvente bele et la riant‹,   3140
schöne und lachende Jugend.«
So ritten sie und unterhielten sich,
der eine so und der andere so.
Ihr Zeitvertreib galt da

niwan mit disem kinde.   3145
sus vrâgete daz gesinde,
swes iegelîchen dô gezam.

In kurzen zîten ez dô kam,
Tristan daz er die burc gesach.
von einer linden er dô brach   3150
zwei schapel wol geloubet:
einez sazte er ûf sîn houbet,
daz ander er dô wîter maz;
dem jegermeister bôt er daz:
»ei« sprach er »lieber meister mîn,   3155
saget waz bürge mag diz sîn?
diz ist ein küniclîch castêl.«
der meister sprach: »deist Tintajêl.«
»Tintajêl? â welh ein castêl!
dê te saut, Tintajêl   3160
und allez dîn gesinde!«
»â wol dir süezem kinde!«
sprâchen sîne geverten dô
»wis iemer saelic unde vrô
und dir müez alse wol geschehen,   3165
als vil gerne wir'z gesehen!«
Sus kâmen sî zem bürgetor.
Tristan gehabete dô dâ vor.
»ir hêrren« sprach er aber dô z'in
»ine weiz, wan ich iu vremede bin,   3170
wie iuwer keiner ist genamet.
wan varn ie zwêne und zwêne samet
und rîtet rehte ein ander bî,
alse der hirz geschaffen sî.
daz gehürne daz gê vor,   3175
diu brust dâ nâch in sînem spor,
die rieben nâch den büegen.
dâ nâch sô sult ir vüegen,
daz daz jungeste lit

nur diesem Jungen.   3145
Die Männer fragten,
was jedem einfiel.

Nach kurzer Zeit
sah Tristan die Burg.
Er brach von einer Linde   3150
zwei hübsche Laubkränze ab.
Den einen setzte er sich auf,
den anderen machte er ein wenig größer
und gab ihn dem Jägermeister.
»Ei«, sagte er, »lieber Meister,   3155
welche Burg ist das?
Das ist ein königliches Schloß.«
Der Meister antwortete: »Das ist Tintajol.«
»Tintajol? Welch ein Schloß!
Gott grüß dich, Tintajol   3160
und alle deine Bewohner!«
»Gott segne dich, liebliches Kind!«
sagten seine Gefährten.
»Sei immer glücklich und froh
und möge dir nur Gutes widerfahren,   3165
das wünschen wir dir!«
So kamen sie zum Burgtor.
Davor hielt Tristan an
und sagte abermals zu ihnen: »Ihr Herren,
weil ich Euch nicht kenne, weiß ich nicht,   3170
wie Ihr heißt.
Reitet in Zweiergruppen
und genau nebeneinander,
so wie der Hirsch gewachsen war.
Das Geweih soll vorangehen,   3175
die Brust soll ihm folgen,
die Rippen dem Vorderteil.
Danach sollt Ihr es so einrichten,
daß die hintere Hälfte

iesâ den rieben volge mit.   3180
dâ nâch sô 'sult ir nemen war,
daz allerjungeste var
diu cuire und diu furkîe.
deist rehtiu jegerîe.
und lâzet iu niht sîn ze gâch,   3185
rîtet schône ein ander nâch.
mîn meister hie und ich sîn kneht
wir rîten samet, dunk ez iuch reht
und ob ez iu gevalle.«
»jâ trût kint«, sprâchen s'alle   3190
»swie sô du wilt, als wellen wir.«
»diz sî!« sprach er »nu lîhet mir
ein horn, daz mir ze mâze sî,
und sît ouch des gemant dâ bî,
swenn ich an hebe, sô hoeret mir,   3195
und alse ich hürne, als hürnet ir!«
der meister der sprach ime dô zuo:
»vil lieber vriunt, hürne unde tuo
rehte als dir gevalle.
des volge wir dir alle,   3200
ich und die hie mit mir sint.«
»â bon eure« sprach daz kint
»mit guote, daz lât alsô sîn.«
ein cleine hellez hornelîn
daz gâben s'ime an sîne hant.   3205
»nû hin!«, sprach er »allez avant!«
Sus riten si gerottieret în,
zwêne unde zwêne: als solte ez sîn.
und als diu rotte gar în kam,
Tristan sîn hornelîn dô nam   3210
und hürnete alsô rîche
und alsô wunneclîche,
jene alle, die dâ mit im riten,
daz die vor vröuden kûme erbiten,
daz s'ime ze helfe kâmen   3215

nach den Rippen komme.   3180
Dann sollt Ihr achtgeben,
daß ganz am Ende
die ›cuire‹ und die Furkie folgen.
So verlangt es die richtige Jagdkunst.
Reitet nicht so schnell   3185
und schön nacheinander.
Hier mein Meister und ich, sein Diener,
wir reiten zusammen, wenn es Euch richtig erscheint
und gefällt.«
»Ja, liebes Kind«, sagten sie alle,   3190
»wir tun, was du willst.«
»Es sei«, sagte er, »nun gebt mir
ein Horn, das mir angemessen ist,
und laßt Euch ermahnen:
Wenn ich anfange, hört auf mich   3195
und spielt wie ich das Horn!«
Der Meister sagte zu ihm:
»Liebster Freund, blase und handle so,
wie es dir beliebt.
Wir alle wollen dir dabei folgen,   3200
ich und alle, die bei mir sind.«
»Wohlan«, sagte das Kind,
»so soll es sein.«
Ein kleines helles Horn
gaben sie ihm in die Hand.   3205
»Nun denn«, sagte er, »voran!«
So ritten sie in Abteilungen ein,
zwei und zwei, wie es sein mußte.
Als die Gruppe drinnen war,
nahm Tristan sein Horn   3210
und blies so prächtig
und wunderbar,
daß alle, die mit ihm ritten,
vor Freude gar nicht erwarten konnten,
ihm zu Hilfe zu kommen.   3215

und alle ir horn nâmen
und hürneten vil schône
mit ime in sîme dône.
er vuor in vor ze prîse,
si nâch in sîner wîse   3220
bescheidenlîchen unde wol.
diu burc diu wart gedoenes vol.

Der künic und al diu hovediet,
dô sî daz vremede jageliet
gehôrten und vernâmen,   3225
si erschrâken unde erkâmen
vil inneclîche sêre,
wan ez dâ vor nie mêre
dâ ze hove wart vernomen.
nu was diu rotte iezuo komen   3230
vür den palas an die tür.
dâ was vil ingesindes vür
geloufen durch den hornschal.
si nam grôz wunder über al,
waz des geschelles waere.   3235
ouch was der lobebaere
Marke selbe komen dar
nemen dirre maere war
und mit im manic cûrtois man.
nu Tristan den künic sehen began,   3240
er begunde im wol gevallen
vor den andern allen.
sîn herze in sunder ûz erlas,
wan er von sînem bluote was.
diu natiure zôch in dar.   3245
er nam sîn mit den ougen war
und begunde in grüezen schône.
in vremedem horndône
ein ander wîse huob er an.
sô lûte er hürnen began,   3250

Alle nahmen ihr Horn
und bliesen sehr schön
mit ihm seine Melodie.
Er spielte ihnen herrlich vor,
sie folgten seinem Spiel   3220
geschickt und kunstvoll.
Die Burg war voll mit ihrem Klang.

Als der König und seine Hofgesellschaft
das fremdartige Jagdlied
hörten,   3225
erschraken sie
außerordentlich,
weil es noch nie zuvor
bei Hof vernommen worden war.
Inzwischen war die Gruppe   3230
an das Tor der Haupthalle gelangt.
Viele aus dem Gefolge waren
dorthin gelaufen wegen des Hörnerklangs.
Sie alle fragten sich verwundert,
was für ein Lärm das sei.   3235
Auch der vornehme
Marke selbst war dort,
um zu sehen, was es gäbe,
und mit ihm viele Hofleute.
Als Tristan den König sah,   3240
gefiel er ihm besser
als alle anderen.
Sein Herz kannte ihn heraus,
weil er von seinem Blute war.
Die Natur zog ihn hin.   3245
Er blickte ihn an
und grüßte ihn auf geziemende Weise.
Mit fremdartigem Hornspiel
begann er eine neue Melodie.
Er blies so kraftvoll,   3250

daz im nieman an der stunde
wol gevolgen kunde.
nu des was schiere ein ende.
der wol gezogen ellende
der lie sîn hürnen unde sweic.   3255
vil schône er gein dem künege neic
und sprach mit süezem munde
vil suoze, als er wol kunde:
»dêu sal le roi et sa mehnîe.
künec und sîne massenîe   3260
die gehalte got der guote!«
Marke der wol gemuote
und al sîn ingesinde
die danketen dem kinde
vil tugentlîchen unde wol,   3265
als man dem tugenthaften sol.
»â!« sprâchen s'al gemeine
grôze unde cleine,
»dê duin dûze âventûre
si dûze crêatûre: 3270
got gebe süeze âventiure
sô süezer crêatiure!«

Der künec der nam des kindes war.
den jeger den besande er dar:
»sag an«, sprach er »wer ist diz kint,   3275
des wort sô wol besniten sind?«
»â hêrre, ez ist ein Parmenois
sô wunderlîchen cûrtois
und alsô rehte tugentsam,
daz ich'z an kinde nie vernam,   3280
und giht, er heize Tristan
und sî sîn vater ein koufman.
in geloube ez aber niemer.
wie haete ein koufman iemer
in sîner unmüezekeit   3285

daß niemand ihm da
richtig folgen konnte.
Bald war auch das zu Ende.
Der wohlerzogene Fremdling
hörte auf zu spielen und schwieg.   3255
Er verneigte sich höflich vor dem König
und sprach in lieblichem Ton,
so lieblich wie er es vermochte:
»Gott segne den König und sein Gefolge.
Den König und die Seinen   3260
erhalte der gnädige Gott!«
Der vornehme Marke
und sein ganzer Hof
dankten dem Knaben
sehr freundlich,   3265
wie es sich einem freundlichen Menschen gegenüber schickt.
»Ah!« sprachen alle,
die Großen und Kleinen.
»Gott gebe Glück
einem so lieblichen Geschöpf.   3270
Gott segne
dieses holde Geschöpf!«

Der König schaute den Jungen an.
Er ließ den Jäger kommen
und sprach: »Sag, wer ist dieser Junge,   3275
der so gut zu reden weiß?«
»Herr, er kommt aus Parmenien.
Von so vorzüglichem höfischem Wesen
und so wohlerzogen und gebildet
habe ich noch niemals einen Knaben gesehen.   3280
Er sagt, er heiße Tristan
und sein Vater sei Kaufmann.
Jedoch glaube ich das nie und nimmer.
Wie hätte ein Kaufmann jemals
in all seiner Rastlosigkeit   3285

sô grôze muoze an in geleit?
solt er die muoze mit im hân,
der sich unmuoze sol begân?
Â hêrre, er ist sô tugenthaft.
seht, dise niuwe meisterschaft,   3290
als wir nû ze hove sîn komen,
die habe wir gar von ime genomen.
und hoeret wunderlîchen list:
rehte alse der hirz geschaffen ist,
als ist er her ze hove brâht.   3295
wâ wart ie list sô wol bedâht?
nu seht, daz houbet daz gât vor,
diu brust dâ nâch in sînem spor,
büege unde bein, diz unde daz,
daz wart schôner unde baz   3300
ze hove geprîsantet nie.
seht dort, gesâhet ir ie
sus gemachete furkîe?
ine vernam von jegerîe
solher liste nie niht mê.   3305
dâ zuo liez er uns sehen ê,
wie man den hirz enbesten sol.
diu kunst gevellet mir sô wol,
daz ich niemer hirz noch tier
gehouwen wil in vier quartier,   3310
und solte ich iemer mêre jagen.«
sus begunde er sînem hêrren sagen
von ende sîniu maere,
wie vollekomen er waere
an höfscher jegerîe   3315
und wie er die curîe
den hunden vür leite.
und swaz der jeger seite,
des nam der künec vil guote war
und hiez dem kinde ruofen dar,   3320
die jegere ze herbergen varn,

so viel Muße auf ihn verwenden können?
Sollte der die nötige Ruhe für ihn finden,
der so sehr in Ruhelosigkeit lebt?
Ach Herr, er ist so gebildet.
Seht, diese neue Kunst,   3290
wie wir zum Hof geritten kamen,
haben wir nur von ihm gelernt.
Und beachtet das erstaunliche Können:
So wie der Hirsch gebaut ist,
so haben wir ihn zum Hofe gebracht.   3295
Ist eine Kunst jemals sinniger erfunden worden?
Seht, der Kopf ging voran,
die Brust folgt ihm,
Vorderteil und Bein, dies und das;
das ist besser und schöner   3300
noch nie bei Hofe dargebracht worden.
Seht dort, habt Ihr je
eine solche Furkie gesehen?
Von der Jägerei habe ich
solche Künste noch nie gehört.   3305
Vorher hat er uns zudem sehen lassen,
wie man einen Hirsch entbästet.
Das gefällt mir so gut,
daß ich niemals wieder Hirsch oder Reh
in vier Teile hauen will,   3310
sofern ich jemals wieder jagen sollte.«
Und er berichtete seinem Herrn
die ganze Geschichte von Anfang an,
wie vollkommen er sei
in höfischer Jagdkunst   3315
und wie er die Curie
den Hunden bereitete.
Was der Jäger ihm erzählte,
dem hörte der König freundlich zu.
Er ließ den Knaben rufen   3320
und entließ die Jäger in ihre Quartiere,

ir ambet unde ir dinc bewarn.
die kêrten umbe und riten dan.
der jegermeister Tristan
der gap sîn hornelîn dâ wider   3325
und erbeizete zuo der erde nider.
Daz junge hovegesinde
daz lief engegen dem kinde
und condewierte ez schône
under armen vür die crône.   3330
ouch kunde er selbe schône gân.
dar zuo was ime der lîp getân,
als ez diu Minne gebôt.
sîn munt was rehte rôsenrôt,
sîn varwe lieht, sîn ougen clâr.   3335
brûnreideloht was ime daz hâr,
gecrûspet bî dem ende.
sîn arme und sîne hende
wol gestellet unde blanc.
sîn lîp ze guoter mâze lanc.   3340
sîne vüeze und sîniu bein,
dar an sîn schoene almeistic schein,
diu stuonden sô ze prîse wol,
als man'z an manne prîsen sol.
sîn gewant, als ich iu hân geseit,   3345
daz was mit grôzer höfscheit
nâch sînem lîbe gesniten.
an gebaerde unde an schoenen siten
was ime sô rehte wol geschehen,
daz man in gerne mohte sehen.   3350

Marke sach Tristanden an:
»vriunt« sprach er »heizestû Tristan?«
»jâ hêrre, Tristan; dêu sal!«
»dêu sal, bêâs vassal!«
»mercî«, sprach er »gentil rois,   3355
edeler künic curnewalois,

damit sie sich um ihre Pflichten kümmerten.
Sie machten kehrt und ritten weg.
Tristan, der vollkommene Jäger,
gab sein Horn zurück   3325
und saß ab.
Die jüngeren Höflinge
liefen dem Jungen entgegen
und führten ihn feierlich
am Arm zum König.   3330
Tristan hatte aber auch einen herrlichen Gang.
Außerdem war er so schön,
wie die Liebe selbst es sich wünschen könnte.
Sein Mund war von vollem Rosenrot,
seine Haut hell, seine Augen leuchtend.   3335
Sein Haar war braungelockt
und ganz und gar gekräuselt.
Seine Arme und Hände
waren wohlgeformt und weiß.
Er hatte die richtige Körpergröße.   3340
Seine Füße und Beine,
an denen seine Schönheit sich am deutlichsten zeigte,
verdienten so viel Lob,
wie man einem Manne spenden kann.
Seine Kleidung war, wie gesagt,   3345
mit großer höfischer Eleganz
ihm angepaßt.
An Benehmen und feinem Anstand
war er so vollkommen,
daß es eine Freude war, ihm zuzusehen.   3350

Marke sah Tristan an
und sprach: »Mein Freund, heißt du Tristan?«
»Ja, Herr, Tristan. Gott schütze Euch.«
»Gott schütze dich, schöner Jüngling!«
»Danke, vornehmer König«, erwiderte er,   3355
»Edler König von Cornwall,

ir und iur gesinde
ir sît von gotes kinde
iemer gebenedîet!«
dô wart gemerzîet   3360
wunder von der hovediet.
si triben niwan daz eine liet:
»Tristan, Tristan li Parmenois
cum est bêâs et cum cûrtois!«
Marke sprach aber Tristande zuo: 3365
»ich sage dir, Tristan, waz du tuo.
du solt mich einer bete gewern,
der enwil ich niht von dir enbern.«
»swaz ir gebietet, hêrre mîn.«
»dû solt mîn jegermeister sîn!«   3370
hie wart ein michel lahter van.
hier under sprach dô Tristan:
»hêrre, gebietet über mich.
swaz ir gebietet, daz bin ich.
iuwer jeger und iuwer dienestman   3375
daz bin ich, alse ich beste kan.«
»mit guote, vriunt«, sprach Marke dô
»diz ist gelobet, nu sî alsô!«

Ihr und Euer Gefolge
mögt von Gottes Sohn
auf ewig gesegnet sein!«
Da bedankten sich   3360
vielmals die Angehörigen des Hofs.
Sie sangen nur diesen einen Vers:
»Tristan, Tristan aus Parmenien,
wie schön und höfisch ist er!«
Wieder sprach Marke zu Tristan: 3365
»Ich sage dir, was du tun sollst, Tristan.
Du sollst mir eine Bitte erfüllen,
die du nicht abschlagen darfst.«
»Was immer Ihr wollt, Herr.«
»Du sollst mein Jägermeister werden.«   3370
Da erhob sich großes Freudengelächter.
Tristan antwortete sogleich:
»Herr, befehlt über mich.
Ich bin, was immer Ihr wollt.
Euer Jäger, Euer Dienstmann   3375
will ich sein, so gut ich kann.«
»Ausgezeichnet, Freund«, sagte Marke,
»du hast es gelobt, und so soll es sein.«

Tristan musiziert vor dem Meister aus Wales

Marke küßt Tristan

Nu Tristan der ist ze hûse komen
unwizzende, alse ir habet vernomen,   3380
und wânde doch ellende sîn.
der unverwânde vater sîn,
Marke der tugende rîche
der gewarp vil tugentlîche.
ouch was des dô vil michel nôt.   3385
er bat besunder unde gebôt
al dem hovegesinde,
daz sî dem vremedem kinde
guot unde genaedic waeren
und daz s'im êre baeren   3390
mit rede und mit gesellekeit.
des wâren s'alle samet bereit
mit willeclîchem muote.
sus was Tristan der guote
des küneges ingesinde dô.   3395
der sach in gerne und was sîn vrô,
wan in truog ouch sîn herze dar
und nam sîn gerne und ofte war;
wan er was z'allen zîten
höfschlîche an sîner sîten   3400
und truog in sînen dienest an
als ofte, als er sîn state gewan.
swâ Marke was oder swar er gie,
dâ was Tristan der ander ie
und nam daz Marke wol vür guot.   3405
er truoc im harte holden muot
und tete im wol, swenne er in sach.
In den dingen ez geschach,
innerthalp den ahte tagen
reit Marke selbe mit im jagen   3410
und hovegesindes vil dâ mite

VI. Der junge Künstler

Nun ist Tristan nach Hause gekommen,
ohne es zu wissen, wie Ihr gehört habt,   3380
und glaubte sich doch in der Fremde.
Sein unvermuteter Vater,
der vorbildliche Marke,
handelte rühmenswert an ihm.
Das war auch sehr nötig.   3385
Er bat dringend und befahl
dem ganzen Hofstaat,
daß sie dem Fremdling
freundlich und zuvorkommend begegnen
und daß sie ehrerbietig mit ihm sein sollten   3390
in Gespräch und Umgang.
Dazu waren alle entschlossen
mit großer Bereitwilligkeit.
So gehörte der vortreffliche Tristan
zum Gefolge des Königs.   3395
Er sah ihn gerne und freute sich über ihn,
denn auch ihn zog sein Herz zu ihm.
Er beobachtete ihn gerne und häufig,
denn er war unentwegt
zu seiner Unterhaltung bei ihm   3400
und stand ihm bei,
wann immer es ging.
Wo immer Marke sich aufhielt oder wohin er ging,
da war auch Tristan,
und Marke schätzte das sehr.   3405
Er war ihm sehr gewogen,
und es ergötzte ihn, wenn er ihn sah.
Da geschah es,
daß noch in derselben Woche
Marke selbst mit ihm zur Jagd ritt   3410
und das ganze Gefolge auch,

schouwen sînen jagesite
und sîner künste nemen war.
nu hiez im Marke bringen dar
sîn jagephert und gab im daz.   3415
Tristan wart nie geriten baz,
wan ez was starc, schoene unde snel.
ein hornelîn süeze unde hel
hiez er im geben an sîne hant.
»Tristan« sprach er »nu wis gemant,   3420
daz dû mîn jegermeister bist,
und zeige uns dînen jagelist.
nim dîne hunde unde var
und schicke dîne warte dar,
dâ sî dich rehte dunken stân.«   3425
»nein hêrre, ezn mac sô niht ergân«
sprach aber der höfsche Tristan
»heizet die jegere kêren dan,
die suln die warte sâzen
und suln von ruore lâzen.   3430
die erkennent hie ze lande sich
und wizzent michel baz dan ich,
wâ der hirz hin ziuhet
und vor den hunden vliuhet.
die erkennent die gelegenheit.   3435
sô bin ich, der hie nie gereit,
und bin mitalle ein vremede kneht.«
»daz weiz got, Tristan, dû hâst reht.
du enkanst dich hier an niht bewarn.
die jegere müezen selbe varn   3440
und sich verrihten under in.«
hie mite kêrten die jegere hin
und koppelten ir hunde
und stalten an der stunde
ir warte, als sî wol wisten wâ,   3445
und liezen z'einem hirze sâ
und jageten den ze strîte

um seine Jagdkunst zu sehen
und seine Geschicklichkeit zu beobachten.
Marke ließ ihm
sein Jagdpferd bringen und schenkte es ihm.   3415
Tristan war noch nie besser beritten gewesen,
denn es war kräftig, schön und schnell.
Ein liebliches und helles Horn
ließ er ihm geben.
Er sagte: »Tristan, sei erinnert,   3420
daß du mein Jägermeister bist.
Nun zeige uns deine Jagdkunst.
Geh, nimm deine Hunde
und verteile deine Posten so,
wie du es für richtig hältst.«   3425
»Nein, Herr, so geht es nicht«,
sagte der wohlerzogene Tristan.
»Laß die Jäger gehen.
Sie sollen die Posten besetzen
und die Hunde loslassen.   3430
Die kennen sich in der Gegend aus
und wissen besser als ich,
wohin der Hirsch rennt
und sich vor den Hunden flüchtet.
Die kennen die Gegebenheiten.   3435
Ich aber bin hier noch nie geritten
und ganz und gar unbekannt.«
»Bei Gott, Tristan, du hast recht.
Hier kannst du dich nicht beweisen.
Die Jäger müssen selbst gehen   3440
und sich untereinander einrichten.«
Damit gingen die Jäger fort,
leinten die Hunde an
und stellten sogleich
Posten auf, wo sie es für gut hielten.   3445
Alsbald spürten sie einen Hirsch auf
und jagten den um die Wette

unz gein der abentzîte.
dô erliefen in die hunde.
und an der selben stunde   3450
kam Marke und sîn Tristan
und mit in zwein manc hoveman
gerant ze dem gevelle.
dô wart grôz horngeschelle
in maneger slahte dône.   3455
si hürneten sô schône,
daz ez Marken sanfte tete
und mit im manegem an der stete.

Nu sî den hirz gevalten,
ir meister sî dar stalten,   3460
Tristanden, den heinlîchen gast,
und bâten, daz er sî den bast
von ende z'ende lieze sehen.
Tristan der sprach: »diz sol geschehen!«
und mit der rede bereite er sich.   3465
nu waene ich wol und dunket mich,
daz ez undurften waere,
ob ich iu zwir ein maere
nâch ein ander vür leite.
rehte alse ich iu ê seite   3470
von jenem hirze, rehte alsô
enbaste er aber disen dô.
den bast und die furkîe,
die kunst von der curîe,
dô si die begunden sehen,   3475
si begunden eines mundes jehen,
daz nieman von dem liste
niht bezzers enwiste
noch niemer kunde ervinden.
der künec der hiez dô binden   3480
den hirz ûf unde kêrte dan.
er und sîn jegere Tristan

bis zum Abend.
Da holten die Hunde ihn ein.
Sofort   3450
kamen Marke und Tristan
und mit den beiden viele Höflinge
herbeigerannt, um ihn zu erlegen.
Da entstand mächtiger Hörnerschall
in vielen Melodien.   3455
Sie spielten so schön,
daß es Marke wohltat
und vielen anderen dort mit ihm.

Als sie den Hirsch erlegt hatten,
stellten sie ihren Meister daneben,   3460
Tristan, den vertrauten Fremdling,
und baten, daß er sie den Bast
von Anfang an sehen ließe.
Tristan sagte: »Das soll geschehen.«
Und damit machte er sich bereit.   3465
Nun nehme ich an und glaube,
daß es unnötig ist,
wenn ich Euch zweimal eine Geschichte
nacheinander erzähle.
Wie ich es also zuvor berichtete   3470
von jenem Hirsch, genauso
entbästete er nun diesen.
Den Bast und die Furkie,
die Kunst der Curie,
als sie das alles sahen,   3475
waren sie einmütig überzeugt,
daß niemand diese Fertigkeit
besser beherrschte
oder ersinnen könnte.
Dann ließ der König   3480
den Hirsch aufbinden und ritt davon.
Er und sein Jäger Tristan

und al sîn massenîe
mit gehürne und mit furkîe
riten sî dô ze hûse wider.   3485
als was der guote Tristan sider
ein lieber hoveman under in.
künec unde gesinde haeten in
in guoter geselleschaft.
ouch was er alsô dienesthaft   3490
dem armen unde dem rîchen.
möhte er ir iegelîchen
ûf sîner hant getragen hân,
daz haete er gerne getân.
die saelde haete im got gegeben: 3495
er kunde und wolte in allen leben.
lachen, tanzen, singen,
rîten, loufen, springen,
zuhten unde schallen,
daz kunde er mit in allen.   3500
er lebete, swie man wolte
und als diu jugent solte.
swes ir dekeiner began,
daz huob er iemer mit im an.

Nu gevuogete sich daz,   3505
daz Marke an eime tage gesaz
ein lützel nâch der ezzenzît,
sô man doch kurzewîle pflît,
und losete sêre an einer stete
einem leiche, den ein harpfaere tete,   3510
ein meister sîner liste,
der beste den man wiste.
der selbe der was ein Gâlois.
nu kam Tristan der Parmenois
und saz ze sînen vüezen dar   3515
und nam sô vlîzeclîche war
des leiches unde der süezen noten.

und das ganze Gefolge,
mit Geweih und Furkie
ritten sie wieder heim.   3485
Seitdem war der tüchtige Tristan
ein beliebtes Mitglied des Hofes.
Der König und die Seinen pflegten mit ihm
freundschaftlichen Umgang.
Er war auch sehr hilfsbereit   3490
gegenüber Armen und Reichen.
Wenn er irgend jemanden
auf Händen hätte tragen können,
er hätte es mit Freuden getan.
Diese Begabung hatte er von Gott: 3495
Er konnte und wollte für alle dasein.
Lachen, tanzen, singen,
reiten, wettlaufen, springen,
verhalten und ausgelassen feiern,
das konnte er mit ihnen allen.   3500
Er lebte so, wie man es sich wünschte
und wie die Jugend es auch soll.
Was irgendeiner anfing,
das machte er stets mit.

Nun geschah es,   3505
daß Marke eines Tages
kurz nach dem Essen,
wo man sich unterhält,
dasaß und hingebungsvoll
einer Melodie zuhörte, die ein Harfner spielte,   3510
ein Meister seines Fachs
und der beste, den man kannte.
Er kam aus Wales.
Tristan aus Parmenien kam dazu,
setzte sich zu seinen Füßen nieder   3515
und lauschte aufmerksam
der Melodie und den lieblichen Tönen.

waere ez im an den lîp geboten,
ern möhte ez niht verswigen hân:
sîn muot begunde im ûf gân,   3520
sîn herze daz wart muotes vol.
»meister« sprach er »ir harpfet wol.
die noten sint rehte vür brâht,
senelîche und alse ir wart gedâht.
die macheten Britûne   3525
von mînem hêrn Gurûne
und von sîner vriundinne.«
diz nam in sîne sinne
der harpfaere und loste allez dar,
als er der rede niht naeme war,   3530
unz er den leich volante.
gein dem kinde er sich dô wante:
»waz weistu« sprach er »liebez kint,
von wannen dise noten sint?
kanstu ihtes iht hier an?«   3535
»jâ schoener meister«, sprach Tristan
»ich haete es hie vor meisterschaft.
nû hât ez aber sô cleine craft,
daz ich vor iu niht engetar.«
»nein vriunt, sê dise harpfen dar,   3540
lâ hoeren, welher hande
kan man in dînem lande?«
»gebietet ir daz, meister mîn,
und sol ez mit iuwerm urloub sîn,
daz ich iu harpfe?« sprach Tristan.   3545
»jâ trût geselle, sê harpfe an!«

Als er die harpfen dô genam,
sînen handen sî vil wol gezam.
die wâren, alse ich hân gelesen,
daz sî niht schoener kunden wesen: 3550
weich unde linde, cleine, lanc
und rehte alsam ein harm blanc.

Selbst wenn man es ihm bei Todesstrafe verboten hätte,
hätte er doch nicht verbergen können,
daß er sehr bewegt war   3520
und sein Herz sich mit Sehnsucht füllte.
Er sprach: »Meister, Ihr spielt gut.
Die Noten sind richtig wiedergegeben,
sehnsüchtig und wie sie gedacht waren.
Bretonen haben sie geschrieben   3525
vom Herrn Gurun
und seiner Liebsten.«
Das merkte sich
der Harfner und hörte sich alles an,
als ob er diese Worte nicht wahrgenommen hätte,   3530
bis er die Melodie beendet hatte.
Dann wandte er sich dem Kind zu
und fragte: »Was weißt du, liebes Kind,
woher diese Noten stammen?
Verstehst du etwas davon?«   3535
»Ja, bester Meister«, antwortete Tristan,
»vor einiger Zeit konnte ich es sehr gut.
Nun aber hat mein Können so nachgelassen,
daß ich mich vor Euch nicht getraue.«
»Nein, Freund, sieh die Harfe dort;   3540
laß hören, was man alles
in deinem Lande spielt.«
»Befehlt Ihr, Meister,
und erlaubt mir,
daß ich Euch vorspiele?« fragte Tristan.   3545
»Ja, lieber Freund, spiel auf!«

Als er die Harfe nahm,
fügte sie sich gut in seine Hände.
Die hätten, wie ich gelesen habe,
nicht schöner sein können: 3550
weich und zart, schmal, lang
und schneeweiß wie ein Hermelin.

mit den sô ruorte er unde sluoc
ursuoche und notelîne genuoc
seltsaene, süeze, guote.   3555
hie mite wart ime ze muote
umbe sîne leiche von Britûn.
sus nam er sînen plectrûn:
nagel unde seiten zôher,
dise niderer, jene hôher,   3560
rehte als er si wolte hân.
nu diz was schiere getân.
Tristan, der niuwe spilman,
sîn niuwez ambet huob er an
mit vlîzeclîchem ruoche.   3565
sîne noten und sîne ursuoche,
sîne seltsaene grüeze
die harpfete er sô süeze
und machete sî schoene
mit schoenem seitgedoene,   3570
daz iegelîcher dâ zuo lief,
dirre jenem dar nâher rief.
vil schiere kam diu hoveschar
almeistic loufende dar
und wânde niemer komen ze vruo.   3575
nu Marke der sach allez zuo
und saz allez trahtende,
sînen vriunt Tristanden ahtende
und wunderte in des sêre,
daz er sô höfsche lêre   3580
und alsô guote liste,
die er an im selben wiste,
alsô verhelen kunde.
Nu Tristan der begunde
einen leich dô lâzen clingen în   3585
von der vil stolzen vriundîn
Grâlandes des schoenen.
do begunde er suoze doenen

Mit denen rührte und schlug er
Vorspiel und zahlreiche Töne,
merkwürdige, liebliche, schöne.   3555
Dabei fielen ihm
seine bretonischen Lieder ein.
Er nahm seinen Schlüssel
und drehte an Wirbeln und Saiten,
stimmte diese tiefer, jene höher,   3560
wie er sie haben wollte.
Das war bald beendet.
Tristan, der neue Spielmann,
begann sein neues Amt
mit emsiger Sorgfalt.   3565
Seine Noten und Improvisationen,
seine fremdartigen Vorspiele
harfte er so lieblich
und ließ sie so herrlich ertönen
mit herrlichem Saitenklang,   3570
daß viele herbeieilten
und einander näherriefen.
Alsbald kam der ganze Hof
zum größten Teil rennend herbei,
und doch konnte keiner zu früh kommen.   3575
Marke schaute allem zu
und saß in Betrachtung,
er beobachtete seinen Freund Tristan
und wunderte sich sehr,
daß er ein so höfisches Talent   3580
und so glänzende Fertigkeit,
über die er wissentlich verfügte,
so verbergen konnte.
Jetzt begann Tristan,
ihnen eine Melodie vorzuspielen   3585
von der überaus stolzen Liebsten
des schönen Gralant.
Er spielte so schön

und harpfen sô ze prîse
in britûnischer wîse,   3590
daz maneger dâ stuont unde saz,
der sîn selbes namen vergaz.
dâ begunden herze und ôren
tumben unde tôren
und ûz ir rehte wanken.   3595
dâ wurden gedanken
in maneger wîse vür brâht.
dâ wart vil ofte gedâht:
»â saelic sî der koufman,
der ie sô höfschen sun gewan!«   3600
jâ sîne vinger wîze
die giengen wol ze vlîze
walgende in den seiten.
si begunden doene breiten,
daz der palas voller wart.   3605
dane wart ouch ougen niht gespart,
der kapfete vil manegez dar
und nâmen sîner hende war.

Nu dirre leich der was getân:
nu hiez der guote künec dar gân   3610
und sprach, daz man in baete,
daz er noch einen taete.
»mû voluntiers!« sprach Tristan.
rîlîche huob er aber an
einen senelîchen leich als ê   3615
de la cûrtoise Tispê
von der alten Bâbilône.
den harpfete er sô schône
und gie den noten sô rehte mite
nâch rehte meisterlîchem site,   3620
daz es den harpfaer wunder nam.
und alse ez ie ze staten kam,
sô lie der tugende rîche

und schlug die Harfe so vortrefflich
in bretonischer Weise,   3590
daß viele da standen und saßen,
die ihren eigenen Namen vergaßen.
Herzen und Ohren begannen da,
taub und benommen zu werden
und von der rechten Bahn zu geraten.   3595
Da wurden Gedanken
auf vielfältige Weise wach.
Immer wieder dachten sie:
»Begnadet ist der Kaufmann,
der einen so feinerzogenen Sohn hat!«   3600
Seine weißen Finger
griffen emsig
und kraftvoll in die Saiten.
Sie verbreiteten Laute,
daß der ganze Saal sich füllte.   3605
Da fehlte es nicht an Blicken.
Viele sahen angespannt hin
und beobachteten seine Hände.

Dann war die Melodie zu Ende.
Der edle König schickte zu ihm   3610
und ließ ihn bitten,
eine weitere zu spielen.
»Sehr gerne!« sagte Tristan.
Gewaltig begann er abermals
ein Liebeslied wie zuvor,   3615
von der vornehmen Thisbe
aus dem alten Babylon.
Das spielte er so schön
und gestaltete die Melodie
so meisterhaft,   3620
daß der Harfner sehr verwundert war.
Wo es paßte,
ließ der Hochbegabte

suoze unde wunneclîche
sîne schanzûne vliegen în.   3625
er sanc diu leichnotelîn
britûnsche und gâloise,
latînsche und franzoise
sô suoze mit dem munde,
daz nieman wizzen kunde,   3630
wederez süezer waere
oder baz lobebaere,
sîn harpfen oder sîn singen.
sich huop von sînen dingen
und von sîner vuoge   3635
rede unde zal genuoge.
si jâhen al gelîche,
sine vernaemen in dem rîche
an einem man die vuoge nie.
der sprach dort und dirre hie: 3640
»â waz ist diz von kinde?
waz hân wir zuo gesinde?
ez ist allez umbe den wint,
elliu diu kint, diu nu sint,
wider unserm Tristande!«   3645
Tristan dô der verande
sînen leich nâch sîner ger,
Marke sprach: »Tristan, gâ her.
der dich dâ hât gelêret,
der sî vor gote g'êret   3650
und dû mit ime! daz ist vil wol.
dîne leiche ich gerne hoeren sol
underwîlen wider naht,
sô dû doch niht geslâfen maht.
diz tuostu wol mir unde dir.«   3655
»jâ hêrre, wol.« »nu sage mir,
kanstû kein ander seitspil noch?«
»nein hêrre« sprach er. »nû iedoch?
rehte als lieb als ich dir sî,

lieblich und betörend
seine Weisen einfließen.   3625
Er sang die Melodien,
bretonische und walisische,
lateinische und französische,
so lieblich,
daß niemand zu sagen vermochte,   3630
was schöner wäre
oder rühmenswerter,
sein Harfenspiel oder sein Gesang.
Es entspannen sich darüber
und über seine Kunst   3635
viel Gespräche und Unterhaltungen.
Sie alle sagten,
sie hätten im ganzen Reiche noch nie gehört
solche Kunstfertigkeit von einem Manne.
Der eine sprach dort, der andere hier: 3640
»Ah, was für ein Junge ist das?
Wen haben wir in unserer Gesellschaft?
Es sind völlig unbedeutend
alle Knaben, die es nun gibt,
verglichen mit unserem Tristan!«   3645
Als Tristan beendet hatte
seine Melodie, wie er wollte,
sagte Marke: »Tristan, komm her.
Der dich unterrichtet hat,
verdient Ansehen vor Gott,   3650
und du mit ihm! So ist es recht.
Ich will deine Lieder gerne hören
bisweilen am Abend,
wenn du nicht schlafen kannst.
Das wird dir und mir guttun.«   3655
»Ja, Herr, gut.« »Sage mir nun,
beherrschst du noch ein anderes Saitenspiel?«
»Nein, Herr« sagte er. »Nicht doch?
Bei deiner Liebe zu mir,

Tristan, dâ vrâge ich dich es bî.«   3660
»hêrre« sprach Tristan al zehant
»irn dörftet mich niht hân gemant
sô verre, ich seite ez iu doch wol,
sît ich'z iu doch sagen sol
und ir ez wellet wizzen.   3665
hêrre, ich hân gevlizzen
an iegelîchem seitspil
und enkan doch keines alsô vil,
ine kunde es gerne mêre.
ouch hân ich dise lêre   3670
niht vil manegen tac getriben
und zwâre ich bin derbî beliben
under mâlen kûme siben jâr
oder lützel mêre, daz ist wâr.
mich lêrten Parmenîen   3675
videln und symphonîen.
harpfen unde rotten
daz lêrten mich Galotten,
zwêne meister Gâloise.
mich lêrten Britûnoise,   3680
die wâren ûz der stat von Lût,
rehte lîren und sambjût.«
»sambjût, waz ist daz, lieber man?«
»daz beste seitspil, daz ich kan.«
»seht« sprach daz gesinde   3685
»got der hât disem kinde
ûf rehte wunneclîchez leben
sîner genâden vil gegeben!«
Marke der vrâgte in aber dô mê:
»Tristan, ich hôrte dich doch ê   3690
britûnsch singen und gâlois,
guot latîne und franzois.
kanstû die sprâche?« »hêrre, jâ,
billîche wol.« nu kam iesâ
der hûfe dar gedrungen.   3695

Tristan, frage ich dich.«   3660
Tristan antwortete sogleich: »Herr,
Ihr brauchtet mich nicht zu ermahnen
so dringlich. Ich sage es Euch doch,
weil ich es Euch sagen soll
und Ihr es wissen wollt.   3665
Herr, ich habe mich bemüht
um alle Arten von Saitenspiel,
kann aber doch keine so gut,
daß ich sie nicht gerne besser könnte.
Zudem habe ich diese Kunst   3670
nicht lange ausgeübt.
Wahrhaftig, ich bin dabeigeblieben
mit Unterbrechungen nur sieben Jahre
oder ein wenig mehr, das ist wahr.
Parmenier unterrichteten mich   3675
im Fiedeln und Saitenschlagen.
Harfe und Rotte
lehrten mich Waliser,
zwei Meister aus Wales.
Zwei Bretonen   3680
aus der Stadt Lut
lehrten mich die Leier spielen und Sambjut.«
»Sambjut, was ist das, mein Lieber?«
»Das beste Saitenspiel, das ich kenne.«
»Seht«, sagte das Gefolge,   3685
»Gott hat dieses Kind
zu einem freudenreichen Leben
mit vielen Gaben gesegnet.«
Marke fragte ihn abermals:
»Tristan, ich hörte dich eben   3690
bretonisch und walisisch singen,
lateinisch und französisch.
Kannst du diese Sprachen?« »Ja, Herr,
ziemlich gut.« Nun drängte sich
die Menge heran.   3695

und swer iht vremeder zungen
von den bîlanden kunde,
der versuohte in sâ zestunde:
dirre sus und jener sô.
hier under antwurte er dô   3700
höfschlîche ir aller maeren:
Norwaegen, Îrlandaeren,
Almânjen, Schotten unde Tenen.
dâ begunde sich manc herze senen
nâch Tristandes vuoge.   3705
dâ wolten genuoge
vil gerne sîn gewesen als er.
im sprach vil maneges herzen ger
suoze und inneclîche zuo:
»â Tristan, waere ich alse duo!   3710
Tristan, dû maht gerne leben!
Tristan, dir ist der wunsch gegeben
aller der vuoge, die kein man
ze dirre werlde gehaben kan.«
ouch macheten sî hier under   3715
mit rede michel wunder:
»hôrâ!« sprach diser, »hôrâ!« sprach der
»elliu diu werlt diu hoere her!
ein vierzehenjaerec kint
kan al die liste, die nu sint!«   3720

Der künec sprach: »Tristan, hoere her:
an dir ist allez, des ich ger.
dû kanst allez, daz ich wil:
jagen, sprâche, seitspil.
nu suln ouch wir gesellen sîn,   3725
dû der mîn und ich der dîn.
tages sô sul wir rîten jagen,
des nahtes uns hie heime tragen
mit höfschlîchen dingen:
harpfen, videlen, singen,   3730

Und wer fremde Sprachen
aus den Nachbarländern kannte,
der prüfte ihn sogleich,
jeder auf seine Weise.
Da antwortete er freundlich   3700
ihnen alle auf ihre Worte:
Norwegern, Iren,
Deutschen, Schotten und Dänen.
So mancher sehnte sich da
nach Tristans Bildung.   3705
Sehr viele wollten da
liebend gerne so sein wie er.
So mancher wünschte sich im stillen
voller Inbrunst:
»Ah, Tristan, wäre ich wie du!   3710
Tristan, du kannst mit Freuden leben!
Tristan, du besitzt die Blüte
aller Bildung, die niemand
auf Erden haben kann.«
Auch machten sie dabei   3715
mit Worten viel Aufhebens:
»Hört!« sprach dieser. »Hört!« sprach jener.
»Alle Welt höre her!
Ein Vierzehnjähriger
kann alles, was es gibt!«   3720

Der König sagte: »Höre, Tristan!
Du hast alles, was ich möchte.
Du kannst alles, was ich gern könnte:
Jagd, Sprachen, Saitenspiel.
Laß uns nun Gefährten sein,   3725
du der meine und ich der deine.
Tagsüber wollen wir auf die Jagd reiten,
und abends wollen wir uns hier zuhause
mit höfischen Unterhaltungen beschäftigen,
mit Harfenspiel, Fiedeln und Singen.   3730

daz kanstu wol, daz tuo du mir.
sô kan ich spil, daz tuon ich dir,
des ouch dîn herze lîhte gert:
schoeniu cleider unde pfert,
der gibe ich dir swie vil du wilt.   3735
dâ mite hân ich dir wol gespilt.
sich, mîn swert und mîne sporn,
mîn armbrust und mîn guldîn horn,
geselle, daz bevilhe ich dir.
des underwint dich, des pflic mir   3740
und wistu höfsch unde vrô!«
sus was der ellende dô
da ze hove ein trût gesinde.
ezn gesach nie man von kinde
die saelde, die man an im sach.   3745
swaz er getete, swaz er gesprach,
daz dûhte und was ouch alse guot,
daz ime diu werlt holden muot
und inneclîchez herze truoc.
hie mite sî der rede genuoc.   3750
wir suln diz maere legen nider
und grîfen aber an jenez wider,
sîn vater, der marschalc dan Rûal
li foitenant et li lêal,
waz der nâch ime getaete,   3755
dô er'n verloren haete.

Das beherrschst du gut. Tu es für mich.
Dafür kenne ich Vergnügungen, die ich dir bereite
und die du gewiß gerne hast:
Prächtige Kleider und Pferde
gebe ich dir, soviel du willst.   3735
So gut unterhalte ich dich.
Sieh, mein Schwert und meine Sporen,
meine Armbrust und mein goldenes Horn
übergebe ich dir, mein Freund.
Kümmere dich um sie, achte auf sie für mich,   3740
sei zufrieden und glücklich bei Hofe!«
So wurde der Heimatlose
dort am Hofe ein beliebter Mann.
Noch nie hat man an einem Knaben
solchen Segen bemerkt wie an ihm.   3745
Was immer er tat oder sagte,
das wirkte und war so gut,
daß alle Welt ihn liebte
und hoch schätzte.
Damit genug.   3750
Wir lassen diese Geschichte ruhen
und wenden uns erneut jener zu
von seinem Vater, dem Marschall Rual
li Foitenant, dem Getreuen,
was der um seinetwillen unternahm,   3755
als er ihn verloren hatte.

Dan Rûal li foitenant
der schifte über mer zehant
mit michelem guote,
wan ime was wol ze muote,
ern wolte niemer wider komen,
ern haete eteswaz vernomen
endeclîcher maere,
wâ sîn junchêrre waere,
und stiez ze Norwaege zuo.
dâ vorschete er spâte unde vruo
in allem dem lande
nâch sînem vriunt Tristande.
waz half daz? ern was dâ niht.
al sîn suochen was ein wiht.
und alse er sîn dô niht envant,
dô kêrte er wider Îrlant.
seht, dâne kunde er ihte mê
von ime ervorschen danne als ê.
hie mite begunde er an der habe
sô swachen unde nemen abe,
daz er sich nider ze vuozen liez
und sîniu phert verkoufen hiez
und mit dem guote sande
sîne liute wider ze lande.
sich selben liez er in der nôt,
wan er gie beteln umbe brôt
und treip daz staeteclîche
von rîche ze rîche,
von lande ze lande,
vorschende nâch Tristande
wol driu jâr oder mêre,
biz daz er alsô sêre
von sînes lîbes schoene kam

3760

3765

3770

3775

3780

3785

VII. Wiedersehen

Herr Rual li Foitenant
fuhr sogleich zu Schiff über das Meer
mit großer Ausrüstung,
denn er war fest entschlossen,   3760
nicht wieder zurückzukommen,
bevor er
Sicherheit gewonnen hätte darüber,
wo sein junger Herr sei.
Er landete zunächst in Norwegen.   3765
Da suchte er von früh bis spät
überall
nach seinem Freunde Tristan.
Was half es? Er war nicht dort.
All sein Suchen war vergebens.   3770
Und als er ihn dort nicht fand,
fuhr er nach Irland.
Seht, auch dort konnte er nicht mehr
über ihn in Erfahrung bringen als zuvor.
Inzwischen waren seine Mittel   3775
so gering und knapp geworden,
daß er zu Fuß weiterging
und seine Pferde verkaufen ließ.
Und mit dem Gepäck schickte
er sein Gefolge wieder heim.   3780
Er selbst blieb in großer Not zurück,
denn er ging um Brot betteln
und tat das unbeirrt,
von Reich zu Reich,
von Land zu Land,   3785
auf der Suche nach Tristan,
drei Jahre und länger,
bis er so sehr
seine Schönheit verloren hatte

und an der varwe als abe genam: 3790
swer in dô haete gesehen,
dern haete niemer gejehen,
daz er ie hêrre würde.
die schamelîchen bürde
die truoc der werde dan Rûalt   3795
gelîche alsam ein art ribalt,
daz ime dekein sîn armuot,
als ez doch weizgot manegem tuot,
sînen guoten willen nie benam.

Nu ez in daz vierde jâr dô kam,   3800
dô was er ze Tenemarke
und vorschete ouch dâ starke
von stete ze stete, hin unde her:
von gotes genâden dô vant er
die zwêne wallende man,   3805
die sîn junchêrre Tristan
ûf der waltstrâze vant.
die selben vrâgete er zehant.
die seiten ime ouch maere,
wenne und wie lange es waere,   3810
daz s'einen knaben haeten gesehen,
rehte als si in dâ hôrten jehen
und wie s'in mit in liezen gân,
wie sîn dinc allez was getân
an antlütze unde an hâre,   3815
an rede und an gebâre,
an lîbe und an gewande,
und wie maneger hande
sprâche und vuoge er kunde.
zehant und an der stunde   3820
bekande er wol, im waere alsô.
die wallaere bat er dô,
daz si'z durch got taeten,

und seine Hautfarbe so grau geworden war,   3790
daß niemand, der ihn gesehen hätte,
hätte sagen können,
daß er ein vornehmer Herr war.
Diese demütigende Last
trug der würdige Herr Rual,   3795
als wäre er ein Landstreicher.
Keine Entbehrung konnte ihm,
wie es bei vielen doch wirklich geschieht,
seine Entschlossenheit rauben.

Als das vierte Jahr herankam,   3800
war er in Dänemark
und zog auch dort suchend
von Ort zu Ort, hin und her.
Die Güte Gottes ließ ihn dort
jene zwei Pilger finden,   3805
die sein junger Herr, Tristan,
auf dem Waldweg traf.
Er fragte sogleich auch sie.
Sie erzählten ihm,
wann es gewesen sei und vor wie langer Zeit,   3810
daß sie einen Knaben gesehen hatten,
ganz so wie er ihn beschrieb,
und wie sie ihn mitnahmen,
wie er ausgesehen habe,
sein Gesicht, seine Haare,   3815
wie er redete und sich benahm.
Sie beschrieben ihn und seine Kleidung,
und wie viele
Sprachen und Fertigkeiten er beherrschte.
Sofort   3820
wußte er, daß er es war.
Er bat die Pilger,
daß sie ihm um Gottes willen

swâ sî'n gelâzen haeten,
ob sî die stat erkanden,   3825
daz sî s'im rehte nanden.
sus seiten sî Rûâle,
ez waere in Curnewâle
ze Tintajêle in der stat.
die stat er ime dô nennen bat   3830
aber und aber und sprach dô z'in:
»nu wâ lît Curnewâle hin?«
»ez stôzet« sprâchen jene zehant
»jensît Britanje an daz lant.«
»â!« dâhte er »hêrre trehtîn,   3835
diz mac wol dîn genâde sîn.
ist Tristan, alse ich hân vernomen,
alsus ze Curnewâle komen,
sô ist er rehte komen hin heim;
wan Marke der ist sîn oeheim.   3840
dâ wîse mich hin, süezer got!
â hêrre got, durch dîn gebot
du lâ mir noch sô wol geschehen,
daz ich Tristanden müeze sehen!
diz maere, daz ich hân vernomen,   3845
daz müeze mir ze vröuden komen!
ez dunket mich und ist ouch guot.
ez hât mir mînen swaeren muot
erwecket unde gemachet vrô.
»saeligen liute« sprach er dô   3850
»der megede sun müeze iuch bewarn!
ich wil ûf mîne strâze varn
und sehen, ob ich in vinde.«
»nu gewîse iuch nâch dem kinde,
der al der werlde hât gewalt!«   3855
»genâde!« sprach aber dô Rûalt,
»gebietet mir, hiest bite nimê.«
»vriunt« sprâchen jene »a dê, a dê!«

den Ort, wo sie ihn verlassen hätten,
falls sie ihn noch wußten,   3825
genau beschreiben sollten.
Da sagten sie Rual,
es sei in Cornwall
in Tintajol gewesen.
Den Ort ließ er sich nennen   3830
immer wieder und sagte zu ihnen:
»Wo liegt Cornwall?«
Sie erwiderten: »Es grenzt
auf der anderen Seite an Britannien.«
»Ach, gütiger Herr!« dachte er.   3835
»Das ist gewiß deine Barmherzigkeit.
Wenn Tristan, wie ich gehört habe,
nach Cornwall gekommen ist,
dann ist er wahrlich heimgekehrt.
Marke ist nämlich sein Onkel.   3840
Dorthin führe mich, gnädiger Gott!
Ach Herr, durch deinen Willen
laß es mir noch so wohl ergehen,
daß ich Tristan noch einmal sehen möge.
Diese Nachricht, die ich eben gehört habe,   3845
möge mir zur Freude gereichen!
Sie scheint mir und ist gewiß gut.
Sie hat mein kummerschweres Herz
erquickt und glücklich gemacht.
Ihr heiligen Männer«, fuhr er fort,   3850
»der Sohn Mariens schütze Euch!
Ich will mich auf den Weg machen
und sehen, ob ich ihn finde.«
»Jener zeige Euch den Weg zu dem Kinde,
der die ganze Welt beherrscht!«   3855
»Danke«, sagte Rual wieder,
»entlaßt mich; ich darf nicht verweilen.«
»Mit Gott, Freund«, sagten jene, »geh mit Gott!«

Rûal dô sîne strâze gie,
sô daz er sîme lîbe nie   3860
ruowe einen halben tac genam,
unz daz er zuo dem mere kam.
dâ ruowete er, daz was im leit;
wan schif diu wâren umbereit.
und alse er dô schiffunge vant,   3865
er vuor ze Britanje in daz lant.
durch Britanje streich er dô
sô strîteclîchen unde alsô,
daz nie kein tac sô langer wart,
daz des iht würde gespart,   3870
ern striche in iemer in die naht.
dâ zuo gab ime muot unde maht
der gedinge, der im was geseit.
ez machete ime sîn arbeit
senfte und harte lîhtsam.   3875
nû er ze Curnewâle kam,
zehant dô vrâgete er maere,
wâ Tintajêle waere.
vil schiere er des bewîset wart.
sus kêrte er aber ûf sîne vart   3880
und kam ze Tintajêle zuo
eines sunnenâbendes vruo,
dô man ze messe solte gân.
sus gieng er vür daz münster stân.
dâ gie daz volc her unde dar   3885
und er nam allenthalben war
und spehete wâ unde wâ,
ob er ieman vünde dâ,
der ime reht unde gebaere
ze sîner vrâge waere.   3890
wan er dâhte allez wider sich:
»diz volc ist allez baz dan ich.
swen ich mit rede bevâhe,
ich vürhte, ez in versmâhe,

Rual ging seines Wegs.
Niemals gönnte er sich   3860
einen halben Tag Rast,
bis er zum Meere kam.
Da mußte er wider Willen ruhen,
denn die Schiffe waren nicht bereit.
Und als er dann ein Schiff fand,   3865
fuhr er nach Britannien.
Durch Britannien ging er dann
so eilig,
daß kein Tag, so lang er auch war,
etwa ausgespart blieb   3870
und nicht bis in die Nacht ausgedehnt wurde.
Die Entschlossenheit und Kraft dazu
gab ihm die Nachricht, die er gehört hatte.
Sie machte ihm seine Mühen
angenehm und ganz leicht.   3875
Als er nach Cornwall kam,
fragte er sofort,
wo Tintajol sei.
Das erfuhr er schnell.
Er machte sich wieder auf   3880
und kam nach Tintajol
an einem Samstagmorgen,
als man zur Messe ging.
Da stellte er sich vor das Münster.
Menschen gingen aus und ein.   3885
Er beobachtete alles
und blickte sich suchend um,
ob er dort nicht jemanden fände,
der ihm angemessen und richtig
für seine Frage schien.   3890
Denn er dachte bei sich:
»Diese Leute sehen alle besser aus als ich.
Wenn ich jemanden anspreche,
fürchte ich, daß es ihm mißfällt,

daz er mir gebe antwürte umbe in,   3895
sît ich als armer vuore bin.
rât, hêrre got, waz ich getuo!«
Nu gie der künic Marke zuo
mit einer wunneclîchen schar.
der getriuwe der nam aber war   3900
und ersach niht, des er wolte.
und alse der künec dô solte
von messe wider ze hove gân,
Rûal gie von dem wege stân
und nam sunder dort hin dan   3905
einen getageten hoveman:
»â hêrre« sprach er »saget mir
durch iuwer güete, wizzet ir,
ob ein kint hie ze hove sî.
man seit, ez wone dem künege bî   3910
und ist daz Tristan genant«.
»ein kint?« sprach jener al zehant
»ine sage iu niht von kinde.
ein knappe ist hie gesinde,
der sol schiere nemen swert   3915
und ist dem künege harte wert,
wan er kan kunst genuoge
und erkennet manege vuoge
und manege höfschlîchiu dinc.
der ist ein starker jungelinc   3920
mit brûnreidem hâre,
mit schoenem gebâre
und ist ein ellender man:
den heize wir hie Tristan.«

»Nu hêrre« sprach Rûal iesâ   3925
»sît ir hie hovegesinde?« »jâ«.
»hêrre, durch iuwer êre
sô tuot ein lützel mêre,
wan ir tuot harte wol dar an:

mir Auskunft über ihn zu geben,   3895
weil ich so abgerissen wirke.
Hilf mir, Herr! Was soll ich tun?«
Nun kam König Marke herbei
mit einem prächtigen Gefolge.
Der Getreue gab wieder acht,   3900
sah aber nicht, was er suchte.
Und als der König
von der Messe wieder zum Hofe zurückkehren wollte,
ging Rual vom Wege weg
und nahm mit sich   3905
einen älteren Höfling.
»Ach, Herr«, sagte er, »sagt mir
um Eurer Barmherzigkeit willen, wißt Ihr,
ob es hier bei Hofe ein Kind gibt?
Man sagt, es wohne beim König   3910
und heiße Tristan.«
»Ein Kind?« fragte jener gleich.
»Von einem Kinde weiß ich nichts.
Jedoch gehört ein Knabe hier zum Gefolge,
der soll bald Ritter werden,   3915
und der König schätzt ihn sehr,
denn er ist überaus geschickt,
verfügt über viele Fertigkeiten
und große höfische Bildung.
Er ist ein kräftiger Junge   3920
mit braunen Locken
und feinem Benehmen.
Er ist heimatlos,
und wir nennen ihn hier Tristan.«

»Nun, Herr«, sagte Rual,   3925
»gehört Ihr zum Hofe?« »Ja.«
»Bei Eurer Ehre, Herr,
tut noch ein übriges,
denn daran tut Ihr sehr wohl:

saget ime, hie sî ein armer man,   3930
der welle in sprechen unde sehen.
ouch muget ir ime des wol verjehen,
ich sî von sînem lande.«
sus seite jener Tristande,
ein sîn lantman waere dâ.   3935
Tristan der kêrte dar iesâ,
und al dâ mite daz er'n gesach,
mit herzen und mit munde er sprach:
»Nu müeze unser trehtîn
iemer gebenedîet sîn,   3940
vater, daz ich dich sehen muoz!«
diz was sîn alrêrster gruoz.
dâ nâch lief er in lachende an
und kuste den getriuwen man,
als ein kint sînen vater sol.   3945
daz was vil billîch unde wol.
er was sîn vater und er sîn kint.
alle die vetere, die nu sint
oder die vor uns wurden ie,
dien getâten alle ir kinde nie   3950
vaterlîcher danne ouch er im tete.
jâ Tristan der haete an der stete
vater, muoter, mâge, man,
alle die vriunt, die er ie gewan,
zwischen sînen handen dâ.   3955
vil innieclîche sprach er: »â,
getriuwer vater guoter,
sag an, mîn süeziu muoter
und mîne bruoder lebent die noch?«
»ine weiz« sprach er »trût sun, iedoch   3960
lebeten si, dô ich si nâhest sach,
wan daz si michel ungemach
von dînen schulden haeten.
wie s'aber sît her getaeten,
desn kan ich dir niht gesagen,   3965

Sagt ihm, hier sei ein armer Mann,   3930
der ihn sprechen und sehen wolle.
Dazu mögt Ihr ihm mitteilen,
ich käme aus seiner Heimat.«
Also erklärte jener Tristan,
einer seiner Landsleute sei da.   3935
Tristan ging gleich hin,
und als er ihn sah,
sprach er aus vollem Herzen:
»Gott, unser Herr, sei
auf ewig geheiligt!   3940
Vater, daß ich dich sehen darf!«
Das war seine erste Begrüßung.
Danach lief er lachend auf ihn zu
und küßte den Getreuen,   3944
wie es sich für ein Kind seinem Vater gegenüber schickt.
Das war richtig und gut,
denn sie waren Vater und Kind.
Alle Väter, die es gibt
oder vor uns jemals gab,
handelten an ihrem Kinde niemals   3950
väterlicher als er an ihm.
Ja, Tristan hatte mit ihm
Vater, Mutter, Verwandte, Gefolge,
alle Freunde, die er je erwarb,
in den Armen.   3955
Er sprach bewegt: »Ach,
lieber, treuer Vater,
sag, leben meine liebe Mutter
und meine Brüder noch?«
Er antwortete: »Ich weiß nicht, lieber Sohn.   3960
Aber sie lebten noch, als ich sie zuletzt sah.
Jedoch hatten sie großen Kummer
um deinetwegen.
Wie es ihnen seither ergangen ist,
kann ich nicht sagen,   3965

wan ine gesach in manegen tagen
nieman, den ich erkande.
sone kam ich ouch ze lande
sît der veigen stunde nie,
daz mir an dir sô missegie.«   3970
»Â« sprach er »trût vater mîn,
waz sol dirre maere sîn?
dîn schoener lîp war ist der komen?«
»sun, dâ hâstu mir'n genomen.«
»sô wil ich dir'n wider geben.«   3975
»sun, daz müge wir ouch geleben!«
»nu vater, gâ dan ze hove mit mir!«
»nein sun, dar engân ich niht mit dir.
du sihest doch wol, ich waere
alsus niht hovebaere.«   3980
»nein vater« sprach er »diz muoz geschehen.
der künec, mîn hêrre, sol dich sehen.«
Rûal der höfsche guote
der gedâhte in sînem muote:
»mîn nacketage enwirret niht,   3985
swie mich der künec nu varnde siht,
er wirt mich gerne sehende
und wirde ich ime verjehende
umbe sînen neven, der hie stât.
swenne ich im alle mîne tât   3990
von anegenge her gesage,
ez wirt vil schoene, daz ich trage.«

Tristan der nam in an die hant.
sîn bereitschaft unde sîn gewant
daz was, als ez dô mohte sîn: 3995
ein vil armez rockelîn
beschaben und verslizzen,
wâ unde wâ zerizzen,
daz truog er âne mantel an.
diu cleider, diu der guote man   4000

weil ich seit langer Zeit niemanden
gesehen habe, den ich kannte.
Auch war ich nicht mehr zu Hause
seit der unseligen Stunde,
da ich um dich solches Leid erfuhr.«   3970
»Ach, liebster Vater«, sagte er,
»was sagst du!
Was ist aus deinem guten Aussehen geworden?«
»Sohn, das hast du mir geraubt.«
»Dann will ich es dir wiedergeben.«   3975
»Sohn, wenn wir das erleben könnten!«
»Nun, Vater, komm mit mir zum Hofe.«
»Nein, Sohn. Dorthin gehe ich nicht mit dir.
Du siehst doch genau, ich wäre
so nicht hoffähig.«   3980
Er sagte: »Nein, Vater. Es muß sein!
Der König, mein Herr, soll dich sehen!«
Der vortreffliche, höfische Rual
dachte bei sich:
»Meine Nacktheit schadet nichts.   3985
In welchem Zustand der König mich auch sieht:
Er wird mich mit Freuden sehen,
wenn ich ihm von seinem Neffen berichten werde,
der hier steht.
Wenn ich ihm alles, was ich getan habe,   3990
von Anfang an erzähle,
dann wird prächtig erscheinen, was ich jetzt trage.«

Tristan nahm ihn bei der Hand.
Seine Ausrüstung und Kleidung
waren, wie sie notgedrungen sein mußten: 3995
ein ärmlicher Rock,
schäbig und zerschlissen,
an mehreren Stellen zerrissen;
den trug er ohne Mantel.
Die Kleider, die der Gute   4000

under sînem rocke truoc,
diu wâren armeclîch genuoc,
vernozzen und verselwet gâr.
von unruoche was sîn hâr
an houbete unde an barte   4005
verwalken alsô harte,
als ob er wilde waere.
ouch gie der sagebaere
an vüezen unde an beinen bar.
dar zuo was er sô wetervar,   4010
als alle die von rehte sint,
den hunger, vrost, sunne unde wint
ir varwe und ir lîch hât benomen.
alsus was er vür Marken komen,
daz er im under ougen sach.   4015
Marke ze Tristande sprach:
»sag an, Tristan, wer ist der man?«
»mîn vater, hêrre« sprach Tristan.
»hâstu wâr?« »jâ hêrre mîn.«
»der sol uns willekomen sîn!«   4020
sprach aber der tugende rîche.
Rûal neig im hovelîche.
hie mite sô kam diu ritterschaft
zuo geloufen herhaft
und dâ mit al diu hoveschar,   4025
und riefen alle sunder dar:
»sire, sire, dêu sal!«
nu wizzet doch daz, daz Rûal,
swie unhovebaere
gewandeshalp er waere,   4030
er was iedoch zewâre
an lîbe und an gebâre
vollekomen unde rîch.
er was des lîbes edelîch,
an geliden und an geliune   4035
gewahsen alse ein hiune.

unter seinem Rocke trug,
waren sehr armselig,
abgenutzt und schmutzig.
Aus Vernachlässigung war sein
Haupt- und Barthaar   4005
so verfilzt,
als ob er ein Wilder wäre.
Der Rühmenswerte ging
mit bloßen Füßen und Beinen.
Außerdem war er vom Wetter gezeichnet   4010
wie mit Recht alle,
denen Hunger, Frost, Sonne und Wind
die gesunde Farbe geraubt haben.
So trat er vor Marke,
der ihn ansah.   4015
Marke sprach zu Tristan:
»Sag, Tristan, wer ist das?«
»Mein Vater, Herr«, erwiderte der.
»Ist das wahr?« »Ja, Herr.«
»Dann soll er uns willkommen sein!«   4020
sagte der Edelmütige.
Rual verneigte sich höflich vor ihm.
Darauf kamen alle Ritter
in Scharen angelaufen
und mit ihnen der ganze Hof,   4025
und alle riefen:
»Herr, Gott schütze Euch!«
Ihr sollt aber wissen, daß Rual,
wenn er auch nicht hoffähig
in seiner Kleidung war,   4030
doch wahrhaftig
an Aussehen und Benehmen
makellos und prächtig war.
Er war von vornehmer Gestalt.
Körper und Glieder   4035
waren hünenhaft gewachsen.

sîn arme und sîniu bein wol lanc,
schoene unde hêrlîch was sîn ganc,
sîn lîp was aller wol gestalt.
ern was weder ze junc noch z'alt,   4040
wan in der aller besten tugent,
dâ daz alter und diu jugent
dem lebene gebent die besten craft.
er was an rehter hêrschaft
aller keiser genôz.   4045
sîn stimme alsam ein horn dôz,
sîn rede diu was vil wol besniten.
man sach in mit hêrlîchen siten
vor aller der hêrschefte stân.
er haete ouch ê alsam getân.   4050

Hie huop sich michel rûnen
von rittern und barûnen.
si redeten hin, si redeten her:
»jâ« sprâchen s'alle »und ist daz der?
ist daz der höfsche koufman,   4055
von dem uns sîn sun Tristan
sô manege tugende hât geseit?
wir haben von sîner vrümekeit
maere unde maere vil vernomen.
wie ist er alsus ze hove komen?«   4060
und spelleten sus unde sô.
der rîche künec der hiez in dô
vüeren ze kemenâten
und hiez in dâ berâten
mit rîlîcher waete.   4065
Tristan in schiere haete
schône gebadet unde gecleit.
ein hüetelîn was dâ bereit.
ûf sîn houbet sazte er daz
und gestuont ouch daz nie manne baz,   4070
wan er was under ougen rîch.

Er hatte schöne lange Arme und Beine.
Sein Gang war herrlich und vornehm.
Er war gut gebaut.
Er war weder zu jung noch zu alt.   4040
Er war in den besten Jahren,
in denen das Alter und die Jugend
dem Leben die meiste Kraft verleihen.
An vornehmem Wesen
war er jedem Kaiser ebenbürtig.   4045
Seine Stimme tönte wie ein Horn,
seine Ausdrucksweise war gepflegt.
Mit feinem Anstand sah man ihn
mit all den Herren vom Hofe umgehen.
Er hatte es ja auch schon vorher getan.   4050

Da erhob sich ein großes Geraune
unter den Rittern und Baronen.
Sie redeten hin und her.
»Ist er das?« fragten alle.
»Ist das der höfische Kaufmann,   4055
von dem uns sein Sohn Tristan
so viele Vorzüge berichtet hat?
Von seiner Tüchtigkeit
haben wir sehr viel gehört.   4059
Warum ist er in diesem Aufzug an den Hof gekommen?«
Sie rieten hin und her.
Der mächtige König ließ ihn dann
zu den Kammern bringen
und ließ ihn dort ausrüsten
mit prächtigen Kleidern.   4065
Tristan hatte ihn schnell
gebadet und angezogen.
Da lag auch ein Hut für ihn.
Den setzte er auf.
Keinen anderen Mann kleidete er besser,   4070
denn sein Gesicht war schön.

sîn geschepfede was hêrlîch.
Tristan der nam in an die hant
lieplîche, als ez im was gewant,
und vuorte in wider ze Marke.   4075
nu begunde er in dô starke
und sêre wol gevallen.
si sprâchen under in allen:
»nu kieset, wie schiere edeliu wât
den man ze lobe gestellet hât!   4080
diu cleider stânt dem koufman
wol unde lobelîchen an.
ouch ist er selbe hêrlîch.
wer weiz, ern sî vil tugende rîch.
er gebâret diu gelîche wol,   4085
ob man der wârheit jehen sol.
nu seht, wie hêrlîche er gât,
wie schoene gebaerde er hât
in edelem gewande,
und niuwan an Tristande   4090
dâ kieset sîne tugende an.
wie kunde ein werbender man
sîn kint sô schône erzogen hân,
ezn müeze ûz edelem herzen gân?«
Nu haete man wazzer genomen   4095
und was der künec ze tische komen.
sînen gast Rûâlen sazte er sâ
ze sînem tische und hiez im dâ
höfschlîche dienen unde wol,
als man dem höfschen dienen sol.   4100
»Tristan« sprach er »gâ balde dar,
nim selbe dînes vater war!«
deiswâr ich weiz wol, daz geschach.
elliu diu êre und daz gemach,
daz er'm erbieten kunde,   4105
daz tete er, als er im gunde.
ouch az Rûal der guote

Seine Erscheinung war vornehm.
Tristan nahm ihn bei der Hand,
sanft, wie es ihm zustand,
und brachte ihn zu Marke zurück.   4075
Er gefiel ihnen sehr
und ausnehmend gut.
Sie sagten zueinander:
»Seht nur, wie schnell die feinen Kleider
den Mann lobenswert verändert haben!   4080
Die Kleider stehen dem Kaufmann
gut und rühmenswert.
Aber auch er selbst ist vornehm.
Wer weiß, er ist vielleicht ein feiner Mann.
Zumindest benimmt er sich so,   4085
ehrlich gesagt.
Seht, wie stattlich er geht,
wie herrlich er sich bewegt
in dem feinen Gewand,
und vor allem an Tristan   4090
erkennt man seine Vorzüge.
Wie hätte ein Handelsmann
sein Kind so vorzüglich erziehen können,   ⌐hätte?«
wenn ihm das nicht seine vornehme Gesinnung eingegeben
Nun hatte man sich die Hände gewaschen,   4095
und der König war zu Tische gekommen.
Seinen Gast Rual setzte er
an seinen Tisch und befahl, daß man ihn
höflich und gut bedienen solle,
so wie man es mit einem Herrn vom Hofe tut.   4100
»Tristan«, sagte er, »komm gleich her
und bediene deinen Vater selbst.«
Und wahrlich, das geschah.
Alle Ehrerbietung und Bequemlichkeit,
die er zu geben hatte,   4105
gab er ihm gern.
Der edle Rual aß

mit willeclîchem muote,
wan Tristan tete in vröudehaft.
Tristan der was sîn wirtschaft.   4110
daz er Tristanden an sach,
daz was sîn meiste gemach.
und als man dô von tische gie,
der künec den gast mit rede bevie
und vrâgete in aller hande   4115
beidiu von sînem lande
unde ouch umbe sîne vart.
und alse er in vrâgende wart,
diu ritterschaft losete elliu dar
und nam Rûâles maere war.   4120

»Hêrre« sprach er »es ist vür wâr
vil nâch wol vierdehalp jâr
sît des, daz ich von lande schiet.
und swar ich sider hin geriet,
dane gevrâgte ich keines maeres nie   4125
wan des, dâ mite ich umbe gie
und daz mich her geleitet hât.«
»waz was daz?« »Tristan, der hie stât.
und zwâre, hêrre, ich hân noch kint,
diu mîn von gotes halben sint,   4130
und gan den guotes alse wol,
als kein man sînen kinden sol.
drî süne, waere ich gewesen bî in,
daz eteslîcher under in drin
iezuo wol ritter waere.   4135
haete ich die halben swaere
erliten durch si alle drî,
swie vremede sô mir Tristan sî,
die ich durch in erliten hân,
es waere vil und vil getân.«   4140
»vremede?« sprach der künic dô
»saget an, wie ist dem maere sô?

mit großem Vergnügen,
denn Tristan erfreute ihn.
Tristan war sein größtes Glück.   4110
Tristan anzusehen
ergötzte ihn am meisten.
Als man sich vom Tische erhob,
sprach der König den Gast an
und fragte ihn allerlei   4115
über seine Heimat
und auch seine Reise.
Und während er ihn fragte,
hörten die Ritter alle zu
und vernahmen Ruals Geschichte.   4120

Er sprach: »Herr, es sind nun wahrlich
fast dreieinhalb Jahre,
seit ich die Heimat verließ.
Und wo immer ich hinkam,
stellte ich keine andere Frage   4125
als die, die mich bewegte
und hierher gebracht hat.«
»Welche war das?« »Tristan, der hier steht.
Wahrhaftig, Herr, ich habe weitere Kinder,
die Gott mir gegönnt hat,   4130
und ich wünsche ihnen Gutes,
wie es sich für einen Vater gehört.
Wäre ich bei meinen drei Söhnen geblieben,
wäre einer von ihnen
jetzt wohl schon Ritter.   4135
Hätte ich nur halb soviel Kummer
durch alle drei erlitten, wie ich,
so fremd er mir auch sei,
durch Tristan erlitten habe,
dann wäre das viel und genug gewesen.«   4140
»Fremd?« sagte da der König.
»Sagt, wie kommt das?

er ist iuwer sun doch, alse er giht?«
»nein hêrre, ern bestât mich niht,
wan alse vil: ich bin sîn man.«   4145
Tristan erschrac und sach in an.
Aber sprach der künec: »nu saget uns daz,
durch welhe schulde und umbe waz
habet ir die nôt durch in erliten,
iuwer wîp und iuwer kint vermiten,   4150
als ir dâ jehet, sô lange vrist,
sît daz er iuwer sun niht ist?«
»hêrre, daz weiz got und ich.«
»nû vriunt, bewîset ouch mich!«
sprach aber der guote Marke   4155
»es wundert mich starke.«
»wist ich«, sprach der getriuwe
»ob ez mich niht geriuwe
und ob ez mir hie waere
ze sagene gebaere,   4160
hêrre, ich möhte iu wunder sagen,
wie sich diz dinc hât her getragen
und wie ez sich gevüeget hât
umbe Tristanden, der hie stât.«
und al diu massenîe,   4165
Marke und sîn barûnîe
die bâten an der stunde
alle alse ûz einem munde:
»saget an, saeliger man,
getriuwer man, wer ist Tristan?«   4170

Der guote Rûal der sprach dô:
»hêrre, ez kam hie vor alsô,
als ir wol wizzet unde die,
die bî den zîten wâren hie,
daz mîn hêrre Riwalîn,   4175
des man ich was und solte sîn,
ob ez got alsô wolte,

Er ist doch Euer Sohn, wie er sagt?«
»Nein, Herr, er ist nicht verwandt mit mir –
nur so viel: ich bin sein Gefolgsmann.«   4145
Tristan erschrak und blickte ihn an.
Abermals sagte der König: »Nun sagt uns,
für wen und warum
habt Ihr seinetwegen solche Mühsal auf Euch genommen,
Eure Frau und Kinder verlassen   4150
für so lange Zeit, wie Ihr sagt,
wenn das doch Euer Sohn nicht ist?«
»Herr, das wissen nur Gott und ich.«
»Nun, Freund, sagt es auch mir!«
erwiderte der edle Marke.   4155
»Das verwundert mich sehr.«
Der Getreue sagte: »Wenn ich wüßte,
daß ich es nicht zu bereuen hätte
und ich es hier
sagen dürfte,   4160
dann könnte ich Euch Erstaunliches berichten, Herr,
wie sich alles zugetragen hat
und was geschah
mit Tristan, der hier steht.«
Das ganze Gefolge,   4165
Marke und seine Barone,
baten sofort
alle wie aus einem Munde:
»Sag uns, vortrefflicher
und getreuer Mann, wer ist Tristan?«   4170

Da sagte der edle Rual:
»Vor einiger Zeit geschah es,
wie Ihr wohl wißt und jene,
die damals hier waren,
daß meinem Herrn Riwalin,   4175
dessen Gefolgsmann ich bin und auf ewig wäre,
wenn Gott es zugelassen hätte,

daz er noch leben solte,
dem wart von iuwer vrümekeit
sô vil und alsô vil geseit,   4180
daz er mir sîn liut und sîn lant
allez bevalch in mîne hant.
sus kam er her ze lande,
wan er iuch gerne erkande,
und wart ingesinde hie.   4185
sô wizzet ir wol, wie ez ergie
umbe die âventiure
der schoenen Blanschefliure,
wie er die ze vriunt gewan
und sî mit ime von hinne entran.   4190
nu sî dô heim kâmen,
ein ander ze ê genâmen,
(in mînem hûse daz geschach,
daz ichz und manic man sach)
dô bevalch er mir s'in mîne pflege.   4195
sît her pflag ich ir alle wege,
sô ich iemer beste kunde.
zehant und an der stunde
warb er unde besande
eine reise in sînem lande   4200
mit mâgen und mit mannen
und vuor ouch iesâ dannen
und wart in eime strîte erslagen,
als ir wol habet gehoeret sagen.
und als daz maere vür kam   4205
und diu vil schoene vernam
wie ez gevaren waere,
diu tôtlîche swaere
sô sêre ir in ir herze sluoc,
Tristan hie stât, den sî dô truoc,   4210
daz sî den von der nôt gewan
und lac sî selbe tôt dervan.«
Hie mite gie den getriuwen man

daß er noch lebte,
daß dem von Euren Vorzügen
so viel und so lange berichtet wurde, 4180
daß er mir sein Reich und sein Volk
ganz anvertraute.
Er kam in dieses Land,
weil er Euch kennenlernen wollte,
und schloß sich Eurem Gefolge an. 4185
Ihr wißt gewiß, wie sich entwickelte
seine Begegnung
mit der schönen Blanscheflur,
wie er sie zu seiner Liebsten machte
und sie heimlich mit ihm fortging. 4190
Als sie heimgekommen waren
und geheiratet hatten
(das geschah in meinem Hause,
wo ich und viele Leute es sahen),
übergab er sie meiner Obhut. 4195
Seitdem kümmerte ich mich immer um sie,
so gut ich nur konnte.
Sofort danach
unternahm er
eine Fahrt durch sein Reich 4200
mit Angehörigen und Gefolgsleuten
und brach gleich mit ihnen auf.
In einem Kampfe wurde er erschlagen,
wie Ihr gewiß gehört habt.
Als die Nachricht eintraf 4205
und die Schöne hörte,
was geschehen war,
da ergriff tödlicher Schmerz
so mächtig ihr Herz,
daß sie Tristan, der jetzt hier steht und den sie damals trug,
durch diesen Schock gebar 4211
und selbst dabei verstarb.«
Dabei befiel den Getreuen

als inneclîcher jâmer an,
als er ez wol bescheinete,   4215
wan er saz unde weinete,
als er ein kint waere.
ouch begunde von dem maere
den anderen allen
ir ougen über wallen.   4220
der guote künic Marke
dem gieng ez alsô starke
mit jâmer in sîn herze,
daz ime der herzesmerze
mit trehenen ûz den ougen vlôz   4225
und ime wange unde wât begôz.
Tristande was daz maere
vil inneclîche swaere
von anders nihte wan von dan,
daz er an dem getriuwen man   4230
vater unde vaterwân
alsô verlorn solte hân.

Sus saz Rûal der guote
mit trûreclîchem muote
und seite dem gesinde   4235
von dem vil armen kinde,
wie starke er des hiez nemen war,
dô ez diu muoter gebar;
wie er'z an tougenlîcher stat
verbergen und verheln bat;   4240
wie er ze maere werden liez,
den lantliuten sagen hiez,
ez waere in sîner muoter tôt;
wie er sînem wîbe gebôt,
als ich iu ê seite,   4245
daz sî sich în leite,
als ein wîp kindes inne lît,

tiefer Schmerz,
den er durchaus zeigte,   4215
denn er setzte sich nieder und weinte
wie ein Kind.
Aber die Geschichte ließ auch
bei allen anderen
die Augen überfließen.   4220
Dem edlen König Marke
griff so mächtig
die Trauer ans Herz,
daß das Herzweh ihm
unter Tränen aus den Augen floß   4225
und ihm über Wangen und Gewand lief.
Tristan bereitete diese Nachricht
großen Schmerz
nur deshalb,
weil er in dem Getreuen   4230
den Vater und den Glauben an einen Vater
auf diese Weise verloren hatte.

So saß der edle Rual
traurig da
und erzählte dem Hofe   4235
von dem bedauernswerten Kind:
wie er befahl, es zu umsorgen,
als die Mutter es geboren hatte;
wie er es heimlich
verstecken ließ;   4240
wie er verbreiten
und dem Volk sagen ließ,
es sei in der Mutter gestorben;
wie er seiner Frau befahl
(wie ich schon sagte),   4245
daß sie sich ins Bett legen solle,
so wie eine Frau im Wochenbett liegt,

und daz sî nâch der selben zît
der werlde jehende waere,
daz sî daz kint gebaere;   4250
wie sî mit ime ze kirchen gie,
und wie er dâ die toufe enpfie;
war umbe er Tristan wart genant;
wie er in sante in vremediu lant,
und swaz er vuoge kunde   4255
mit handen und mit munde,
wie er in daz lêren hiez;
wie er in in dem schiffe liez
und wie er ime dâ wart genomen,
wie er nâch ime dar was komen   4260
mit maneger arbeite.
Sus saz er unde seite
diz maere gar von ende her.
daz weinde Marke, daz weinde er,
daz weinden s'al gemeine.   4265
niwan Tristan al eine,
der enmohte es niht beclagen,
swes er dâ gehôrte sagen.
in kam diu rede ze gâhes an.
swaz aber Rûal der guote man   4270
dem gesinde erbermekeite
von den gelieben seite,
Canêle und Blanschefliure:
elliu diu âventiure
diu was hie wider cleine   4275
niwan diu triuwe al eine,
die er nâch tôde an ime begie,
als ir wol habet gehoeret wie,
an ir beider kinde.
daz was dem ingesinde   4280
diu meiste triuwe, die kein man
ze sîner hêrschefte ie gewan.

und daß sie nach angemessener Zeit
aller Welt sagen solle,
sie habe das Kind zur Welt gebracht;   4250
wie sie mit ihm zur Kirche ging
und es dort getauft wurde;
warum sie den Knaben Tristan nannten;
wie er ihn ins Ausland schickte
und wie er ihm all seine   4255
sprachlichen und handwerklichen Fertigkeiten
beibringen ließ;
wie er ihm gestattete, auf das Schiff zu gehen,
und wie er ihm dann entführt wurde;
wie er nach ihm gesucht habe   4260
unter vielen Mühen.
So saß er und erzählte
alles von Anfang an.
Darüber weinten Marke und er,
alle weinten darüber.   4265
Nur Tristan
konnte nicht klagen über das,
was er hörte.
Ihm kam alles zu plötzlich.
Was aber der edle Rual   4270
dem Hof an Traurigem
über die Liebenden erzählte,
über Kanelengres und Blancheflur,
all das
zählte gering   4275
verglichen mit der Loyalität,
die er nach dem Tode bewies,
wie ihr schon gehört habt,
an ihrer beider Kind.
Das hielt das Gefolge   4280
für die allertreueste Gesinnung, die je ein Vasall
seiner Dienstherrschaft gegenüber bewies.

Nu disiu rede alsus geschach,
Marke zuo dem gaste sprach:
»nu hêrre, ist diser rede alsô?«   4285
Rûal der guote bôt im dô
ein vingerlîn an sîne hant:
»nu hêrre« sprach er »sît gemant
mîner rede und mîner maere.«
der guote und der gewaere   4290
Marke der nam ez und sach ez an.
der jâmer, den er dô gewan,
der wart aber dô vester.
»â« sprach er »süeziu swester,
diz vingerlîn daz gab ich dir,   4295
und mîn vater der gab ez mir,
dô er an sînem tôde lac,
disem maere ich wol gelouben mac.
Tristan, gâ her und küsse mich!
und zwâre, soltu leben und ich,   4300
ich wil dîn erbevater sîn.
Blanschefliure, der muoter dîn,
und dînem vater Canêle,
den genâde got zer sêle
und geruoche in beiden samet geben   4305
daz êweclîche lebende leben!
sît ez alsus gevaren ist,
daz doch dû mir worden bist
von der vil lieben swester mîn,
geruochet es mîn trehtîn,   4310
sô wil ich iemer wesen vrô.«
Zem gaste sprach er aber dô:
»nû lieber vriunt, nû saget mir,
wer sît ir und wie heizet ir?«
»Rûal, hêrre.« »Rûal?« »jâ.«   4315
hie mite versan sich Marke sâ,
wan er ouch ê in sînen tagen
von ime vil haete gehoeret sagen,

Als diese Geschichte zu Ende war,
sagte Marke zu dem Gast:
»Nun, Herr, ist das auch wahr?«   4285
Der edle Rual gab ihm darauf
einen Ring in die Hand
und sagte: »Erinnert Euch, Herr,
an meine Erzählung.«
Der edle und wahrhaftige   4290
Marke nahm den Ring und sah ihn an.
Der Kummer, der ihn da befiel,
war da erneut heftig.
Er sagte: »Ach, liebe Schwester,
diesen Ring gab ich dir,   4295
und mein Vater gab ihn mir
auf dem Sterbebett.
Ich kann die Geschichte ruhig glauben.
Komm her, Tristan, und küsse mich!
Und wahrlich, solange du lebst und ich,   4300
will ich dir wie ein Vater sein.
Blanscheflur, deiner Mutter,
und deinem Vater Kanelengres
möge Gott gnädig sein
und ihnen beiden zu geben geruhen   4305
die ewige Glückseligkeit.
Da es so geschehen ist,
daß du mir geschenkt wurdest
von meiner lieben Schwester,
will ich, wenn der Herr es zuläßt,   4310
von nun an glücklich sein.«
Zu dem Gast sagte er:
»Lieber Freund, nun sagt mir,
wer Ihr seid und wie Ihr heißt?«
»Rual, Herr.« »Rual?« »Ja.«   4315
Da entsann sich Marke,
daß er schon früher
von ihm gehört hatte,

wie wîse und wie êrbaere
und wie getriuwe er waere,   4320
und sprach: »Rûal li foitenant?«
»jâ hêrre, alsô bin ich genant.«
unde der guote Marke hin
und kuste in unde enpfieng in
hêrlîche und alse im wol gezam.   4325
diu hêrschaft al zehant dô kam
und kusten in besunder.
si begunden in ze wunder
mit armen enbrazieren,
höfschlîche salûieren: 4330
»willekomen Rûal der werde,
ein wunder ûf der erde!«

Rûal was dâ willekomen.
nu haete ouch in der künec genomen
an sîne hant und leite in hin.   4335
vil lieplîche sazte er in
ze sich an sîne sîten nider
und griffen an ir maere wider
und redeten aller hande
beidiu von Tristande   4340
und ouch von Blanschefliure,
alle die âventiure,
waz Canêl unde Morgân
ein ander haeten getân
und wie daz ouch ein ende nam.   4345
vil schiere ez an daz maere kam,
daz der künec Rûâle seite,
mit welher kündekeite
Tristan dar komen waere
und wie er seite maere,   4350
sîn vater der waere ein koufman.
Rûal der sach Tristanden an:
»vriunt« sprach er »ich hân lange

wie klug und angesehen
und wie treu er sei.   4320
Er fragte: »Rual li Foitenant?«
»Ja, Herr, so nennt man mich.«
Da ging der edle Marke hin,
küßte und empfing ihn
prächtig und wie es ihm zukam.   4325
Danach kamen gleich alle Herren
und küßten ihn einzeln.
Immer wieder
umarmten
und begrüßten sie ihn ehrerbietig: 4330
»Willkommen, würdiger Rual,
du Wunder auf Erden!«

Rual wurde willkommen geheißen.
Nun nahm ihn der König
bei der Hand und führte ihn hin.   4335
Freundlich setzte er ihn
neben sich nieder,
und sie sprachen erneut über ihre Geschichte
und redeten viel
über Tristan   4340
und auch über Blanscheflur,
über alle Begebenheiten,
was Kanelengres und Morgan
einander angetan hatten
und wie es geendet hatte.   4345
Bald geschah es,
daß der König Rual berichtete,
mit welchem Geschick
Tristan aufgetreten war
und erzählt hatte,   4350
sein Vater sei ein Kaufmann.
Rual sah Tristan an:
»Freund«, sagte er, »ich habe lange

vil anclîch und vil ange
mîne marschandîse   4355
in armeclîcher wîse
durch dînen willen her getriben.
deist aber allez nû beliben
an einem guoten ende.
dar umbe ich mîne hende   4360
iemer ze gote bieten sol.«
Tristan der sprach: »ich hoere wol:
sich machent disiu maere alsô,
daz ich ir spâte wirde vrô.
ich bin, alse ich hân vernomen,   4365
ze wunderlîchen maeren komen.
ich hoere mînen vater sagen,
mîn vater der sî lange erslagen.
hie mite verzîhet er sich mîn.
sus muoz ich âne vater sîn,   4370
zweier vetere, die ich gewunnen hân.
â vater unde vaterwân,
wie sît ir mir alsus benomen!
an den ich jach, mir waere komen
ein vater, an dem selben man   4375
dâ verliuse ich zwêne veter an:
in unde den ich nie gesach.«
der guote marschalc aber dô sprach:
»wie nû, geselle Tristan,
lâ dise rede, dân ist niht an.   4380
jâ bistu von der künfte mîn
werder, dan du wândest sîn,
und bist ir g'êret iemer mê
und hâst doch zwêne veter als ê,
hie mînen hêrren unde mich.   4385
er ist dîn vater, alsô bin ich,
volge et mîner lêre
und wis iemer mêre
allen künegen ebenhêr.

und sehr eifrig
meinen Handel 4355
auf ärmliche Weise
um deinetwillen betrieben.
Nun ist aber alles
zu einem guten Ende gekommen.
Dafür will ich 4360
auf ewig Gott danken.«
Tristan sagte: »Ich bemerke,
daß diese Geschichte so beschaffen ist,
daß ich mich erst spät über sie freuen kann.
Ich habe, wie ich so zuhörte, 4365
erstaunliche Neuigkeiten erfahren.
Ich höre meinen Vater sagen,
mein Vater sei schon vor langer Zeit erschlagen worden.
Damit sagt er sich von mir los.
Also muß ich vaterlos sein, 4370
obwohl ich zwei Väter bekommen hatte.
Ach Vater und Vaterglaube,
wie seid ihr mir genommen!
Von dem ich bekannte, in ihm sei mir
ein Vater gekommen, von ebendem 4375
werden mir zwei Väter genommen:
er und einer, den ich nie gesehen habe.«
Da erwiderte der edle Marschall:
»Lieber Tristan,
rede nicht so. Das stimmt nicht. 4380
Durch meine Ankunft bist du
würdiger geworden, als du dich glaubtest,
durch sie hast du an Ansehen noch gewonnen
und hast doch zwei Väter statt nur einem:
meinen Herrn hier und mich. 4385
Er ist dein Vater und ich bin es auch.
Folge meinem Rat
und sei fortan
allen Königen ebenbürtig.

lâz alle rede und tuo nimêr: 4390
mînen hêrren dînen oeheim
den bite, daz er dir helfe heim
und dich hie ritter mache.
wan dû maht dîner sache
sus hin wol selbe nemen war.   4395
ir hêrren, sprechet alle dar,
daz ez mîn hêrre gerne tuo!«
sus sprâchen s'alle samet derzuo:
»hêrre, ez hât guote vuoge.
Tristan hât craft genuoge   4400
und ist ein wol gewahsen man.«
der künec sprach: »neve Tristan,
sag an, wie stât dîn muot hie zuo?
ist ez dir liep, daz ich ez tuo?«
»trût hêrre, ich sage iu mînen muot.   4405
haete ich sô rîlîchez guot,
daz ich wol nâch dem willen mîn
und alsô ritter möhte sîn,
daz ich mich ritterlîches namen
noch er sich mîn niht dörfte schamen   4410
und ritterlîchiu werdekeit
an mir niht würde nider geleit,
sô wolte ich gerne ritter sîn,
die müezige jugende mîn
üeben unde kêren   4415
ze werltlîchen êren.
wan ritterschaft, alsô man seit,
diu muoz ie von der kintheit
nemen ir anegenge
oder sî wirt selten strenge.   4420
daz ich mîn unversuohte jugent
ûf werdekeit unde ûf tugent
sô rehte selten g'üebet hân,
daz ist vil sêre missetân
und hân es an mich selben haz.   4425

Laß das Reden und tu nur dies: 4390
Deinen Onkel, meinen Herrn,
bitte, er möge dir nach Hause helfen
und dich hier zum Ritter machen.
Denn du kannst dich um deine Angelegenheiten
jetzt selbst kümmern.   4395
Ihr Herren, dringt alle darauf,
daß mein Herr es bereitwillig tun möge!«
Da redeten sie ihm alle zu:
»Herr, es ist ganz richtig.
Tristan ist kräftig genug   4400
und völlig erwachsen.«
Der König sagte: »Tristan, mein Neffe,
sag, was meinst du dazu?
Möchtest du auch, daß ich es tue?«
»Lieber Herr, ich sage Euch, was ich meine.   4405
Wenn ich solch großen Besitz hätte,
daß ich, wenn ich wollte,
Ritter werden könnte auf eine Weise,
daß ich mich nicht des Namens ›Ritter‹
und er sich nicht meiner schämen müßte   4410
und daß die Würde des Ritters
an mir nicht besudelt würde,
dann würde ich gerne Ritter werden,
um untätige Jugend
zu gebrauchen und zu verwandeln   4415
in weltliches Ansehen.
Denn man sagt, Ritterschaft
müsse von Kindheit an
anfangen
oder sie erstarkt nicht.   4420
Daß ich meine behütete Jugend
für Ansehen und ritterliche Vorzüge
gar nicht eingesetzt habe,
das ist ein schwerer Fehler,
für den ich mir große Vorwürfe mache.   4425

nu weiz ich doch nu lange daz:
senfte und ritterlîcher prîs
diu missehellent alle wîs
und mugen vil übele samet wesen.
ouch hân ich selbe wol gelesen,   4430
daz êre wil des lîbes nôt.
gemach daz ist der êren tôt,
dâ man's ze lange und ouch ze vil
in der kintheite pflegen wil.
und wizzet wol zewâre,   4435
haete ich vor einem jâre
oder ê mîn dinc sô wol gewist,
als ez mir hie gesaget ist,
ez enwaere niht biz her gespart.
sît ez aber dô gesûmet wart,   4440
so ist reht, daz ich mich noch erhol,
wan mîn dinc stât billîche wol
an lîbe und an dem muote.
got râte mir zem guote,
daz ich dem muote vollevar!«   4445
Marke sprach: »neve, nim selbe war,
sich, wie du werben woltest,
ob du künic wesen soltest
und hêrre über allez Curnewal.
sô sitzet hie dîn vater Rûal,   4450
der ganze triuwe zuo dir hât,
der sî dîn râtgebe und dîn rât,
daz dîn dinc alsô vollegê,
daz ez nâch dînem willen stê.
vil lieber neve Tristan,   4455
nim dich niht armuotes an.
wan Parmenîe daz ist dîn
und muoz dîn eigen iemer sîn,
sol ich und dîn vater Rûal leben.
dar zuo wil ich dir stiure geben.   4460
mîn lant, mîn liut und swaz ich hân,

Schon lange ist mir bekannt:
Bequemlichkeit und ritterliches Ansehen
widersprechen sich völlig
und sind unvereinbar.
Auch habe ich durchaus gelernt,   4430
daß Ansehen tätige Anstrengung erfordert.
Müßiggang ist der Tod der Ehre,
wenn man sich ihm zu lange und zu sehr
in der Jugend hingibt.
Und wahrhaftig,   4435
wenn ich vor einem Jahr
oder noch vorher über mich gewußt hätte,
was mir hier gesagt wurde,
dann hätte ich nicht bis jetzt gewartet.
Da ich es aber versäumt habe,   4440
ist es nur gut, daß ich es jetzt nachhole,
denn ich bin deutlich gefestigt
an Körper und Geist.
Gott verhelfe mir zu den Mitteln,
meine Absichten zu erfüllen!«   4445
Marke sprach: »Neffe, überlege und
sieh, was du tun würdest,
wenn du König wärest
und Gebieter über ganz Cornwall.
Hier sitzt dein Vater Rual,   4450
der dir treu ergeben ist.
Er sei dein Ratgeber und Helfer,
damit deine Absichten sich so erfüllen,
wie du es willst.
Lieber Neffe Tristan,   4455
halte dich nicht für arm.
Parmenien gehört dir
und soll dein sein,
solange ich und dein Vater Rual leben.
Darüber hinaus will ich dich unterstützen: 4460
Mein Reich, mein Volk und was ich habe,

trût neve, daz sî dir ûf getân.
wiltû dîn herze kêren
ze vorderlîchen êren
und ist dîn wille alsô getân,   4465
als ich von dir vernomen hân,
sone spar des mînen niht dervor.
Curnwal daz sî dîn urbor,
mîn crône sî dîn zinsaerîn.
wiltû zer werlde gewerdet sîn,   4470
sô schaffe et umbe rîchen muot.
ich gibe dir rîlîchez guot.
sich, dû hâst keiserlîche habe,
nun ganc dir selber nihtes abe,
bistû dir selbem alsô holt   4475
und hâstu muot, als du solt
unde als dû mir hâst verjehen,
daz hân ich schiere an dir gesehen.
sich, vinde ich hêrren muot an dir,
du vindest iemer mêre an mir   4480
dînes willen vollen schrîn.
Tintajêl muoz iemer sîn
dîn triskamere und dîn trisor.
gesprengestû mir rehte vor
mit rîlîchem muote,   4485
volge ich dir niht mit guote,
sô muoz mir allez daz zegân,
daz ich ze Curnewâle hân.«

Hie wart genigen rîche.
si nigen al gelîche,   4490
die bî dem maere wâren.
si buten im unde bâren
êre unde lop mit schalle.
»künec Marke« sprachen s'alle,
»du sprichest, als der höfsche sol.   4495
diu wort gezement der crône wol.

lieber Neffe, stelle ich dir zur Verfügung.
Wenn du dich widmen willst
standesgemäßem Aufwand
und deine Absichten so sind,   4465
wie ich es von dir gehört habe,
dann spare deshalb nicht mit meinem Besitz.
Cornwall sei deine Pfründe,
meine Krone zahle dir Tribut.
Wenn du von der Welt geachtet sein willst,   4470
dann sorge für Freigebigkeit.
Ich gebe dir reichliche Mittel.
Sieh, du verfügst über kaiserlichen Reichtum.
Nun geh nicht unter dein Niveau hinab.
Wenn du dir selbst so treu bist   4475
und gesonnen, wie du sein sollst
und gesagt hast,
dann werde ich das bald an dir erkannt haben.
Sieh, wenn ich wirklich vornehme Gesinnung an dir finde,
dann wirst du ewig an mir   4480
eine wohlgefüllte Schatzkammer für deine Pläne haben.
Tintajol wird auf ewig
dein Schatzhaus sein.
Wenn du mir vorangehst
mit Großzügigkeit   4485
und ich dir nicht mit meinem Reichtum folge,
dann mag alles zugrunde gehen,
was ich in Cornwall besitze.«

Da gab es viele Verbeugungen.
Alle verneigten sich,   4490
die das gehört hatten.
Sie zollten ihm
jubelnd Verehrung und Lob.
»König Marke«, sagten sie alle,
»du sprichst, wie ein vornehmer Mann sprechen soll.   4495
Deine Worte entsprechen deiner Stellung.

dîn zunge, dîn herze und dîn hant
die gebieten iemer über diz lant!
wis iemer künic über Curnwal!«
der getriuwe marschalc dan Rûal   4500
und sîn junchêrre Tristan
die griffen ir gescheffede an
nâch solher rîcheite,
als in der künec vür leite
und in diu mâze was gegeben.   4505
Nu strîte ich umbe ir beider leben
beidiu des vater unde des suns.
wan eteswer der vrâget uns
durch daz, daz alter unde jugent
selten gehellent einer tugent   4510
und jugent daz guot unruochet,
dâ ez daz alter suochet,
wie sî sich under in beiden
ie kunden sô bescheiden,
daz ietwederre besunder   4515
sîner ger hier under
und sînes rehtes wielte,
sô daz Rûal behielte
die mâze an dem guote
und Tristan sînem muote   4520
mit vollem guote vollezüge?
diz prüeve ich schiere sunder lüge.
Rûal unde Tristan
die truogen beide ein ander an
als ebenwillegen muot,   4525
daz ir dewederer übel noch guot
weder riet noch râten solte,
wan alse der ander wolte.
Rûal der tugende erkande
der geloubete Tristande   4530
und sach die jugende an im an.
sô entweich aber Tristan

Deine Zunge, dein Herz und deine Hand
mögen auf ewig dieses Reich regieren!
Immer mögest du Cornwalls König sein!«
Der treue Marschall Rual   4500
und sein junger Herr, Tristan,
kümmerten sich nun um ihre Angelegenheiten
mit solcher Pracht,
wie der König sie ihnen vorgeschlagen hatte
und für die ihnen die Richtschnur vorgegeben war.   4505
Nun bin ich mir im Zweifel über die beiden,
den Vater und den Sohn.
Denn irgend jemand könnte fragen
– da sich Alter und Jugend
in einem Punkt nie einig sind,   4510
weil die Jugend das Geld geringachtet,
nach dem das Alter strebt –,
wie die beiden untereinander
so übereinkommen konnten,
daß jeder von ihnen   4515
dabei seine Absichten
und seinen Standpunkt so durchsetzen konnte,
daß Rual einhielt
das rechte Maß an Aufwand
und Tristan seinem Verlangen   4520
vollauf Genüge tat?
Das will ich schnell und ehrlich beweisen.
Rual und Tristan
waren sich beide
so völlig einig,   4525
daß keiner von ihnen irgend etwas, Gutes oder Schlechtes,
vorschlug oder vorgeschlagen hätte,
wenn es nicht auch der andere so gewollt hätte.
Der vortreffliche Rual
vertraute Tristan   4530
und berücksichtigte seine Jugend.
Zugleich gab jedoch

den tugenden an Rûâle.
diz truoc si z'einem mâle
und z'einem zil gemeiner ger,   4535
daz dirre gerte alse der.
alsus sô wâren s'under in zwein
mit willen und mit muote al ein.
hie von wart alter unde jugent
gehellesam an einer tugent.   4540
alhie viel hôher muot in sin.
hie mite behielten si under in
Tristan sîn reht an muote,
Rûal die mâze an guote,
daz ir ietwederer an der stete   4545
niht wider sînem rehte tete.

Tristan Ruals Erfahrung nach.
Das brachte sie zu gemeinsamen Ergebnissen
und zu dem Ziel ihres gemeinsamen Strebens,   4535
das dieser ebensosehr wünschte wie jener.
Also waren sie sich untereinander
einig in Absicht und Wollen.
Da stimmten Alter und Jugend
in einem Vorzug überein.   4540
Da verband sich hochgestimmte Erwartung mit
So bewahrten sie beide etwas: [Besonnenheit.
Tristan sein Recht auf Freude,
Rual das richtige Maß an Aufwand,
und so tat dort niemand etwas   4545
gegen seinen eigenen Anspruch.

Sus greif Rûal und Tristan
ir dinc bescheidenlîchen an,
als ez in beiden was gewant.
si gewunnen harnasch unde gewant   4550
innerhalp den drîzec tagen,
daz drîzec ritter solten tragen,
die sich der höfsche Tristan
ze gesellen wolte nemen an.
Swer mich nu vrâget umbe ir cleit   4555
und umbe ir cleider rîcheit,
wie diu zesamene wurden brâht,
des bin ich kurze bedâht,
dem sage ich, als daz maere giht.
sage ich im anders iht,   4560
sô widertrîbe er mich dar an
und sage er selbe baz dâ van.
ir cleider wâren ûf geleit
mit vierhande rîcheit
und was der vierer iegelîch   4565
in ir ambete rîch.
daz eine daz was hôher muot;
daz ander daz was vollez guot;
daz dritte was bescheidenheit,
diu disiu zwei zesamene sneit;   4570
daz vierde daz was höfscher sin,
der naete disen allen drin.
si worhten alle viere
vil rehte in ir maniere.
der hôhe muot der gerte,   4575
daz volle guot gewerte,
bescheidenheit schuof unde sneit,
der sin der naete ir aller cleit
und ander ir feitiure,

VIII. Tristans Schwertleite

So nahmen Rual und Tristan
die Dinge richtig in Angriff,
wie es ihnen zukam.
Sie beschafften Rüstungen und Kleider   4550
innerhalb von dreißig Tagen,
die die dreißig Ritter tragen sollten,
die der edle Tristan sich
als Gefährten nehmen wollte.
Wer mich nun nach ihren Kleidern fragt,   4555
nach der Pracht ihrer Gewänder
und wie man sie zusammenbrachte,
dem will ich, ohne lange nachzudenken,
alles so sagen, wie es die Überlieferung berichtet.
Wenn ich ihm etwas anderes sagte,   4560
so möge er mir das widerlegen
und es selbst besser erzählen.
Ihre Kleidung war versehen
mit viererlei Schmuckstücken,
von denen jedes einzelne   4565
in sich prächtig war.
Das eine war Hochstimmung,
das zweite Reichtum;
das dritte war Klugheit,
die diese beiden richtig verbindet;   4570
das vierte war höfische Gesinnung,
die alle drei einfaßt.
Alle vier wirkten
auf ihre Weise prächtig zusammen.
Die Hochstimmung forderte,   4575
der Reichtum gab,
das feine Benehmen arrangierte und schnitt zurecht,
und die Gesinnung nähte das Gewand für sie alle
und ihre übrige Ausrüstung,

baniere und covertiure   4580
und anderen der ritter rât,
der den ritter bestât.
swaz sô daz ros und ouch den man
ze rittere geprüeven kan,
der geziuc was aller sêre rîch   4585
und alsô rîch, daz iegelîch
einem künege wol gezaeme,
daz er swert dar inne naeme.

Sît die gesellen sint bereit
mit bescheidenlîcher rîcheit,   4590
wie gevâhe ich nû mîn sprechen an,
daz ich den werden houbetman
Tristanden sô bereite
ze sîner swertleite,
daz man ez gerne verneme   4595
und an dem maere wol gezeme?
ine weiz, waz ich dâ von gesage,
daz iu gelîche und iu behage
und schône an disem maere stê.
wan bî mînen tagen und ê   4600
hât man sô rehte wol geseit
von werltlîcher zierheit,
von rîchem geraete:
ob ich der sinne haete
zwelve, der ich einen hân,   4605
mit den ich umbe solte gân,
und waere daz gevüege,
daz ich zwelf zungen trüege
in mîn eines munde,
der iegelîchiu kunde   4610
sprechen, alse ich sprechen kan,
ine wiste wie gevâhen an,
daz ich von rîcheite
sô guotes iht geseite,

Banner und Decken   4580
und weitere Dinge,
die einem Ritter zustehen.
Alles, was Roß und Reiter
als Ritter ausweisen kann,
all das war sehr prächtig
und so üppig, daß jedes Teil   4585
eines Königs würdig gewesen wäre,
wenn er darin zum Ritter geschlagen würde.

Da nun die Freunde
mit gebührender Pracht ausgestattet sind,   4590
wie soll ich mich ausdrücken
und ihren herrlichen Anführer,
Tristan, so vorbereiten
zu seiner Schwertleite,
daß man es mit Vergnügen hört   4595
und der Bericht dadurch gewinnt?
Ich weiß nicht, was ich darüber erzählen soll,
damit es Euch gefällt und Freude macht
und außerdem die Erzählung ziert.
Denn zu meiner Zeit und auch vorher schon   4600
ist so treffend gesprochen worden
von weltlichem Prunk,
von kostbarem Schmuck:
selbst wenn ich jetzt zwölf Sinne hätte,
deren ich nur einen besitze,   4605
und ich sie alle benutzen wollte,
und selbst wenn es sich so ergäbe,
daß mir zwölf Zungen wüchsen
in meinem einen Munde,
deren jede so sprechen könnte,   4610
wie ich es kann –
ich wüßte nicht, wie ich es anfangen sollte,
von prächtiger Aufmachung
so angemessen zu berichten,

mane haete baz dâ von geseit.   4615
jâ ritterlîchiu zierheit
diu ist sô manege wîs beschriben
und ist mit rede alsô zetriben,
daz ich niht kan gereden dar abe,
dâ von kein herze vröude habe.   4620

Hartman der Ouwaere,
âhî, wie der diu maere
beide ûzen unde innen
mit worten und mit sinnen
durchverwet und durchzieret!   4625
wie er mit rede figieret
der âventiure meine!
wie lûter und wie reine
sîniu cristallînen wortelîn
beidiu sint und iemer müezen sîn!   4630
si koment den man mit siten an,
si tuont sich nâhen zuo dem man
und liebent rehtem muote.
swer guote rede ze guote
und ouch ze rehte kan verstân,   4635
der muoz dem Ouwaere lân
sîn schapel und sîn lôrzwî.

swer nû des hasen geselle sî
und ûf der wortheide
hôchsprünge und wîtweide   4640
mit bickelworten welle sîn
und ûf daz lôrschapelekîn
wân âne volge welle hân,
der lâze uns bî dem wâne stân.
wir wellen an der kür ouch wesen.   4645
wir, die die bluomen helfen lesen,
mit den daz selbe loberîs
undervlohten ist in bluomen wîs,

daß man sie nicht schon besser geschildert hätte.   4615
Ja, höfischer Prunk
ist schon so vielfältig beschrieben
und dadurch zerredet worden,
daß ich davon nicht so sprechen kann,
daß irgend jemand sich daran erfreute.   4620

Hartmann von Aue,
ja, wie der seine Geschichten
sowohl formal wie inhaltlich
mit Worten und Gedanken
völlig ausschmückt und verziert!   4625
Wie er mit seiner Sprache
den Sinn der Erzählung ausformt!
Wie klar und wie durchsichtig rein
seine kristallenen Worte
sind und immer sein werden!   4630
Mit edlem Anstand
nahen sie dem Leser
und gefallen allen, die rechten Geistes sind.
Wer gute Sprache gut
und auch richtig zu verstehen vermag,   4635
der muß Hartmann
seinen Siegerkranz und Lorbeer lassen.

Wer es nun aber dem Hasen gleichtun
und auf der Heide der Dichtung
herumhüpfen und -weiden will   4640
mit hingewürfelten Wörtern
und wer sich auf den Lorbeerkranz
Hoffnung macht, ohne doch unsere Zustimmung zu haben,
der soll uns unseren Standpunkt lassen.
Wir wollen bei diesem Preisgericht auch mitwirken.   4645
Wir, die wir jene Blüten pflücken helfen,
mit denen dieser Ehrenkranz
blumig durchflochten ist,

wir wellen wizzen, wes er ger.
wan swer es ger, der springe her   4650
und stecke sîne bluomen dar.
sô nemen wir an den bluomen war,
ob sî sô wol dar an gezemen,
daz wir'z dem Ouwaere nemen
und geben ime daz lôrzwî.   4655
sît aber noch nieman komen sî,
der ez billîcher süle hân,
sô helfe iu got, sô lâzen'z stân.
wir ensuln ez nieman lâzen tragen,
sîniu wort ensîn vil wol getwagen,   4660
sîn rede ensî ebene unde sleht,
ob ieman schône und ûfreht
mit ebenen sinnen dar getrabe,
daz er dar über iht besnabe.
vindaere wilder maere,   4665
der maere wildenaere,
die mit den ketenen liegent
und stumpfe sinne triegent,
die golt von swachen sachen
den kinden kunnen machen   4670
und ûz der bühsen giezen
stoubîne mergriezen:
die bernt uns mit dem stocke schate,
niht mit dem grüenen meienblate,
mit zwîgen noch mit esten.   4675
ir schate der tuot den gesten
vil selten in den ougen wol.
ob man der wârheit jehen sol,
dane gât niht guotes muotes van,
dane lît niht herzelustes an.   4680
ir rede ist niht alsô gevar,
daz edele herze iht lache dar.
die selben wildenaere
si müezen tiutaere

wir wollen wissen, worauf er seinen Anspruch stützt.
Denn wenn irgendwer diesen Kranz will, so soll er   4650
und auch seine Blumen dort anstecken.   [herkommen
An diesen Blumen werden wir dann erkennen,
ob sie so gut dazu passen,
daß wir dem von Aue den Lorbeer wegnehmen
und ihn ihm geben.   4655
Da nun aber bisher niemand gekommen ist,
der größeren Anspruch darauf hätte,
so wollen wir ihn – bei Gott! – dort lassen.
Niemandem wollen wir ihn verleihen,
dessen Worte nicht völlig geläutert sind,   4660
dessen Sprache nicht gerade ist und geglättet,
so daß niemand, der mit Anstand und arglos
nichtsahnend dieses Weges kommt,
darüber stolpere.
Dichter ungezügelter Geschichten,   4665
kunstlose Jäger von Erzählungen,
die mit Zauberketten bluffen
und naive Gemüter blenden,
die aus wertlosem Material Gold
für Kinder machen   4670
und aus Zauberbüchsen
Perlen aus Staub schütten können:
diese Leute spenden uns Schatten mit einem einfachen
nicht aber mit grünem Maienlaub,   [Stecken,
mit Zweigen oder Ästen.   4675
Ihr Schatten erquickt den Gästen
niemals die Augen.
Um die Wahrheit zu sagen:
Davon geht nichts Erfreuliches aus,
daran ist nichts Erquickliches.   4680
Ihre Sprache ist nicht dergestalt,
daß edle Menschen sich daran ergötzen könnten.
Eben diese Geschichten-Jäger
müssen noch Ausdeuter

mit ir maeren lâzen gân.   4685
wirn mugen ir dâ nâch niht verstân,
als man si hoeret unde siht.
sone hân wir ouch der muoze niht,
daz wir die glôse suochen
in den swarzen buochen.   4690

Noch ist der verwaere mêr:
von Steinahe Blikêr,
diu sînen wort sint lussam.
si worhten vrouwen an der ram
von golde und ouch von sîden.   4695
man möhte s'undersnîden
mit criecheschen borten.
er hât den wunsch von worten.
sînen sin den reinen
ich waene daz in feinen   4700
ze wundere haben gespunnen
und haben in in ir brunnen
geliutert unde gereinet.
er ist binamen gefeinet.
sîn zunge, diu die harpfen treit,   4705
diu hât zwô volle saelekeit:
daz sint diu wort, daz ist der sin.
diu zwei diu harpfent under in
ir maere in vremedem prîse.
der selbe wortwîse,   4710
nemt war, wie der hier under
an dem umbehange wunder
mit spaeher rede entwirfet;
wie er diu mezzer wirfet
mit behendeclîchen rîmen!   4715
wie kan er rîme lîmen,
als ob si dâ gewahsen sîn!
ez ist noch der geloube mîn,
daz er buoch unde buochstabe

ihren Erzählungen mitgeben. 4685
Man kann sie nämlich nicht verstehen,
wenn man sie hört oder wahrnimmt.
Wir haben aber nicht die Muße,
nach den Erläuterungen zu suchen
in den Lehrbüchern der schwarzen Magie. 4690

Es gibt aber noch mehr Wortmaler:
Bligger von Steinach.
Seine Worte sind lieblich.
Vornehme Damen haben sie auf ihren Stickrahmen
aus Gold und Seide gefertigt.
Man könnte sie 4695
mit griechischen Borten einfassen.
Seine Sprache ist von höchster Vollkommenheit.
Seine lautere Dichtungsgabe
haben, so glaube ich, Zauberfeen 4700
wunderbar gesponnen
und an ihren Quellen
geläutert und gereinigt.
Sie ist wahrlich zauberkräftig.
Seine Dichtung, die im Zeichen der Harfe steht, 4705
ist beglückend in zweierlei Hinsicht:
sowohl im Ausdruck als auch im gedanklichen Gehalt.
Beide miteinander gestalten
ihren Erzählgegenstand mit fremdartiger Pracht.
Dieser Magier des Wortes, 4710
seht nur, wie er dabei
auf dem Gobelin seiner Dichtung wahre Wunder
allein mit seiner kunstreichen Sprache ausführt;
wie sicher er die Messer wirft
mit genau treffenden Reimen! 4715
Wie kann er Verspaare zusammenfügen,
als seien sie so gewachsen!
Ich bin davon überzeugt,
daß er Bücher und Buchstaben

vür vedern an gebunden habe;   4720
wan wellet ir sîn nemen war,
sîniu wort diu sweiment alse der ar.

Wen mag ich nû mêr ûz gelesen?
ir ist und ist genuoc gewesen
vil sinnic und vil rederîch.   4725
von Veldeken Heinrîch
der sprach ûz vollen sinnen.
wie wol sang er von minnen!
wie schône er sînen sin besneit!
ich waene, er sîne wîsheit   4730
ûz Pegases urspringe nam,
von dem diu wîsheit elliu kam.
ine hân sîn selbe niht gesehen;
nu hoere ich aber die besten jehen
die, die bî sînen jâren   4735
und sît her meister wâren,
die selben gebent im einen prîs:
er inpfete daz êrste rîs
in tiutischer zungen.
dâ von sît este ersprungen,   4740
von den die bluomen kâmen,
dâ sî die spaehe uʒ nâmen
der meisterlîchen vünde.
und ist diu selbe künde
sô wîten gebreitet,   4745
sô manege wîs zeleitet,
daz alle, die nu sprechent,
daz die den wunsch dâ brechent
von bluomen und von rîsen
an worten unde an wîsen.   4750

Der nahtegalen der ist vil,
von den ich nû niht sprechen wil:
si enhoerent niht ze dirre schar.

wie Flügel umgebunden hat,   4720
denn, wenn ihr einmal darauf achtet,
seine Sprache schwingt sich auf wie der Adler.

Wen kann ich jetzt noch auswählen?
Es gibt und gab genügend
weise und beredte Dichter.   4725
Heinrich von Veldeke,
der erzählte aus vollkommenem Kunstverstand.
Wie herrlich sang er von der Minne!
Wie angenehm zügelte er seine Ausdrucksgabe!
Ich glaube, er nahm seine ganze Weisheit   4730
vom Quell des Pegasus,
von wo alle Weisheit kommt.
Ich habe ihn zwar nicht mehr erlebt,
aber ich höre sogar die Besten sagen,
die noch zu seinen Lebzeiten   4735
und danach Meister ihres Faches waren,
wie sie ihm vor allem eines nachrühmen:
Er pfropfte das erste Reis
in deutscher Sprache.
Hier sprossen seither die Äste   4740
mit jenen Blumen,
von denen sie die Kunst
der vollendeten Dichtung nahmen.
Und dieses Können
ist nun so weit verbreitet,   4745
so mannigfaltig fehlgeleitet worden,
daß alle, die heute dichten,
sich dort versorgen
mit den herrlichsten Blumen und Reisern
der schönsten Worte und Melodien.   4750

Es gibt viele Nachtigallen,
von denen ich nun nicht sprechen will,
denn sie gehören nicht in diese Gruppe.

durch daz sprich ich niht anders dar,
wan daz ich iemer sprechen sol: 4755
sî kunnen alle ir ambet wol
und singent wol ze prîse
ir süeze sumerwîse.
ir stimme ist lûter unde guot,
si gebent der werlde hôhen muot   4760
und tuont rehte in dem herzen wol.
diu werlt diu waere unruoches vol
und lebete rehte als âne ir danc
wan der vil liebe vogelsanc.
der ermant vil dicke den man,   4765
der ie ze liebe muot gewan,
beidiu liebes unde guotes
und maneger hande muotes,
der edelem herzen sanfte tuot.
ez wecket vriuntlîchen muot,   4770
hie von kumt inneclîch gedanc,
sô der vil liebe vogelsanc
der werlde ir liep beginnet zalen.
»nu sprechet umb die nahtegalen!«
die sint ir dinges wol bereit   4775
und kunnen alle ir senede leit
sô wol besingen unde besagen.
welhiu sol ir baniere tragen,
sît diu von Hagenouwe,
ir aller leitevrouwe   4780
der werlde alsus geswigen ist,
diu aller doene houbetlist
versigelt in ir zungen truoc?
von der denk ich vil unde genuoc,
(ich meine aber von ir doenen   4785
den süezen, den schoenen),
wâ sî der sô vil naeme,
wannen ir daz wunder kaeme
sô maneger wandelunge.

Darum spreche ich von ihnen nicht anders,
als ich auf ewig von ihnen sprechen werde:
Sie alle verstehen ihr Handwerk   4755
und singen ganz vorzüglich
ihre lieblichen Sommerlieder.
Ihre Stimmen sind rein und schön,
sie vermitteln der Welt ein Hochgefühl   4760
und erfreuen das Herz.
Die Menschen wären freudlos
und lebten nur dumpf dahin,
wenn dieser süße Vogelsang nicht wäre.
Der erinnert immer wieder jeden,   4765
der je geliebt hat,
an das Gefühl der Liebe und des Guten
und an alle Gemütsregungen,
die ein edles Herz erfreuen.
Es erweckt angenehme Empfindungen,   4770
die unsere Gedanken nach innen kehren,
wenn der süße Vogelsang
uns von unseren Freuden erzählt.
»Nun sprecht von den Nachtigallen!«
Sie sind sehr geschickt   4775
und können ihren Liebesschmerz
so trefflich besingen und schildern.
Welche von ihnen soll ihre Fahne führen,
seit die von Hagenau,
ihrer aller Anführerin,   4780
für uns verstummt ist,
sie, die alle höchste Sangeskunst
in ihrer Zunge beschlossen trug?
An sie denke ich sehr oft
(ich meine ihre Lieder,   4785
die lieblichen und schönen).
Woher mag sie so viele Töne,
woher eine so wunderbare,
unendliche Variationskunst gewonnen haben?

ich waene, Orphêes zunge,   4790
diu alle doene kunde,
diu doenete ûz ir munde.

Sît daz man der nû niht enhât,
sô gebet uns eteslîchen rât!
ein saelic man der spreche dar: 4795
wer leitet nû die lieben schar?
wer wîset diz gesinde?
ich waene, ich sî wol vinde,
diu die baniere vüeren sol.
ir meisterinne kan ez wol,   4800
diu von der Vogelweide.
hî wie diu über heide
mit hôher stimme schellet!
waz wunders sî stellet!
wie spaehe s'organieret!   4805
wie s'ir sanc wandelieret –
ich meine aber in dem dône
dâ her von Zythêrône,
dâ diu gotinne Minne
gebiutet ûf und inne!   4810
diust dâ ze hove kameraerîn.
diu sol ir leitaerinne sîn!
diu wîset sî ze wunsche wol,
diu weiz wol, wâ si suochen sol
der minnen melodîe.   4815
si unde ir cumpanîe
die müezen sô gesingen,
daz sî ze vröuden bringen
ir trûren unde ir senedez clagen.
und daz geschehe bî mînen tagen!   4820

Nû hân ich rede genuoge
von guoter liute vuoge
gevüegen liuten vür geleit.

Ich glaube, Orpheus' Zunge,
die alle Töne meisterte,
sang aus ihrem Munde. 4790

Da sie nun nicht mehr ist,
steht uns bei!
Ein weiser Mann möge uns sagen,
wer nun diesen lieblichen Schwarm anführen sollte. 4795
Wer unterweist die Gefolgschaft?
Ich glaube, ich finde wohl die,
die nun die Fahne führen soll.
Ihrer aller Meisterin kann es,
die von der Vogelweide. 4800
Ei, wie die über die Heide
hinschallt mit ihrer lauten Stimme!
Welche Wunder sie vollbringt!
Wie kunstreich sie musiziert! 4805
Wie sie ihren Gesang variiert –
ich meine in der Weise,
die vom Berge Kithäron herkommt,
wo die Göttin Minne
herrscht.
Sie ist Hofmeisterin an diesem Hofe. 4810
Sie soll alle Nachtigallen anführen.
Sie wird sie trefflich unterweisen.
Sie weiß genau, wo sie
die Melodie der Liebe zu suchen hat. 4815
Sie und ihre Freundinnen
sollen so singen,
daß sie in Freude verwandeln
ihren Kummer und ihre Liebesklage.
Und das möge noch zu meinen Lebzeiten geschehen! 4820

Nun habe ich genug
von dem Können ausgezeichneter Menschen
gebildeten Menschen erzählt.

ie noch ist Tristan umbereit
ze sîner swertleite.   4825
ine weiz, wie in bereite.
der sin wil niender dar zuo.
sone weiz diu zunge, waz si tuo
al eine und âne des sinnes rât,
von dem s'ir ambet allez hât.   4830
waz aber in werre, in beiden,
des wil ich iuch bescheiden:
si zwei hât daz verirret,
daz tûsenden wirret.
dem man, der niht wol reden kan,   4835
kumt dem ein rederîcher man,
im erlischet in dem munde
daz selbe, daz er kunde.
ich waene, mir ist alsam geschehen.
ich sihe und hân biz her gesehen   4840
sô manegen schône redenden man,
daz ich des niht gereden kan,
ezn dunke mich dâ wider ein wint,
als nû die liute redende sint.
man sprichet nû sô rehte wol,   4845
daz ich von grôzem rehte sol
mîner worte nemen war
und sehen, daz s'alsô sîn gevar,
als ich wolte, daz si waeren
an vremeder liute maeren   4850
und alse ich rede geprüeven kan
an einem anderen man.
nune weiz ich, wie's beginne.
mîn zunge und mîne sinne
die enmugen mir niht ze helfe komen.   4855
mir ist von worten genomen
enmitten ûz dem munde
daz selbe, daz ich kunde.
Hie zuo enweiz ich, waz getuo,

Jedoch noch ist Tristan
zu seiner Schwertleite nicht vorbereitet.   4825
Ich weiß nicht, wie ich es tun soll.
Mein Geist sträubt sich dabei.
Darum weiß die Zunge nicht, was sie tun soll,
alleine und ohne die Unterstützung des Geistes,
der ihr alles eingibt.   4830
Was die beiden irritiert,
will ich Euch sagen:
Etwas hat die beiden verstört,
das Tausende gleichfalls behindert.   4834
Begegnet ein Mensch, der sich nicht gut ausdrücken kann,
einem, der sehr beredt ist,
dann erstirbt ihm auf den Lippen,
was er sagen konnte.
Ich glaube, mir ist es so ergangen.
Ich sehe und habe bisher gesehen   4840
so viele beredte Menschen,
daß ich deshalb nicht reden kann,
ohne daß es mir dagegen minderwertig erschiene,
so wie die Menschen heute reden.
Jetzt spricht man so wohlgesetzt,   4845
daß ich gezwungen bin,
auf meine Worte zu achten
und dafür zu sorgen, daß sie so sind,
wie ich sie mir wünsche
in den Geschichten anderer   4850
und wie ich sie loben kann
bei anderen Dichtern.
Nun weiß ich nicht, wie ich es anfangen soll.
Meine Zunge und mein Geist
können mir nicht helfen.   4855
Von meiner Ausdrucksfähigkeit ist mir
von den Lippen genommen worden
alles, was ich konnte.
Ich weiß nicht, was da zu tun ist.

ich entuo daz eine dar zuo,   4860
deiswâr daz ich noch nie getete:
mîne vlêhe und mîne bete
die wil ich êrste senden
mit herzen und mit henden
hin wider Êlicône   4865
ze dem niunvalten trône,
von dem die brunnen diezent,
ûz den die gâbe vliezent
der worte unde der sinne.
der wirt, die niun wirtinne,   4870
Apolle und die Camênen,
der ôren niun Sirênen,
die dâ ze hove der gâben pflegent,
ir genâde teilent unde wegent,
als s'ir der werlde gunnen,   4875
die gebent ir sinne brunnen
sô vvolleclîche manegem man,
daz sî mir einen trahen dâ van
mit êren niemer mugen versagen.
und mag ouch ich den dâ bejagen,   4880
so behalte ich mîne stat dâ wol,
da man sî mit rede behalten sol.
der selbe trahen der eine
der ist ouch nie sô cleine,
er enmüeze mir verrihten,   4885
verrihtende beslihten
beidiu zungen unde sin,
an den ich sus entrihtet bin.
diu mînen wort muoz er mir lân
durch den vil liehten tegel gân   4890
der camênischen sinne
und muoz mir diu dar inne
ze vremedem wunder eiten,
dem wunsche bereiten
als golt von Arâbe.   4895

Etwas will ich tun,   4860
das ich wirklich noch nie getan habe:
Mein flehentliches Gebet
will ich erstmals senden
aus vollem Herzen und mit gefalteten Händen
zum Helikon,   4865
zu dem neunfältigen Thron,
von dem die Quellen strömen,
aus denen das Talent sprudelt
für Sprache und Verstand.
Der Hausherr und seine neun Damen,   4870
Apollo und die Kamönen,
die neun Sirenen für die Ohren,
die dort am Hofe diese Gaben verwalten
und ihre Gunst austeilen und zumessen,
wie sie sie der Welt zugestehen wollen,   4875
sie alle geben aus dem Brunnen ihres Geistes
vielen Menschen so reichlich,
daß sie mir einen Tropfen davon
mit Anstand nicht verweigern können.
Und wenn ich wirklich einen erlangen kann,   4880
dann will ich mich dort sicher behaupten,
wo man sich mit Dichtung zu halten pflegt.
Dieser eine Tropfen
wäre gewiß nicht so klein,
daß er mich doch nicht wieder zu mir kommen ließe   4885
und dabei wiederherstellte
Zunge und Geist,
die so in Verwirrung geraten sind.
Meine Worte soll er mir mir gehen lassen
durch den hell strahlenden Schmelztiegel   4890
kamönischer Weisheit
und sie mir darin
zu außerordentlicher Schönheit umschmelzen,
herrlich zubereiten
wie arabisches Gold.   4895

die selben gotes gâbe
des wâren Elicônes,
des oberesten trônes,
von dem diu wort enspringent,
diu durch daz ôre clingent   4900
und in daz herze lachent,
die rede durchliuhtec machent
als eine erwelte gimme,
die geruochen mîne stimme
und mîne bete erhoeren   4905
oben in ir himelkoeren
und rehte als ich gebeten hân!
Nu diz lât allez sîn getân,
daz ich des alles sî gewert,
des ich von worten hân gegert,   4910
und habe des alles vollen hort,
senfte allen ôren mîniu wort,
ber iegelîchem herzen schate
mit dem ingrüenen lindenblate,
gê mîner rede als ebene mite,   4915
daz ich ir an iegelîchem trite
rûme unde reine ir strâze
noch an ir strâze enlâze
dekeiner slahte stoubelîn,
ezn müeze dan gescheiden sîn,   4920
und daz si niuwan ûfe clê
unde ûf liehten bluomen gê;
dannoch gewende ich mînen sin,
sô cleine als ich gesinnet bin,
kûme oder niemer dar an,   4925
dar an sich alsô manic man
versuochet und verpirset hât.
deiswâr ich sol es haben rât.
Wan kêrte ich alle mîne craft
ze ritters bereitschaft,   4930
als weizgot maneger hât getân,

Diese göttliche Begabung
des echten Helikon,
des höchsten Throns,
von dem die Worte herkommen,
die durch das Ohr hindurch klingen   4900
und sich ins Herz lachen,
die die Dichtung durchsichtig und klar machen
wie ein erlesenes Juwel,
diese Musen mögen meine Stimme
und mein Gebet erhören   4905
dort oben in den Himmelschören,
so wie ich gebeten habe.
Selbst wenn alles geschähe,
wenn sie mir alles gewährten,
worum ich gebeten habe,   4910
und ich alles in reichem Maße hätte:
daß meine Worte also den Ohren lieblich klängen;
daß ich den Herzen Schatten böte
mit immergrünem Lindenlaub;
daß meine Dichtung so gepflegt wäre,   4915
daß ich ihr bei jedem Schritt
den Weg ebnete und reinigte
und auf diesem Wege nicht duldete
das geringste Stäubchen,
das nicht entfernt würde,   4920
und daß sie nur auf Klee
und leuchtenden Blumen einherschritte –
wenn all dies so wäre, würde ich doch mein Talent
– so unbegabt ich auch bin –
niemals darauf verwenden,   4925
woran sich schon so viele
vergeblich versucht und übernommen haben.
Darauf muß ich wirklich verzichten.
Denn wenn ich all meine Dichtkunst verwendete
auf die Ausrüstung der Ritter,   4930
wie es wahrlich viele getan haben,

und seite iu daz, wie Vulkân
der wîse, der maere,
der guote listmachaere
Tristande sînen halsperc,   4935
swert unde hosen und ander werc,
daz den ritter sol bestân,
durch sîne hende lieze gân
schône und nâch meisterlîchem site;
wie er'm entwürfe unde snite,   4940
den kuonheit nie bevilte,
den eber an dem schilte;
wie er'm den helm betihte
und oben dar ûf rihte
al nâch der minnen quâle   4945
die viurîne strâle;
wie er im al besunder
ze wunsche und ze wunder
bereite ein und ander
und wie mîn vrou Cassander,   4950
diu wîse Troiaerinne,
ir liste und alle ir sinne
dar zuo haete gewant,
daz sî Tristande sîn gewant
berihte unde bereite   4955
nâch solher wîsheite,
sô si'z aller beste
von ir sinnen weste,
der geist ze himele, als ich'z las,
von den goten gefeinet was: 4960
waz haete daz iht ander craft
dan alse ich die geselleschaft
Tristandes ê bereite
ze sîner swertleite?
mag ich die volge von iu hân,   4965
sô ist mîn wân alsô getân,
und weiz daz wol: muot unde guot,

und ich Euch erzählte, wie Vulkan,
der kluge, berühmte
und tüchtige Schmiedekünstler,
Tristans Brustpanzer,
Schwert, Beinlinge und andere Rüstungsteile, 4935
die zum Ritter gehören,
durch seine Hände gehen ließ
herrlich und meisterhaft;
wie er ihm entwarf und ausschnitt,
den Kühnheit nie verließ, 4940
den Eber für den Schild;
wie er ihm den Helm fertigte
und oben befestigte,
als Sinnbild der Liebesqual,
einen Feuerstrahl; 4945
wie er ihm im einzelnen
herrlich und erstaunlich
das eine und andere herstellte;
und wie die Herrin Kassandra,
die weise Troerin, 4950
ihre ganze Kunst und ihren Verstand
dazu benutzte,
Tristans Gewand
zu entwerfen und zu nähen
mit solcher Umsicht, 4955
wie sie es am besten
von ihren Fertigkeiten her vermochte,
und deren Verstand, wie ich höre, im Himmel
von den Göttern geschärft war – 4960
es hätte doch dieselbe Wirkung
wie damals, als ich die Gefährten
Tristans vordem vorbereitete
für seine Schwertleite.
Wenn Ihr mir hier zustimmt, 4965
so glaube ich folgendes
und bin dessen sicher: Hochgefühl und Reichtum,

swer zuo den zwein geraeten tuot
bescheidenheit und höfschen sin,
diu vieriu würkent under in   4970
als wol als ieman ander.
jâ Vulkân und Cassander
diu zwei bereiten ritter nie
baz ze prîse danne ouch die.

Sît nû die vier rîcheite   4975
rîlîche swertleite
sus kunnen geprûvieren,
so bevelhen wir in vieren
unsern vriunt Tristanden.
die nemen in ze handen,   4980
bereiten uns den werden man,
sît ez niht bezzer werden kan,
mit dem geziuge und mit dem snite,
dâ sîne reitgesellen mite
sô schône sint bereitet.   4985
sus sî Tristan geleitet
ze hove und ouch ze ringe,
mit allem sînem dinge
sînen gesellen ebengelîch,
ebenziere und ebenrîch.   4990
ich meine aber an der waete,
die mannes hant dâ naete,
niht an der an gebornen wât,
diu von des herzen kamere gât,
die sî dâ heizent edelen muot,   4995
diu den man wolgemuoten tuot
und werdet lîp unde leben.
diu wât wart den gesellen geben
dem hêrren ungelîche.
jâ weizgot der muotrîche,   5000
der êregire Tristan
truoc sunderlîchiu cleider an

vermehrt durch zwei Dinge,
durch feinen Anstand und höfische Gesinnung,
passen so gut zueinander
wie irgend etwas.   4970
Ja, Vulkan und Kassandra
haben einen Ritter noch nie ausgestattet
so prächtig wie sie.

Da diese vier Güter   4975
eine so glänzende Schwertleite
ermöglichen,
anbefehlen wir ihnen
auch Tristan, unseren Freund.
Sie mögen ihn bei der Hand nehmen   4980
und den würdigen Mann,
weil es besser gar nicht geht,
mit den Gegenständen und dem Zuschnitt ausrüsten,
mit denen auch seine Gefährten
so trefflich versehen sind.   4985
So möge Tristan geführt werden
zum Hofe und auch in den Ring,
in seiner ganzen Ausrüstung
seinen Kameraden gleich,
so geschmückt und so prächtig wie sie.   4990
Damit meine ich das Gewand,
das Menschenhand anfertigte,
nicht das angeborene Kleid,
das aus der Kammer des Herzens kommt,
die man Vornehmheit nennt,   4995
die den Menschen hochgestimmt macht
und seinen Wert wie den seiner Existenz erhöht.
Dieses Kleid trugen die Gefährten
in anderem Maße als ihr Herr.
Ja – bei Gott! – der edelmütige   5000
und ehrbegierige Tristan
trug besondere Kleider,

von gebâre und von gelâze
gezieret ûz der mâze.
er haete s'alle an schoenen siten   5005
unde an tugenden übersniten.
und iedoch an der waete,
die mannes hant dâ naete,
da enwas niht underscheidunge an.
des truoc der werde houbetman   5010
in allen gelîche.
Sus was der muotrîche,
der voget von Parmenîe
und al sîn massenîe
ze münster mit ein ander komen   5015
und haeten messe vernomen
und ouch enpfangen den segen,
des man in dâ solte pflegen.
Marke nam dô Tristanden
sînen neven ze handen,   5020
swert unde sporn stricte er im an.
»sich« sprach er »neve Tristan,
sît dir nu swert gesegenet ist
und sît du ritter worden bist,
nu bedenke ritterlîchen prîs   5025
und ouch dich selben, wer du sîs.
dîn geburt und dîn edelkeit
sî dînen ougen vür geleit.
wis diemüete und wis unbetrogen,
wis wârhaft und wis wolgezogen;   5030
den armen den wis iemer guot,
den rîchen iemer hôchgemuot;
ziere unde werde dînen lîp,
êre unde minne elliu wîp;
wis milte unde getriuwe   5035
und iemer dar an niuwe!
wan ûf mîn êre nim ich daz,
daz golt noch zobel gestuont nie baz

die durch Benehmen und Ausdruck
überaus prächtig verziert waren.
Er hatte sie alle an feinem Benehmen   5005
und an Vorzügen überflügelt.
Und doch gab es an dem Gewand,
das Menschenhand nähte,
keine Abweichung.
Das trug der würdige Anführer   5010
wie sie alle.
So waren der vornehme
Herr von Parmenien
und sein ganzes Gefolge
gemeinsam zum Münster gekommen,   5015
hatten am Gottesdienst teilgenommen
und auch den Segen empfangen,
der ihnen da zustand.
Marke nahm Tristan,
seinen Neffen, bei der Hand   5020
und legte ihm Schwert und Sporen an.
»Sieh, Tristan, mein Neffe«, sagte er,
»jetzt, da dein Schwert gesegnet ist
und du Ritter geworden bist,
denke nach über ritterliche Werte   5025
und über dich und wer du bist.
Deine Abkunft und Würde
halte dir vor Augen.
Sei bescheiden und aufrichtig,
wahrhaftig und wohlerzogen.   5030
Sei gütig zu den Elenden
und stolz zu den Mächtigen.
Pflege und verbessere deine äußere Erscheinung.
Ehre und liebe alle Frauen.
Sei freigebig und verläßlich,   5035
und arbeite immer daran.
Denn bei meiner Ehre, ich glaube,
daß weder Gold noch Zobel besser passen

dem sper unde dem schilte
dan triuwe unde milte.«   5040
Hie mite bôt er im den schilt dar.
er kuste in und sprach: »neve, nu var
und gebe dir got durch sîne craft
heil ze dîner ritterschaft!
wis iemer höfsch, wis iemer vrô!«   5045
Tristan verrihte aber dô
sîne gesellen an der stete,
rehte als in sîn oeheim tete,
an swerte, an sporn, an schilte.
diemüete, triuwe, milte   5050
die leite er iegelîches kür
mit bescheidenlîcher lêre vür.
und enwart ouch dâ nimê gebiten.
gebuhurdieret unde geriten
wart dâ, zewâre deist mîn wân.   5055
wie s'aber von ringe liezen gân,
wie sî mit scheften staechen,
wie vil sî der zebraechen –
daz suln die garzûne sagen:
die hulfen ez zesamene tragen.   5060
ine mag ir buhurdieren
niht allez becrôieren,
wan einen dienest biute ich in,
des ich in sêre willic bin:
daz sich ir aller êre   5065
an allen dingen mêre
und in got ritterlîchez leben
z'ir ritterschefte müeze geben!

zu Speer und Schild
als verläßliche Treue und Freigebigkeit.«   5040
Damit reichte er ihm den Schild.
Er küßte ihn und sagte: »Neffe, nun gehe hin,
und Gott in seiner Macht gebe dir
Glück in deiner Ritterschaft!
Sei immer höfisch, sei immer guten Muts!«   5045
Tristan seinerseits stattete dann
seine Gefährten dort,
wie es sein Onkel mit ihm getan hatte,
mit Schwert, Sporen und Schild aus.
Bescheidenheit, Treue und Freigebigkeit
empfahl er jedem zu Erwägung
mit einsichtigen Gründen.
Und dann wurde auch nicht länger gewartet:
Gruppenkämpfe und Reiterspiele
gab es, da bin ich sicher.   5055
Wie sie sich auf der Kampfbahn tummelten,
wie sie mit den Lanzen stachen
und wie viele sie dabei zerbrachen,
das sollen Euch die Burschen berichten:
Die haben geholfen, alles wieder zusammenzutragen.   5060
Ich kann ihre Kämpfe
nicht alle wie ein Herold ausrufen.
Nur eins will ich tun,
wozu ich mit Freuden bereit bin:
Ich hoffe, daß sich ihrer aller Ansehen   5065
in jeder Hinsicht vergrößern
und Gott ihnen ein ritterliches Leben
zu ihrer Ritterschaft vergönnen möge.

Tristan fordert Morgan heraus

Herzog Morgan

Truoc ieman lebender staete leit
  bî staeteclîcher saelekeit,
sô truoc Tristan ie staete leit
bî staeteclîcher saelekeit.

Als ich ez iu bescheiden wil:
  im was ein endeclîchez zil   5075
gegeben der zweier dinge,
leides unde linge.
wan allez daz, des er began,
dâ lang im allerdickest an
und was ie leit der linge bî,   5080
swie ungelîch diz jenem sî.
sus wâren diu zwei conterfeit,
staetiu linge und wernde leit,
gesellet an dem einen man.
»sô helfe iu got, nu sprechet an: 5085
Tristan der hât nu swert genomen
und ist ze rîcher linge komen
mit ritterlîcher werdekeit.
lât hoeren, welher hande leit
haete er bî dirre linge?«   5090
weiz got an einem dinge,
daz iegelîchem herzen ie
und ouch dem sînen nâhe gie:
daz ime der vater was erslagen,
als er Rûâlen hôrte sagen,   5095
daz qual in in dem muote.
alsus was übel bî guote,
bî linge schade, bî liebe leit
eines herzen staetiu sicherheit.

Ir aller jehe lît dar an,
  haz der lige ie dem jungen man   5100

IX. Heimfahrt und Rache

Wenn irgend jemand ständigen Kummer erlitt
bei dauerndem Glück,   5070
dann erlitt Tristan ständigen Kummer
bei dauerndem Glück.

Das will ich Euch erklären.
Ihm war ein unwiderrufliches Ende
gesetzt für   5075
Kummer und Glück.
Denn alles, was er unternahm,
gelang ihm meistens gut,
wenn auch das Glück immer mit Leid vermischt war,
so wenig das eine dem anderen gleicht.   5080
So waren die beiden Gegensätze,
dauerndes Glück und währendes Leid,
in einem Mann vereint.
»Bei Gott, nun sagt uns:
Tristan hat das Schwert genommen   5085
und hat reichliches Glück erworben
durch ritterliche Würde.
Laß uns hören, welches Leid denn
bei diesem Glück liegt?«
Weiß Gott, eine Sache,   5090
die seit je jedes Herz bedrückt hat
und auch seines betrübte,
daß nämlich sein Vater erschlagen worden war,
wie er von Rual wußte,
marterte sein Gemüt.   5095
So war Schlechtes bei Gutem,
Glück bei Kummer, Liebe bei Leid
in einem Herzen dauerhaft verbunden.

Alle sagen,
Zorn bedränge einen jungen Mann   5100

mit groezerem ernest an
dan einem stündigen man.

Ob aller sîner werdekeit
sô swebete Tristande ie daz leit
und daz verborgen ungemach,   5105
daz nieman lebender an im sach,
daz im Riwalînes tôt
und Morgânes leben bôt.
daz leit lag ime mit sorgen an.
der sorcsame Tristan   5110
und sîn getriulîcher rât,
der noch von triuwen namen hât,
der saelige Foitenant,
die bereiteten zehant
mit rîchem geraete,   5115
des man den wunsch dâ haete,
eine rîlîche barken.
sus kâmen sî vür Marken.
Tristan sprach: »lieber hêrre mîn,
ez sol mit iuwern hulden sîn,   5120
daz ich ze Parmenîe var
und neme nâch iuwerm râte war,
wie unser dinc dâ sî gewant
umbe liut und umbe lant,
daz ir dâ sprechet, ez sî mîn.«   5125
Der künec sprach: »neve, diz sol sîn.
swie kûme ich dîn doch müge enbern,
ich wil dich dirre bete gewern.
var heim ze Parmenîe,
dû und dîn cumpanîe.   5130
bedarft dû ritterschefte mê,
die nim, als dir ze muote stê.
nim ros, nim silber unde golt
und swes dû bedürfen solt,
als dû's bedürfen wellest.   5135

mit größerem Ingrimm
als einen gereiften.

Über aller Herrlichkeit
nagte in Tristan der Schmerz
und der verborgene Kummer,   5105
den er niemandem offenbarte
und der durch Riwalins Tod
und Morgans Leben verursacht war.
Dieses Leid bedrückte ihn sehr.
Der bedrückte Tristan   5110
und sein getreuer Ratgeber,
der nach der Treue sogar benannt war,
der edle Foitenant,
die rüsteten sogleich
mit üppiger Ausstattung,   5115
wie man es sich nur wünschen konnte,
eine mächtige Barke.
Sie gingen zu Marke,
und Tristan sprach: »Lieber Herr,
gebt mir Erlaubnis,   5120
daß ich nach Parmenien segle
und, wie Ihr mir geraten habt, nachsehe,
wie es dort steht
um das Volk und das Reich,
das Ihr mein nennt.«   5125
Der König erwiderte: »Tu das, Neffe.
Zwar werde ich dich schmerzlich vermissen,
aber ich will dir deine Bitte nicht abschlagen.
Fahr heim nach Parmenien,
du und dein Gefolge.   5130
Wenn du noch mehr Ritter brauchst,
nimm sie, so viele du willst.
Nimm Pferde, nimm Gold und Silber
und was immer du brauchst,
soviel du nur möchtest.   5135

und swen dû dir gesellest,
dem biut ez sô mit guote,
mit geselleclîchem muote,
daz er dîn dienest gerne sî
und dir mit triuwen wese bî.   5140
vil lieber neve, wirb unde lebe,
als dir dîn vater lêre gebe,
der getriuwe Rûal, der hie stât,
der michel triuwe und êre hât
mit dir begangen unze her.   5145
und sî daz dich des got gewer,
daz dû dich dâ verrihtest
und dîn dinc dâ beslihtest
nâch vrumen und nâch êren,
sô soltu wider kêren.   5150
kêre wider her ze mir.
ein dinc lob ich und leiste dir:
sê mîne triuwe in dîne hant,
daz ich dir mîn guot und mîn lant
iemer gelîche teile.   5155
und sî'z an dînem heile,
daz dû mich sülest überleben,
sô sî dir allez z'eigene geben.
wan ich wil durch den willen dîn
êlîches wîbes âne sîn,   5160
die wîle ich iemer leben sol.
neve, dû hâst vernomen wol
mîne bete und mînen sin.
bistû mir holt, als ich dir bin,
treistû mir herze, als ich dir trage,   5165
weiz got sô sul wir unser tage
vrôlîche mit ein ander leben.
hie mite sî dir urloup gegeben.
der megede sun der hüete dîn!
und lâ dir wol bevolhen sîn   5170
dîn gescheffede und dîn êre!«

Und wen du dir zum Gefährten aussuchst,
den behandle so freigebig
und freundschaftlich,
daß er dir mit Freuden dient
und loyal ist.   5140
Liebster Neffe, lebe und handle so,
wie dich dein Vater lehrt,
der treue Rual, der hier steht,
der überaus treu und ehrenhaft
an dir gehandelt hat bisher.   5145
Und wenn Gott es zuläßt,
daß du dich dort aussöhnst
und deine Angelegenheiten bereinigst,
wie es richtig ist und ehrenvoll,
dann sollst du wiederkommen.   5150
Kehre zu mir zurück.
Etwas gelobe und verspreche ich dir,
das schwöre ich dir in die Hand,
daß ich meinen Besitz und mein Land mit dir
auf ewig ehrlich teilen werde.   5155
Und ergibt es sich zu deinem Vorteil,
daß du mich überlebst,
dann soll alles dir gehören.
Denn um deinetwillen will ich
unverheiratet bleiben   5160
für den Rest meines Lebens.
Neffe, du hast gehört
meine Bitte und meine Absicht.
Wenn du mich so liebst wie ich dich,
wenn du zu mir stehst wie ich zu dir,   5165
dann werden wir – bei Gott! – unsere Tage
in Freuden gemeinsam verleben.
Nun magst du gehen.
Der Sohn Mariä behüte dich.
Und laß dir dringlich anbefohlen sein   5170
deine Sache und dein Ansehen!«

hie enbiten s'ouch nimêre.
Tristan und sîn vriunt Rûal
die schiffeten von Curnewal,
sî unde ir massenîe,   5175
heim wider ze Parmenîe.

Ob iu nu lieb ist vernomen
umb dirre hêrren willekomen,
ich sage iu, alse ich hân vernomen,
wie sî dâ wâren willekomen: 5180

Ir aller leitaere,
der getriuwe, der gewaere
Rûal trat vor ûz an daz lant.
sîn hüetelîn und sîn gewant
leit er höfschlîche dort hin dan.   5185
Tristanden lief er lachend an,
er kuste in und sprach: »hêrre mîn,
gote sult ir willekomen sîn,
iuwerm lande unde mir!
kieset, hêrre: sehet ir   5190
diz schoene lant bî disem mer?
veste stete, starke wer
und manic schoene castêl:
seht, daz hât iuwer vater Canêl
an iuch geerbet unde brâht.   5195
sît ir nu biderbe unde bedâht,
swes iuwer ouge hie gesiht,
des engât iu niemer niht.
des bin ich iemer iuwer wer.«
mit diser rede sô kêrte er her   5200
mit rîchem herzen unde vrô.
vil vrôlîche enpfieng er dô
die ritter al besunder.
er begunde sî ze wunder
mit sînen worten süezen   5205
salûieren unde grüezen.

Da blieben sie nicht länger.
Tristan und sein Vertrauter Rual
segelten von Cornwall,
zusammen mit ihrem Gefolge,
heim nach Parmenien.   5175

Wenn Ihr nun gerne hören wollt
von dem Empfang dieser Herren,
so berichte ich Euch, wie ich es gehört habe,
wie sie empfangen wurden.   5180

Ihrer aller Anführer,
der treue und aufrechte
Rual ging ihnen voran an Land.
Seinen Hut und Mantel
legte er dann wohlerzogen dort ab.   5185
Lachend lief er auf Tristan zu,
küßte ihn und sprach: »Herr,
in Gottes Namen seid willkommen
Eurem Reich und mir!
Schaut, Herr, seht Ihr   5190
dieses herrliche Land an diesem Meer?
Befestigte Städte, starke Mauern
und viele schöne Burgen –
seht, das hat Euer Vater Kanelengres
Euch vererbt und vermacht.   5195
Nun seid tapfer und besonnen.
Was Ihr hier seht,
das werdet Ihr niemals verlieren.
Dafür verbürge ich mich.«
Nach diesen Worten wandte er sich   5200
mit übervollem Herzen und froh ab.
Heiter empfing er dann
alle Ritter einzeln.
Er fing an, sie auf vollkommene Weise
mit seinen wohlgesetzten Worten   5205
willkommen zu heißen und zu begrüßen

hie mite vuorte er s'ûf Canoêl.
die stete unde diu castêl,
diu von Canêles jâren
in sîner pflege wâren   5210
in allem dem lande,
diu gab er ûf Tristande
nâch vil getriuwelîchem site
und ouch diu sînen dâ mite,
diu in wâren an gevallen   5215
von sînen vordern allen.
Waz sol der rede nû mêre?
er haete rât und êre;
durch daz bôt er dem hêrren rât
als der, der rât und êre hât,   5220
und mit im al den sînen.
daz vlîzen und daz pînen,
daz er mit süezem muote
in allen ze guote
und alle wîs an in begie,   5225
dazn gesach mannes ouge nie.

Wie dô? wie ist mir sus geschehen?
ich hân mich selben übersehen.
wâ sint nu mîne sinne?
die guoten marschalkinne,   5230
die reinen, die staeten,
mîne vrouwen Floraeten,
daz ich die sus verswigen hân,
deist niht dâ her von hove getân.
ich sol ez aber der süezen   5235
bezzeren unde büezen:
diu höfsche, diu guote,
diu guote gemuote,
diu werdeste, diu beste,
ich weiz wol, daz si ir geste   5240
niht eine mit dem munde enpfie.

und führte sie dann auf das Schloß Kanoel.
Die Städte und Burgen,
die noch aus der Zeit Kanelengres'
in seiner Obhut waren   5210
überall im Reich,
die übergab er Tristan
nach getreulichem Brauch
zusammen mit seinen eigenen,
die er geerbt hatte   5215
von seinen Vorfahren.
Warum soll ich weiter berichten?
Er hatte Reichtümer und Ansehen.
Deshalb half er seinem Herrn
als einer, der über Ansehen und Besitz verfügt,   5220
und mit Tristan half er den Seinen.
So bemühten Eifer
wie den, dem er sich in seiner Güte
zu ihrer aller Vorteil
und auf jede Weise unterzog,   5225
hat noch niemand gesehen.

Aber wie? Wie konnte mir das unterlaufen?
Ich habe mich versehen!
Wo steht mir nur der Kopf?
Daß ich die tüchtige Marschallin,   5230
die reine und treue
Frau Floraete,
so unbeachtet gelassen habe,
das war ganz und gar nicht höflich.
Ich will es aber der Lieblichen   5235
abbitten und wiedergutmachen.
Die Höfische, die Edle,
Wohlmeinende,
Würdigste und Beste –
ich bin sicher, daß sie ihre Gäste   5240
nicht nur einfach mit Worten begrüßte.

wan swâ daz wort von munde gie,
dâ gie der süeze wille ie vor.
ir herze daz vuor rehte enbor,
als ez gevidert waere.   5245
si wâren vil einbaere
beidiu ir wille und ir wort.
ich weiz wol, daz si über bort
vil gesellecîchen giengen,
dâ sî die geste enpfiengen.   5250
diu saelige Floraete
waz vröude ir herze haete
wider ir hêrren unde ir kint,
daz kint, des disiu maere sint,
(ir sun Tristanden den mein ich)   5255
entriuwen des erkenne ich mich
an manegen unde genuogen
ir tugenden unde ir vuogen,
die ich von der saeligen las.
daz der niht ein lützel was,   5260
daz bewârte s'alsô wol,
als ein wîp allerbeste sol.
wan si schuof ir kinde
und sînem ingesinde
al die êre und daz gemach,   5265
daz ie rittern geschach.

Hie mite sô wurden besant
ze Parmenîe über al daz lant
die hêrren und diu hêrschaft,
die dâ haeten die craft   5270
der stete und der castêle.
nu die ze Canoêle
gemeinlîche kâmen,
gesâhen und vernâmen
von Tristande die wârheit,   5275
als uns daz maere von im seit

Denn wo ein Wort über ihre Lippen kam,
da war die gute Absicht bereits vorausgegangen.
Ihr Herz erhob sich,
als ob es Flügel hätte.   5245
Sie waren ein und dasselbe,
ihre Absichten und Worte.
Ich weiß, daß sie
gemeinsam überflossen,
als sie die Gäste willkommen hießen.   5250
Die brave Floraete,
wie sich ihr Herz freute
über ihren Herrn und ihr Kind,
von welchem diese Geschichte erzählt
(ich meine ihren Sohn Tristan),   5255
wahrlich, das sehe ich
an den vielen und reichlichen
Vorzügen und Tugenden,
die die Gute, wie ich las, hatte.
Daß sie davon nicht wenige besaß,   5260
das bewies sie so,
wie eine Frau es am besten kann.
Denn sie bereitete ihrem Kinde
und dessen Gefolge
all jene Ehre und Bequemlichkeit,   5265
die jemals Rittern widerfuhr.

Darauf wurde geschickt
in ganz Parmenien
nach all den Herren und Mächtigen,
die die Gewalt hatten   5270
über feste Städte und Burgen.
Als die nach Kanoel
zusammenkamen
und sahen und hörten
die Wahrheit über Tristan,   5275
wie sie die Erzählung uns berichtet

und alse ir selbe habet vernomen,
dô vlugen tûsent willekomen
von iegelîches munde.
liut unde lant begunde   5280
von langem leide erwachen
und sich ze vröuden machen,
ze wunderlîchem wunder.
sî empfiengen al besunder
ir lêhen, ir liut unde ir lant   5285
von ir hêrren Tristandes hant.
si swuoren hulde und wurden man.
hier under haete ie Tristan
den tougenlîchen smerzen
verborgen in dem herzen,   5290
der dâ von Morgâne gie.
der smerze der begab in nie
weder vruo noch spâte.
alsus gieng er ze râte
mit mâgen und mit mannen   5295
und jach, er wolte dannen
ze Britanje gâhen,
sîn lêhen enpfâhen
von sînes vîendes hant,
durch daz er sînes vater lant   5300
mit rehte haete deste baz.
diz sprach er unde tete ouch daz:
er vuor von Parmenîe
er und sîn cumpanîe
bereitet unde gewarnet wol,   5305
alse der man ze rehte sol,
der ûf angestlîche tât
ernestlîchen willen hât.

Dô Tristan ze Britanje kam,
von âventiure er dô vernam   5310
und hôrte waerlîche sagen,

und wie Ihr selbst sie vernommen habt,
da flogen tausend Willkommen
aus dem Munde eines jeden.
Reich und Bevölkerung
erwachten aus langem Schmerz
und freuten sich
über alle Maßen.
Jeder einzelne empfing
sein Lehen, sein Volk und sein Land
aus der Hand seines Herrn, Tristan.
Sie schwuren Lehenstreue und wurden Gefolgsleute.
Dabei hatte Tristan immer
den heimlichen Schmerz
im Herzen verborgen,
der von Morgan verursacht war.
Dieser Schmerz verließ ihn nie,
weder früh noch spät.
Also beriet er sich
mit seinen Freunden und Vasallen
und sagte, er wolle fort
nach Britannien reisen,
um sein Lehen zu erhalten
aus der Hand seines Feindes,
damit er das Land seines Vaters
mit um so besserem Recht besäße.
Dies sagte er und tat es auch.
Er verließ Parmenien
mit seinem Gefolge,
wohl vorbereitet und gerüstet,
wie es rechtens der tut,
der zu gefährlichen Taten
fest entschlossen ist.

Als Tristan nach Britannien kam,
hörte er zufällig
und erfuhr zuverlässig,

5280

5285

5290

5295

5300

5305

5310

Morgân der herzoge rite dâ jagen
von walde ze walde.
nû hiez er îlen balde,
die ritter sich bereiten   5315
und under ir rocke leiten
ir halsperge unde ir dinc,
und sô daz nieman keinen rinc
ûz dem gewande lieze gân.
nu diz geschach, diz was getân.   5320
und über daz leite ie der man
sîne reisekappen an
und sâzen ûf ir ors alsô.
ir gezoc hiezen si dô
stetelîche wider rîten   5325
und niemannes bîten
und teilten ir ritterschaft.
dâ wart diu groezere craft
geschicket an die widervart,
daz der gezoc waere bewart,   5330
dâ der ûf sîne strâze gie.
dô diz geschach, dô haeten die,
die mit Tristande kêrten hin,
wol drîzec ritter under in.
jene an der widerkêre   5335
wol sehzic oder mêre.
vil schiere wart, daz Tristan
hunde unde jegere sehen began.
die selben vrâgte er maere,
wâ der herzoge waere.   5340
die tâten ez im iesâ kunt.
und er des endes sâ zestunt
und vant ouch dâ vil schiere
ûf einer waltriviere
vil ritter Britûne.   5345
den wâren pavelûne
und hüten ûf daz gras geslagen,

Herzog Morgan reite auf der Jagd
durch die Wälder.
Da befahl er große Eile,
ließ die Ritter sich rüsten
und unter dem Gewand anlegen   5315
ihren Brustpanzer und ihre Rüstung,
so daß niemand auch nur einen Panzerring
durch die Kleidung sehen ließ.
Dies geschah und wurde getan.
Darüber zog jeder   5320
den Reisemantel
und setzte sich so aufs Pferd.
Ihren Troß ließen sie dann
ruhig zurückreiten
ohne anzuhalten   5325
und teilten sich in zwei Gruppen.
Die größere Menge wurde
auf den Rückweg geschickt,
um den Troß zu beschützen
auf seinem Weg.   5330
Als das geschehen war, zählten die,
die mit Tristan gingen,
zusammen gut dreißig Ritter
und die auf dem Weg zurück
etwa sechzig oder mehr.   5335
Schon bald ergab es sich, daß Tristan
Hunde und Jäger erblickte.
Diese fragte er,
wo der Herzog sei.
Sie sagten es ihm,   5340
und er ritt gleich hin.
Er fand auch sehr bald
in einer Waldgegend
viele bretonische Ritter.
Sie hatten Zelte   5345
und Hütten auf der Wiese aufgeschlagen,

dar umbe und dar în getragen
loub unde liehter bluomen vil.
ir hunde unde ir vederspil   5350
daz haeten sî ze handen.
die gruozten ouch Tristanden
und sîne rotte dâ mite
höfschlîche nâch dem hovesite.
die seiten im ouch iesâ,   5355
Morgân ir hêrre rite dâ
vil nâhen in dem walde.
dar îlten sî dô balde.
dâ vunden s'ouch Morgânen
und ûfe castelânen   5360
vil ritter Britûne haben.
nu sî begunden zuo z'im traben.

Morgân enpfie die geste,
der willen er niht weste,
vil gestlîchen unde wol,   5365
als man die geste enpfâhen sol.
sîn lantgesinde tete alsam:
ir iegelîcher der kam
gerant mit sînem gruoze.
nâch diser unmuoze,   5370
dô diz grüezen gar geschach,
Tristan ze Morgâne sprach:
»hêrre, ich bin komen dâ her
nâch mînem lêhen unde ger,
daz ir mir daz hie lîhet   5375
und mir des niht verzîhet,
des ich ze rehte haben sol.
sô tuot ir höfschlîch unde wol.«
Morgân sprach: »hêrre, saget mir,
von wannen oder wer sît ir?«   5380
Tristan sprach aber dô wider in:
»von Parmenîe ich bürtic bin

in denen und um die herum verstreut waren
Zweige und viele leuchtende Blumen.
Ihre Hunde und Jagdfalken   5350
hatten sie bei sich.
Sie begrüßten Tristan
und mit ihm seine Gruppe
höflich
und sagten ihm,   5355
ihr Herr, Morgan, ritte dort
ganz in der Nähe im Wald.
Dorthin eilten sie.
Sie fanden Morgan
und auf ihren kastilischen Pferden   5360
viele bretonische Ritter warten.
Sie trabten zu ihm hin.

Morgan empfing die Fremdlinge,
deren Absichten er nicht kannte,
gastfreundlich und gut,   5365
so wie man Gäste empfangen soll.
Die bei ihm waren, taten dasselbe.
Jeder einzelne kam
zur Begrüßung herbei.
Nach diesem Aufwand,   5370
als die Begrüßung vorüber war,
sagte Tristan zu Morgan:
»Herr, ich bin hergekommen
wegen meines Lehens, und ich möchte,
daß Ihr es mir hier verleiht   5375
und mir nicht verweigert,
was mir von Rechts wegen zusteht.
Damit würdet Ihr höfisch und gut handeln.«
Morgan erwiderte: »Sagt mir, Herr,
woher Ihr kommt und wer Ihr seid.«   5380
Tristan antwortete ihm:
»Ich bin in Parmenien geboren,

und hiez mîn vater Riwalîn.
hêrre, des erbe sol ich sîn.
ich selbe heize Tristan.«   5385
Morgân sprach: »hêrre, ir komet mich an
mit alse unnützen maeren,
daz s'alse waege waeren
verswigen alse vür brâht.
ich bin des kurze bedâht: 5390
soltet ir iht von mir hân,
des waere iu schiere state getân.
wan iu enwürre niht dar an,
ir enwaeret ein gezaeme man
einen iegelîchen êren,   5395
dar ir ez soltet kêren.
wir wizzen aber alle wol,
(diu lant sint dirre maere vol)
in welher wîse Blanschefluor
mit iuwerm vater von lande vuor,   5400
ze welhen êren ez ir kam,
wie diu vriuntschaft ende nam.«
»vriuntschaft? wie meinet ir daz?«
»ich ensage iu nû niht vür baz,
wan diser rede der ist alsô.«   5405
»Hêrre«, sprach aber Tristan dô
»bî disem maere erkenne ich mich.
ir meinet ez alsô, daz ich
niht êlîche sî geborn
und süle dâ mit hân verlorn   5410
mîn lêhen und mîn lêhenreht.«
»entriuwen, hêrre guot kneht,
dâ vür hân ichz und manic man.«
»ir redet übel« sprach Tristan
»ich wânde doch, ez waere   5415
gevellec unde gebaere,
swer dem man leide taete,
daz er mit rede doch haete

und mein Vater hieß Riwalin.
Sein Erbe soll ich sein, Herr.
Ich selbst heiße Tristan.«   5385
Morgan sagte: »Herr, Ihr kommt mir
mit sinnlosen Geschichten,
die Ihr ebensogut
verschweigen könntet wie vorbringen.
Ich muß da nicht lange nachdenken: 5390
Wenn Euch etwas von mir zustände,
dann würdet Ihr es schnell erhalten.
Denn nichts stünde Euch entgegen,
würdig zu sein
aller Ehren,   5395
nach denen Ihr streben solltet.
Jedoch wissen wir alle,
und das Reich ist voll mit dieser Geschichte,
wie Blanscheflur
mit Eurem Vater davonlief,   5400
welches Ansehen sie sich erwarb
und wie diese Liebschaft endete.«
»Liebschaft? Wie meint Ihr das?«
»Mehr sage ich Euch dazu nicht,
denn so ist es gewesen.«   5405
Da sagte Tristan: »Herr,
ich verstehe, was Ihr sagen wollt.
Ihr meint also, daß ich
unehelich geboren wurde
und dadurch verloren habe   5410
mein Lehen und Recht auf ein Lehen.«
»So ist es, guter Mann.
Das glaube ich, und viele andere glauben es auch.«
»Ihr redet verleumderisch«, sagte Tristan.
»Ich war der Meinung, es sei   5415
schicklich und gebührend,
jemandem, dem man Schaden zufügt,
zumindest mündlich entgegenzubringen

sin unde vuoge wider in.
haetet ir nu vuoge unde sin,   5420
sô leide als ir mir habet getân,
ir möhtet mich doch rede erlân,
diu niuwe swaere wecket
und alte schulde recket.
ir sluoget mir den vater doch.   5425
hie mite endunket iuch noch
mînes leides niht genuoc,
irn jehet, mîn muoter, diu mich truoc,
diu trüege mich kebeslîche.
sem mir got der rîche!   5430
ich weiz wol, sô manc edele man,
des ich hie niht genennen kan,
sîne hende mir gevalten hât.
und haeten sî dise untât,
der ir dâ jehet, an mir erkant,   5435
ir keiner haete sîne hant
zwischen die mîne nie geleit.
die wizzen wol die wârheit,
daz mîn vater Riwalîn
mîne muoter an daz ende sîn   5440
brâhte vür ein êlîch wîp.
ist daz ich daz ûf iuwern lîp
bewaeren unde bereden sol,
entriuwen daz berede ich wol.«
»ûz« sprach Morgân »in gotes haz!   5445
iuwer bereden waz sol daz?
iuwer slac engât ze keinem man,
der ie ze hove reht gewan.«
»diz wirt wol schîn« sprach Tristan.
er zucte swert und rande in an.   5450
er sluoc im obene ze tal
beidiu hirne und hirneschal,
daz ez im an der zungen want.
hie mite sô stach er ime zehant

Vernunft und Anstand.
Besäßet Ihr Vernunft und Anstand,   5420
würdet Ihr doch, so sehr Ihr mir geschadet habt,
zumindest nicht solche Dinge sagen,
die alte Wunden aufreißen
und alte Schuld vergrößern.
Ihr habt meinen Vater erschlagen.   5425
Damit glaubt Ihr noch immer
meinen Kummer nicht schwer genug.
Nun sagt Ihr, meine Mutter, die mich gebar,
habe mich unehelich geboren.
Bei Gott dem Allmächtigen!   5430
Ich weiß, daß viele vornehme Männer,
deren Namen ich hier gar nicht aufzählen kann,
mir den Lehnseid geschworen haben.
Und wenn sie jenen Makel,
von dem Ihr sprecht, an mir gekannt hätten,   5435
hätte keiner von ihnen seine Hand
in meine gelegt.
Die wissen genau, wie es wirklich war,
daß nämlich mein Vater Riwalin
meine Mutter vor seinem Tod   5440
zu seiner Ehefrau gemacht hat.
Wenn ich Euch das
beweisen und belegen soll,
kann ich das wahrlich leicht tun.«
»Schluß jetzt, zum Teufel«, sagte Morgan.   5445
»Was sollen Eure Beweise?
Euer Schwert soll niemanden treffen,
der je zum Hofe gehörte.«
»Das werden wir ja sehen«, sagte Tristan.
Er zog das Schwert und ging auf ihn los.   5450
Er schlug ihm von oben
durch Schädeldecke und Hirn
bis hin zur Zunge.
Darauf stach er ihm sofort

daz swert gein dem herzen în.   5455
dô wart diu wârheit wol schîn
des sprichwortes, daz dâ giht,
daz schulde ligen und vûlen niht.

Morgânes cumpanjûne,
die vrechen Britûne,   5460
die enkunden ime dâ niht gevromen
noch ze helfe im nie sô schiere komen,
ern laege an dem valle.
iedoch sô wâren s'alle,
als sî dô mohten, an ir wer.   5465
ir wart vil schiere ein michel her.
die ungewarneten man
si kâmen alle ir vînde an
mit manlîchem muote.
warnunge unde huote   5470
der nam dâ lützel ieman war,
wan drungen et mit hûfen dar
und tâten s'alle mit gewalt
ûz hin ze velde vür den walt.
hie huop sich ein michel ruoft,   5475
michel weinen unde wuoft.
alsus vlouc Morgânes tôt
mit maneger hande clagenôt,
als ob er vlücke waere.
er seite leidiu maere   5480
ûf die bürge und in daz lant.
in dem lande vlouc zehant
niht wan daz eine clagewort:
»â noster sires, il est mort!
welch rât wirt des landes nuo?   5485
nu zieren helde, kêret zuo
von steten und von vesten
gelônen disen gesten,
des s'uns ze leide haben getân!«

das Schwert ins Herz.   5455
Da erwies sich die Wahrheit
des Sprichwortes, das besagt,
daß Schuld zwar ruht, aber nicht fault.

Morgans Begleiter,
die kühnen Bretonen,
konnten ihm nicht beistehen   5460
oder schnell genug helfen,
um seinen Tod zu verhindern.
Trotzdem griffen sie alle,
soweit sie konnten, zu den Waffen.
Bald waren sie eine starke Streitmacht.   5465
Die überraschten Männer
drangen auf ihre Feinde ein
mit mannhafter Kühnheit.
Auf Vorbereitung und Schutz   5470
achtete da niemand.
In Scharen stürmten sie heran
und trieben sie alle mächtig
über das Feld hin zum Walde.
Da erhob sich großes Geschrei,   5475
lautes Weinen und Wehklagen.
So verbreitete sich die Kunde von Morgans Tod
unter großer Trauer,
als ob sie Flügel hätte.
Die traurige Nachricht gelangte   5480
zu den Burgen und ins ganze Reich.
Alsbald ging überall im Lande
nur die eine Klage um:
»Weh, unser Herr ist tot!
Was geschieht nun mit dem Reich?   5485
Nun, tapfere Helden, kommt
aus Städten und Burgen
und zahlt diesen Fremden heim,
was sie uns angetan haben!«

sus liezen s'ûf ir rucke gân   5490
mit staeteclîchem strîte;
ouch vunden s'alle zîte
an ir gesten vollen strît.
die kêrten ie ze maneger zît
mit einer ganzen rotte wider   5495
und wurfen manigen dâ nider
und wâren doch ie vliehende
und allez wider ziehende,
dâ sî dâ westen ir craft.
sus kâmen s'ûf ir ritterschaft.   5500
dâ nâmen s'ouch herberge
ûf einem vesten berge,
dar ûfe was ir wesen die naht.
der nehte wart des landes maht
sô starc und alsô veste,   5505
daz s'aber ir leiden geste,
als schiere als ez wart tagende,
mit gewalte wurden jagende
und manegen nider stâchen,
den hûfen dicke brâchen   5510
mit speren und mit swerten,
diu dâ niht lange werten.
dâ wâren swert unde sper
deiswâr in harte kurzer wer.
ir wart dâ manigez vertân,   5515
so s'in die rotte liezen gân.
ouch was daz lützele her
sô vrechlîche an sîner wer,
daz dâ vil michel schade geschach,
dâ man in in den hûfen brach.   5520
die schar die wurden beider sît
ze einer und ze maneger zît
mit grôzem schaden überladen.
si nâmen unde tâten schaden
vil schedelîche an manegem man.   5525

Und so verfolgten sie sie   5490
mit beständigen Angriffen.
Stets aber trafen sie
bei den Fremden auf heftige Gegenwehr.
Die machten sogar häufig
mit der ganzen Schar Gegenangriffe   5495
und warfen viele nieder.
Zugleich waren sie auf der Flucht
und zogen sich dorthin zurück,
wo sie ihre Truppe wußten.
So trafen sie auf die übrigen Ritter.   5500
Da lagerten sie sich
auf einem gut gesicherten Berg
und verbrachten dort die Nacht.
Über Nacht wurde das Landheer
so stark und mächtig,   5505
daß sie erneut die verhaßten Fremden,
als es kaum Tag war,
machtvoll vor sich hertrieben,
viele niedermachten
und oft in die Schar einbrachen   5510
mit Schwertern und Lanzen,
die allerdings bald verbraucht waren.
Schwerter und Lanzen hielten dort
wahrlich nur kurze Zeit.
Viele wurden verbraucht,   5515
wenn sie sie auf die Schar warfen.
Zudem war die kleine Streitmacht
so tapfer bei der Verteidigung,
daß es viele Verluste gab,
wenn die Gegner in die Gruppe einbrachen.   5520
Beide Parteien des Kampfes erlitten
immer wieder
schwere Verluste.
Sie erlitten und brachten
sehr verderblich Unglück für viele.   5525

sus triben si'z mit ein ander an,
biz daz daz innere her
begunde swachen an der wer,
wan in gienc abe und jenen zuo.
die mêrten sich spâte unde vruo   5530
an ir state und an ir maht,
sô daz si dannoch vor der naht
besâzen aber die geste
in einer wazzerveste,
dâ sich die geste ûz werten   5535
und sich die naht dâ nerten.
sus was daz her besezzen,
mit her al umbemezzen,
als ez beziunet waere.
die vremeden sorgaere,   5540
Tristan unde sîne man,
nu wie geviengen s'ir dinc an?
daz sage ich iu, wie ez in ergie,
wie sich ir sorge zerlie,
wie sî von dannen kâmen,   5545
sige an ir vînden nâmen.

Tristan dô der von lande schiet,
als ime sîn rât Rûal geriet,
sîn lêhen dâ z'enpfâhene
und iesâ wider ze gâhene,   5550
sît des lac z'allem mâle
dem saeligen Rûâle
der selbe wân ze herzen ie,
reht alse ez ouch Tristande ergie.
iedoch geriet er die geschiht   5555
umbe Morgânes schaden niht.
hundert ritter er besande
und kêrte nâch Tristande
eben unde rehte ûf sîne vart.
unlanges und vil schiere ez wart,   5560

So trieben sie es miteinander,
bis das umzingelte Heer
in der Kampfkraft nachließ,
denn es nahm ab und die Gegner nahmen zu.
Die verstärkten von früh bis spät   5530
ihre Zahl und Gewalt so sehr,
daß sie noch vor Einbruch der Nacht
die Eindringlinge erneut belagerten
in einer Wasserfestung,
in der sich die Fremden verteidigten   5535
und die Nacht überlebten.
So wurde das Heer belagert und
mit Truppen umgeben,
als ob es eingezäunt wäre.
Die bedrängten Fremdlinge,   5540
Tristan und die Seinen,
was taten sie nun?
Ich berichte Euch, wie es ihnen erging,
wie ihre Bedrängnis schwand,
wie sie davonkamen   5545
und ihre Feinde besiegten.

Nachdem Tristan aufgebrochen war,
wie sein Ratgeber Rual ihm nahegelegt hatte,
um sein Lehen zu empfangen
und dann wieder heimzukehren,   5550
seitdem bedrückte unentwegt
dem edlen Rual
die Sorge das Herz,
wie es Tristan ergangen sein möge.
Er hatte aber   5555
nicht zur Tötung Morgans geraten.
Er versammelte hundert Ritter
und fuhr Tristan nach,
auf genau derselben Route.
Schon bald danach   5560

daz er ze Britanje kam.
vil rehte er al zehant vernam,
wie ez gevaren waere.
und nâch des landes maere
sô nam er sîner reise ein mez   5565
ze den Britûnen ûf daz sez.
nu sî begunden nâhen,
daz sî die vînde sâhen,
do enwart an ir rotte
ir keinem ze spotte   5570
weder nâch noch niender abe gezogen.
si kâmen alle samet gevlogen
mit vliegenden banieren.
dâ wart michel crôieren
under ir massenîe: 5575
»schevelier Parmenîe!
Parmenîe schevelier!«
dâ jagete banier und banier
schaden und ungevüere
durch die hütesnüere.   5580
si tâten die Britûne
durch ir pavelûne
mit toedegen wunden.
nu die inneren begunden
ir lantbaniere erkennen,   5585
ir zeichen hoeren nennen,
si begunden ir rûm wîten,
ûz an die wîte rîten.
Tristan lie vaste strîten gân.
dâ wart michel schade getân   5590
an den lantgesellen.
vâhen unde vellen,
slahen unde stechen,
daz begunde ir schar durchbrechen
ze beiden sîten in dem her   5595
und brâhte s'ouch daz ûzer wer,

erreichte er Britannien.
Sogleich erfuhr er,
was geschehen war.
Und entsprechend den Nachrichten, die er dort hörte,
wandte er sich   5565
den Bretonen und der Belagerung zu.
Als sie sich näherten
und die Feinde erblickten,
da wollte sich in ihrer Schar
keiner der Schmach aussetzen,   5570
zurückzubleiben oder seitlich abzukommen.
Gemeinsam flogen sie heran
mit fliegenden Fahnen.
Es erhob sich lautes Rufen
in ihrer Menge: 5575
»Ritter aus Parmenien!
Aus Parmenien Ritter!«
Wimpel auf Wimpel raste da,
Unheil und Verderben verbreitend,
durch das Lager.   5580
Sie fügten den Bretonen
inmitten ihrer Zelte
tödliche Wunden zu.
Als die Eingekesselten
ihre Landesfahnen sahen   5585
und ihre Parolen hörten,
machten sie einen Ausfall
und ritten ins Freie.
Tristan begann einen heftigen Kampf.
Da widerfuhr arges Unheil   5590
den Einheimischen mit
Fangen und Niederhauen,
Schlagen und Stechen.
Ihre Linien wurden durchbrochen
von beiden Seiten.   5595
Außerdem lähmte es ihre Kampfkraft,

daz die zwô cumpanîe
»schevelier Parmenîe!«
sô vil geriefen unde getriben.
des wâren s'âne wer beliben.   5600
under in was wer noch kêre
noch keines strîtes mêre
wan tuschen unde vliehen,
zogen unde ziehen
wider bürge und wider walt.   5605
der strît der wart dâ manicvalt.
ir vluht was ir meistiu wer
und vür den tôt ir bestiu ner.

Nu disiu schunfentiure ergie,
diu ritterschaft sich nider lie   5610
und nâmen herberge sâ.
und die von ir gesinde dâ
ze velde lâgen erslagen,
die hiezen sî ze grabe tragen.
jene, die dâ wunt wâren,   5615
die hiezen sî ûf bâren
und kêrten wider ze lande.
hie mite sô was Tristande
sîn lêhen und sîn sunderlant
verlihen ûz sîn selbes hant.   5620
er was von dem hêrre unde man,
von dem sîn vater nie niht gewan.
sus haete er sich verrihet
und al sîn dinc beslihtet:
verrihet an dem guote,   5625
beslihtet an dem muote.
sîn unreht daz was allez reht,
sîn swaerer muot lîht unde sleht.
er haete dô ze sîner hant
sînes vater erbe und al sîn lant   5630
unversprochenlîche unde alsô,

daß die beiden Teilheere
»Ritter aus Parmenien!«
ohne Unterlaß schrien.
Das machte sie wehrlos.   5600
Sie hatten weder Schutz noch Gegenwehr
noch auch Kampfgeist.
Sie wollten nur noch sich verbergen und retten,
rennen und laufen
zu den Burgen und in den Wald.   5605
Die Schlacht wurde ungleich.
Flucht war ihre beste Verteidigung
und die sicherste Rettung vor dem Tod.

Als die Niederlage der Feinde feststand,
ließen die Ritter sich dort nieder   5610
und schlugen ihr Lager auf.
Ihre Angehörigen,
die erschlagen auf dem Felde lagen,
ließen sie beerdigen.
Die Verwundeten   5615
ließen sie auf Bahren legen
und kehrten wieder heim.
Damit hatte sich Tristan
sein Lehen und ein weiteres Reich
selbst verliehen.   5620
Er war Gebieter und Gefolgsmann eines Mannes,
von dem sein Vater nie etwas errungen hatte.
So hatte er sein Recht durchgesetzt
und seine Angelegenheiten geordnet,
›durchgesetzt‹ in bezug auf Besitz,   5625
›geordnet‹ in bezug auf seine Gefühle.
Das Unrecht war zu völligem Recht geworden,
sein bekümmertes Gemüt leicht und froh.
Er hielt in seiner Hand
das Erbe seines Vaters und sein ganzes Land,   5630
unangefochten und so,

daz nieman in den zîten dô
ansprâche haete an kein sîn guot.
hie mite sô kêrte er sînen muot,
als ime gebôt und ime geriet   5635
sîn oeheim, dô er von im schiet,
hin wider ze Curnewâle
und enmohte ouch von Rûâle
niht gewenden sîn gemüete,
der alsô manege güete   5640
mit veterlîcher staete
an ime erzeiget haete.
sîn herze daz lac starke
an Rûal unde an Marke.
an disen zwein was al sîn sin.   5645
der sin stuont ime her unde hin.
Nu spreche ein saeliger man:
der saelige Tristan
wie gewirbet er nû hie zuo,
daz er in beiden rehte tuo   5650
und lône ietwederem, alse er sol?
iuwer iegelîch der weiz daz wol:
ern kan daz niemer bewarn,
ern müeze ir einen lâzen varn
und bî dem andern bestân.   5655
lât hoeren, wie sol ez ergân?
vert er ze Curnewâle wider,
sô leit er Parmenîe nider
an aller sîner werdekeit
und ist ouch Rûal nider geleit   5660
an vröuden unde an muote,
an allem dem guote,
von dem sîn wunne solte gân.
und wil er aber dâ bestân,
sone wil er sich niht kêren   5665
ze hoeheren êren
und übergât ouch Markes rât,

daß niemand zu jener Zeit
auf seinen Besitz Anspruch angemeldet hätte.
Danach richtete er seine Gedanken,
wie ihm auftrug und riet   5635
sein Onkel, als er fortging von ihm,
wieder auf Cornwall.
Er konnte aber auch von Rual
sein Herz nicht wegwenden,
der so viel Edelmut   5640
mit väterlicher Treue
an ihm bewiesen hatte.
Sein Herz hing innig
an Rual und an Marke.
Diesen beiden galten alle seine Gefühle.   5645
Sein Gefühl warf ihn hin und her.
Ein gütiger Mann möge nun sagen:
Was soll der edle Tristan
hierbei nun tun,
damit er beiden gerecht wird   5650
und jeden so belohnt, wie er muß?
Jeder von Euch weiß genau,
daß er es nicht abwenden kann:
Er muß einen von ihnen verlassen
und bei dem anderen bleiben.   5655
Sagt mir, wie soll das gehen?
Wenn er nach Cornwall zurückfährt,
vermindert er Parmenien
in seinem Wert
und trübt auch Ruals   5660
Glück und Gefühl
und seine Lust an dem Besitz,
über den er sich doch freuen sollte.
Wenn er aber bleibt,
dann verzichtet er   5665
auf höheres Ansehen
und befolgt nicht Markes Rat,

an dem al sîn êre stât.
wie sol er sich hier an bewarn?
weiz got dâ muoz er wider varn.   5670
daz sol man ime billîchen.
er sol an êren rîchen
und stîgen an dem muote,
wil ez sich ime ze guote
und ouch ze saelden kêren.   5675
er sol wol aller êren
billîche muoten unde gern.
wil ouch in saelde der gewern,
des hât sî reht, daz sî daz tuo,
wan al sîn muot der stât dar zuo.   5680

Tristan der sinnerîche
der kam vil sinneclîche
sînes willen über ein,
daz er sich sînen vetern zwein
als ebene teilen wolte,   5685
als man in snîden solte.
sich selben teilet er inzwei
gelîche und ebene alse ein ei
und gab ir ietwederem daz,
daz er wiste, daz im baz   5690
an allen sînen dingen kam.
swer nû die teile nie vernam,
die man an ganzem lîbe hât,
dem sage ich, wie diu teile ergât:
dane hât nieman zwîvel an,   5695
zwô sache enmachen einen man,
ich meine lîp, ich meine guot.
von disen zwein kumt edeler muot
und werltlîcher êren vil.
der aber diu zwei scheiden wil,   5700
sô wirt daz guot ein armuot.
der lîp, dem nieman rehte tuot,

von dem sein ganzes Ansehen abhängt.
Wie kann er sich hier verhalten, ohne Schaden zu nehmen?
Weiß Gott, er muß wieder dorthin. 5670
Das soll man ihm verstehend zubilligen.
Sein Ansehen muß wachsen,
seine Gesinnung sich noch erhöhen,
wenn sich das zu seinem Vorteil
und auch zu seinem Glücke auswirken soll. 5675
Er soll durchaus nach Ansehen
rechtens trachten und streben.
Wenn das Glück ihm all das zugesteht,
dann hat es recht damit,
denn einzig danach steht ihm der Sinn. 5680

Der kluge Tristan
kam besonnen
zu dem Entschluß,
daß er sich für seine beiden Väter
so teilen wollte, 5685
als ob man ihn durchschnitte.
Er halbierte sich
genau und wie ein Ei
und gab jedem den Teil,
von dem er wußte, daß er ihm am besten 5690
zustatten kam.
Wer nun noch nie von einer Teilung gehört hat,
die die ganze Person betrifft,
dem sage ich, wie man sie vornimmt.
Niemand bezweifelt, 5695
daß ein Mann aus zwei Dingen besteht:
aus seiner Persönlichkeit und seinem Besitz.
Aus diesen beiden entsteht vornehme Gesinnung
und Ansehen in der Welt.
Wenn man aber beide voneinander trennt, 5700
verwandelt man Wohlstand in Armut.
Ein Mann, den niemand achtet,

der kumt von sînem namen dervan,
und wirt der man ein halber man
und doch mit ganzem lîbe.   5705
als habet iu von dem wîbe:
ez sî man oder wîp,
sô muoz ie guot unde lîp
mit gemeinlîchen sachen
einen ganzen namen machen.   5710
und werdent s'aber gescheiden,
sone ist niht an in beiden.

Dise rede die huop Tristan
rîche unde willeclîchen an
und ante s'ouch mit sinnen: 5715
er hiez ime gewinnen
schoeniu ros und edele wât,
spîse und anderen rât,
des man ze hôhgezîten pflît,
und machete eine hôhgezît.   5720
dar ladete er unde besande
die besten von dem lande,
an den des landes craft dô stuont.
die tâten, als die vriunde tuont,
und kâmen, alse in wart geseit.   5725
nû was ouch Tristan bereit
mit allen sînen dingen.
er gap zwein jungelingen,
sînes vater Rûâles sünen, swert,
wan er ir z'erben haete gert   5730
nâch ir vater Rûâle.
und swaz er zuo dem mâle
z'ir wirde und z'ir êren
sîner koste mohte kêren,
dâ haete er spâte unde vruo   5735
als inneclîchen willen zuo,
als ob sî waeren sîniu kint.

verliert dadurch seine Würde,
und so zählt dieser Mann nur noch halb,
auch wenn er unversehrt ist.   5705
Das gilt ebenso für Frauen.
Ob Mann oder Frau:
Immer werden Besitz und Person
gemeinsam
die ganze Persönlichkeit ausmachen.   5710
Werden sie aber getrennt,
bleibt von beiden nichts.

Diese Angelegenheit nahm Tristan
kraftvoll und entschieden in Angriff
und brachte sie klug zu einem Ende.   5715
Er ließ sich bringen
schöne Pferde und prächtige Kleider,
Speisen und andere Dinge,
die man bei Festen benötigt,
und veranstaltete ein Fest.   5720
Er ließ einladen
die Vornehmsten des Reiches,
von denen das Wohl des Reiches abhing.
Sie handelten wie Freunde
und kamen wie gebeten.   5725
Auch Tristan hatte
alles vorbereitet.
Er verlieh zwei Knaben,
den Söhnen seines Vaters Rual, das Ritterschwert,
denn er wollte, daß sie Erben sein sollten   5730
nach dem Tode ihres Vaters.
Und was er zu diesem Anlaß
für ihre Würde und ihr Ansehen
an Ausgaben aufwenden konnte,
darum bemühte er sich von früh bis spät   5735
mit hingegebener Entschiedenheit,
so als ob es seine Kinder seien.

nu daz sî ritter worden sint
und zwelf gesellen mit in zwein,
nu was der zwelf gesellen ein   5740
Curvenal der hovelîche.
Tristan der tugende rîche
nam sîne bruoder an die hant,
wan ez ime ze höfscheit was gewant,
und vuorte sî bihanden dan.   5745
sîne mâge unde sîne man
und alle, die dâ wâren
von sinnen oder von jâren
oder aber von in beiden
betrehtic unde bescheiden,   5750
die wurden alle zehant
ze hove geladet unde besant.
nu hêrre, die sint alle dâ.
Tristan stuont ûf vor in sâ.
»ir hêrren alle« sprach er z'in   5755
»den ich iemer gerne bin
mit triuwen und mit durnehtekeit
an allem dienste bereit,
als verre alse ich iemer kan,
mîne mâge und mîne liebe man,   5760
von der genâden ich ez hân,
swaz mir got êren hât getân,
von iuwer helfe hân ich mich
verrihtet alles, des ich
in mînem herzen gerte.   5765
swie mich's got gewerte,
sô weiz ich doch wol, daz ez ie
von iuwer vrümede vollegie.
waz mag ich nu mêre sagen?
ir habet in disen unmangen tagen   5770
iuwer êre und iuwer saelekeit
sô manege wîs an mich geleit,
daz ich des keinen zwîvel hân,

Als sie zu Rittern geschlagen wurden
und mit ihnen zwölf weitere Gefährten,
war einer von diesen zwölf Gefährten   5740
der höfische Kurvenal.
Der vortreffliche Tristan
nahm seine Brüder bei der Hand,
weil seine höfische Erziehung ihm das eingab,
und führte sie selbst weg.   5745
Seine Angehörigen und Vasallen
und alle, die
– aufgrund ihrer Begabung oder ihres Alters
oder wegen beidem –
verständig und vernünftig waren,   5750
wurden sogleich alle
zum Hofe gerufen und eingeladen.
Nun sind sie alle da, Ihr Herren.
Tristan erhob sich vor ihnen
und sagte: »Ihr Herren,   5755
denen ich auf ewig mit Freuden
aufrichtig und loyal
dienen will,
soweit ich es kann,
Verwandte und geschätzte Gefolgsleute,   5760
deren Gunst ich alles verdanke,
was Gott mir an Ehren gegeben hat,
mit Eurer Hilfe habe ich
alles geregelt, wonach ich
mich sehnte.   5765
Obwohl Gott es mir gewährt hat,
weiß ich genau, daß es sich durch
Eure Tüchtigkeit erfüllt hat.
Was soll ich weiter sagen?
Ihr habt in diesen paar Tagen   5770
Eure Ehrenhaftigkeit und Rechtschaffenheit
mir so vielfältig zuteil werden lassen,
daß ich nicht zweifele:

disiu werlt diu enmüeze ê zergân,
ê ir mir iemer keine zît   5775
mînes willen wider gesît.
Vriunt unde man und alle die,
die durch mînen willen hie
oder durch ir selber tugende sîn,
nu lâzet iu die rede mîn   5780
niht sêre missevallen.
ich künde und sage iu allen,
als Rûal mîn vater, der hie stât,
gesehen und ouch gehoeret hât:
daz mir mîn oeheim sîn lant   5785
gesetzet hât in mîne hant
und wil ouch durch den willen mîn
êlîches wîbes âne sîn,
durch daz ich sîn erbe sî,
und wil, daz ich im wone bî,   5790
swâ er sî oder swar er var.
nû hân ich mich bewegen dar
und stât mir al mîn muot dar zuo,
daz ich al sînen willen tuo
und wider zuo z'im kêre.   5795
mîn urbor und mîn êre,
die ich in disen landen hân,
die wil ich lîhen unde lân
mînem vater Rûâle,
ob mir'z ze Curnewâle   5800
iht anders danne wol ergê,
sweder ich sterbe oder dâ bestê,
daz ez sîn erbelêhen sî.
sô stânt ouch sîne süne hie bî
und mit im ander sîniu kint.   5805
die aber sîn erben vürbaz sint,
die haben alle reht dar an.
mîne man und mîne dienestman,
diu lêhen über allez lant

Diese Welt würde eher in Stücke fallen,
als daß Ihr mir irgendwann   5775
einen Wunsch abschlüget.
Freunde, Gefolgsleute und alle,
die um meinetwillen
und wegen ihrer eigenen Vorzüge hier sind,
laßt Euch meine Worte nun   5780
nicht allzusehr mißfallen.
Ich sage und verkünde Euch allen,
was mein Vater Rual, der hier steht,
gesehen und auch gehört hat:
daß mein Onkel sein Land   5785
meiner Verfügungsgewalt übergeben hat
und um meinetwillen
ledig bleiben will,
damit ich sein Erbe würde,
und daß er will, daß ich bei ihm lebe,   5790
wo immer er ist oder hingeht.
Nun habe ich mich entschlossen
und will
seinem Wunsche nachkommen
und zu ihm zurückkehren.   5795
Meine Steuereinnahmen und Erträge,
die ich in diesem Reiche habe,
verleihe und überlasse ich
meinem Vater Rual.
Wenn es mir in Cornwall   5800
schlecht ergeht,
ob ich nun dort sterbe oder bleibe,
dann soll es sein Erblehen sein.
Da stehen auch seine Söhne
und seine anderen Kinder.   5805
Alle seine Nachkommen sollen künfthin
ein Anrecht darauf haben.
Meine Vasallen und Diener
sowie die Lehnsherrschaft über das Reich

diu wil ich haben ze mîner hant   5810
al mîniu jâr und mîne tage.«
hie wart grôz jâmer unde clage
under aller dirre ritterschaft.
si wurden alle unherzehaft.
ir muot, ir trôst was aller hin.   5815
»â hêrre« sprâchen s'under in
»nu waere uns michel baz geschehen,
und haete wir iuch nie gesehen.
sone waere ouch disses leides niht,
daz uns nû von iu geschiht.   5820
hêrre, unser trôst und unser wân
der was alsô hin z'iu getân,
uns waere ein leben an iu gegeben.
nein leider unser aller leben,
daz wir ze vröuden solten haben,   5825
daz ist erstorben unde begraben,
swenne ir von hinnen kêret.
hêrre, ir habt uns gemêret
und niht geminret unser leit.
unser aller saelekeit   5830
diu was ein lützel ûf gestigen
und ist nu wider nider gesigen.«
ich weiz ez wârez alse den tôt,
swie starc ir aller clagenôt
und swie grôz ir swaere   5835
von disem maere waere –
Rûal, dem ez ze guote ergienc,
der grôze vrume dâ von enpfienc
und michel êre an guote,
daz ez im in dem muote   5840
unsanfter danne in allen tete.
er enpfieng ein lêhen an der stete,
weiz got daz er dekeinez nie
mit solhem jâmer enpfie.

will ich in meiner Hand behalten, 5810
solange ich lebe.«
Da erhob sich großes Jammern
bei allen Rittern.
Sie wurden alle verzagt
und verloren völlig ihre Zuversicht und Hoffnung. 5815
»Ach, Herr«, sagten sie,
»es wäre viel besser gewesen,
wenn wir Euch nie gesehen hätten.
Dann litten wir auch jetzt nicht diesen Schmerz,
den Ihr uns verursacht. 5820
Herr, unsere Hoffnung und unser Wünschen
waren ganz darauf gerichtet,
daß Ihr immer bei uns bleiben würdet.
Aber nein, zu unserem Kummer ist unser aller Leben,
an dem wir uns doch freuen sollten, 5825
abgestorben und begraben,
wenn Ihr fortgeht.
Herr, Ihr habt vergrößert
und nicht vermindert unseren Jammer.
Unser aller Glück 5830
war ein wenig aufgerichtet
und ist nun wieder herabgesunken.«
Ich weiß ganz gewiß:
Wie schwer auch immer ihr Kummer,
wie groß ihre Trauer 5835
über diese Nachricht auch war –
den Marschall, zu dessen Vorteil es geschah,
der großen Nutzen dadurch errang
und viel äußerliches Ansehen,
Rual schmerzte das in seinem Herzen 5840
heftiger als alle anderen.
Er erhielt dort ein Lehen,
aber – weiß Gott! – noch nie hatte er eines
mit solcher Trauer entgegengenommen.

Nu Rûal unde sîniu kint 5845
belêhent unde g'erbet sint
von ir hêrren Tristandes hant,
Tristan ergab liut unde lant
gote und vuor von lande.
ouch kêrte mit Tristande 5850
Curvenal sîn meister dan.
Rûal und ander sîne man,
daz lantliut al gemeine,
ob ir clage iht cleine
unde ir herzeswaere 5855
nâch ir trûthêrren waere?
entriuwen daz verweiz ich wol:
Parmenîe daz was vol
clage unde clagemaere.
ir clage was sagebaere. 5860
diu marschalkîn Floraete,
diu triuwe und êre haete,
diu leite marter an ir lîp
als mit allem rehte ein wîp,
der got ein gerehtez leben 5865
an wîbes êren hât gegeben.

Rual und seine Kinder   5845
erhielten nun Lehen und Erbe
aus der Hand ihres Herren, Tristan.
Tristan überantwortete Reich und Volk
dem Willen Gottes und fuhr davon.
Mit Tristan ging   5850
sein Lehrer Kurvenal.
Rual und seine anderen Vasallen
und das ganze Volk –
ob ihre Trauer
und ihr Schmerz klein war   5855
über ihren Herrn?
Das weiß ich wahrlich genau:
Parmenien war voll
von Jammern und Klagen.
Ihre Trauer war begründet.   5860
Die Marschallin Floraete,
die ehrenhaft und treu war,
marterte sich,
wie eine Frau es völlig zu Recht tut,
der Gott ein Leben geschenkt hat,   5865
das ihrer Ehre als Frau angemessen ist.

Tristans Kampf mit Morold: Überfahrt zur Werder; Zwei-
kampf; Morolds Tod und Tristans Rückkehr zum Festland

Waz leite ich nu mê hier an?
der lantlôse Tristan,
dô der ze Curnewâle kam,
ein maere er al zehant vernam,   5870
daz ime vil swaere was vernomen:
daz von Îrlande waere komen
Môrolt der sêre starke
und vorderte von Marke
mit kampflîchen handen   5875
den zins von beiden landen,
von Curnwal und von Engelant.
umbe den zins was ez sô gewant:
der dô z'Îrlanden künic was,
als ich'z an der istôrje las   5880
und als daz rehte maere seit,
der hiez Gurmûn Gemuotheit
und was geborn von Affricâ
und was sîn vater künic dâ.
dô der verschiet, dô viel daz lant   5885
an in und sînes bruoder hant,
der als wol erbe was als er.
Gurmûn was aber sô rîcher ger
und alse hôhe gemuot,
daz er dekein gemeine guot   5890
mit niemanne wolte hân.
sîn herze enwolte in niht erlân,
ern müese selbe ein hêrre wesen.
er begunde ûz welen unde ûz lesen
die starken, die muotvesten   5895
und zuo der nôt die besten,
die ieman erkande,
ritter und sarjande,
die er mit sînem guote

X. Morold

Wie soll ich nun noch erzählen?
Als der landlose Tristan
nach Cornwall kam,
erhielt er sogleich eine Nachricht,   5870
die ihn sehr betrübte:
Aus Irland sei gekommen
der überaus gewaltige Morold
und forderte nun von Marke
unter Kriegsandrohung   5875
für beide Länder Zins,
für Cornwall und England.
Mit dem Zins verhielt es sich so:
In Irland herrschte damals ein König,
wie ich in der Geschichte las   5880
und wie die Erzählung besagt,
der hieß Gurmun der Kühne.
Er war in Afrika geboren,
und sein Vater war dort König.
Als der verstarb, da fiel das Reich   5885
an ihn und seinen Bruder,
der ebenfalls Erbe war.
Aber Gurmun war so herrschsüchtig
und so stolz,
daß er seinen Besitz   5890
mit niemandem teilen wollte.
Sein Herz ließ ihm keine Ruhe:
Er selbst wollte der Herrscher sein.
Er suchte sich
die stärksten, tapfersten   5895
und für den Kampf besten Männer aus,
die irgend jemand kannte,
Ritter und Knappen,
die er durch seinen Reichtum

oder mit höfschlîchem muote   5900
zuo z'ime gewinnen kunde,
und liez ouch an der stunde
sînem bruoder al sîn lant.
sus kêrte er dannen zehant
und nam von den maeren,   5905
den gewaltegen Rômaeren
urloup unde botschaft,
swaz er betwünge mit craft,
daz er daz z'eigen haete
und ouch in dâ von taete   5910
eteslîch reht und êre.
und enbeite ouch dô niemêre.
er vuor mit eime starken her
über lant und über mer,
biz daz er z'Îrlande kam   5915
und an dem lande sige genam
und sî mit strîte des betwanc,
daz sî'n ze hêrren âne ir danc
und ze künege nâmen
und sît her dar an kâmen,   5920
daz s'ime z'allen zîten
mit stürmen und mit strîten
diu bîlant hulfen twingen.
in disen selben dingen
betwanc er ouch ze sîner hant   5925
Curnewal und Engelant.
dô was aber Marke ein kint,
als kint ze wer unveste sint,
und kam alsô von sîner craft
und wart Gurmûne zinshaft.   5930
ouch half Gurmûnen sêre
und gab im craft und êre,
daz er Môroldes swester nam.
von dem sô wart er vorhtsam.
der was ein herzoge dâ   5935

und sein höfisches Wesen   5900
für sich gewinnen konnte.
Zugleich überließ er
seinem Bruder das ganze Reich.
Dann ging er bald weg
und erhielt von den berühmten,   5905
mächtigen Römern
Erlaubnis und die Zusicherung,
daß alles, was er sich gewaltsam unterwerfe,
ihm gehören würde,
solange er ihnen davon abtrete   5910
gewisse Erträge und Vorrechte.
Da wartete er nicht länger.
Mit einer starken Streitmacht fuhr er
über Meer und Land
nach Irland,   5915
besiegte das Land
und zwang es durch Krieg,
daß sie ihn gegen ihren Willen zum Herrn
und König machten.
Und seither war es so,   5920
daß sie ihm immer
mit Angriffen und Kriegen
bei der Eroberung der Nachbarländer halfen.
Auf diese Weise
unterwarf er sich auch   5925
Cornwall und England.
Damals war Marke jedoch noch ein Kind,
und weil Kinder sich nicht verteidigen können,
verlor er so seine Macht
und wurde Gurmun zinspflichtig.   5930
Darüber hinaus nützte es Gurmun sehr
und verlieh ihm Macht und Ansehen,
daß er Morolds Schwester nahm.
Das machte ihn gefürchtet.
Morold war dort Herzog   5935

und haete ouch vil gerne eteswâ
selbe ein lant besezzen;
wan er was wol vermezzen
und haete lant und michel guot,
lîp unde manlîchen muot.   5940
der was sîn vorvehtaere.

Waz aber des zinses waere,
den man z'Îrlanden sande
von ietwederem lande,
des bescheide ich iuch reht und vür wâr: 5945
si sanden in daz êrste jâr
driu hundert marc messinges
und anders keines dinges;
daz ander silber, daz dritte golt;
des vierden sô kam Môrolt   5950
der starke von Îrlanden dar
ze wîge und ouch ze kampfe gar.
vür den sô wurden besant
ze Curnewâle und z'Engelant
barûne und ir genôze.   5955
die giengen ouch ze lôze
ze sîner gegenwürte,
welher im antwürte
sîn kint, daz dienestbaere
und an dem lîbe waere   5960
sô schoene und sô genaeme,
als ez dem hove gezaeme,
niht megede, niuwan knebelîn,
und solten ouch der drîzec sîn
von ietwederem lande.   5965
und ensolte dirre schande
nieman anders widerstân,
ez enmüese mit einwîge ergân
oder aber mit lantvehte.
nu enmohten s'aber ze rehte   5970
mit offenlîcher wer niht komen,

und hätte auch sehr gerne irgendwo
selbst ein Land beherrscht.
Denn er war sehr kühn
und hatte Landbesitz und großen Reichtum,
Kraft und Mannhaftigkeit. 5940
Er war sein Vorkämpfer.

Was aber den Zins angeht,
den man nach Irland schickte
aus jedem Reich,
so sage ich Euch wahrhaftig: 5945
Sie schickten ihnen im ersten Jahre
dreihundert Mark in Messing
und sonst nichts,
im zweiten Silber, im dritten Gold.
Im vierten kam Morold, 5950
der Gewaltige aus Irland,
zu Streit und Kampf gerüstet.
Zu ihm wurden geschickt
aus Cornwall und England
Barone und Gleichgestellte. 5955
Die losten
in seiner Gegenwart,
wer ihm übergeben sollte
sein Kind, das diensttüchtig war
und im Aussehen 5960
so hübsch und gefällig,
wie es bei Hofe erforderlich ist,
nur Knaben, keine Mädchen.
Dreißig sollten es sein
aus jedem Lande, 5965
und von dieser Schmach konnte
sich niemand anders befreien,
als durch Zweikampf
oder durch Krieg.
Sie konnten jedoch zu ihrem Recht 5970
mit offenem Krieg nicht gelangen,

wan diu lant haeten abe genomen.
sô was ouch Môrolt alse starc,
als unerbermig unde als arc,
daz wider in lützel kein man,   5975
sach er in under ougen an,
getorste wâgen den lîp
ihte mêre danne ein wîp.
und alse der zins ûf sîne vart
hin wider Îrlant geschicket wart   5980
und daz vünfte jâr în gie,
sô muosen aber diu zwei lant ie
iemer ze sunnewenden
die boten ze Rôme senden,
die Rôme wol gezaemen,   5985
und daz die dâ vernaemen,
welch gebot und welhen rât
der gewaltege sênât
enbüte unde sande
einem iegelîchem lande,   5990
daz undertân ze Rôme was.
wan man in alle jâr dâ las
und tete in ouch kunt mit maeren,
wie sî nâch Rômaeren
loys unde lantreht solten wegen,   5995
wie s'ir gerihtes solten pflegen.
und muosen ouch reht alsô leben,
als in dâ lêre wart gegeben.
diz zinsreht unde disen prîsant
den liezen disiu zwei lant   6000
in dem vünften jâre ie schouwen
die werden Rôme, ir vrouwen.
doch buten s'ir dise êre
niht ellîche alsô sêre
weder durch reht noch durch got   6005
sô durch Gurmûnes gebot.

weil die Länder zu sehr geschwächt waren.
Zudem war Morold so stark
wie rücksichtslos und boshaft,
und kein Mann,
wenn er ihn anschaute,   5975
getraute sich
mehr als eine Frau.
Und wenn der Tribut
nach Irland geschickt war   5980
und das fünfte Jahr wieder herankam,
mußten die beiden Länder immer
jeweils zur Sonnenwende
Boten nach Rom senden,
die Rom genehm waren,   5985
damit sie dort erfuhren,
welche Gesetze und Anordnungen
der mächtige Senat
erließe und gäbe
jedem Lande,   5990
das Rom untergeben war.
Denn jährlich las man ihnen dort vor
und teilte ihnen mit,
wie sie in der Art der Römer
Gesetz und Landrecht ausüben   5995
und Gericht halten sollten.
Und sie mußten es genau so halten,
wie man sie dort unterwies.
Diesen Tribut und dieses Geschenk
ließen die beiden Reiche   6000
jeweils alle fünf Jahre überbringen
dem würdigen Rom, ihrer Herrin.
Jedoch erwiesen sie ihr diese Ehre
durchaus nicht
aus irgendeinem Recht heraus oder für Gott,   6005
sondern vielmehr auf Gurmuns Geheiß.

Nu sul wir wider zem maere komen.
Tristan der haete wol vernomen
diz leit ze Curnewâle.
ouch was im vor dem mâle   6010
wol kunt, mit welher sicherheit
der selbe zins was ûf geleit.
iedoch sô hôrte er alle tage
von der lantliute sage
des landes laster und sîn leit,   6015
swelhen enden er gereit
vür stete oder vür castêl.
und als er aber ze Tintajêl
zuo dem hovegesinde kam,
seht, dâ hôrte er und vernam   6020
in gazzen unde in strâzen
von clage al solch gelâzen,
daz ez in muote starke.
vil schiere kâmen Marke
und hin ze hove maere,   6025
daz Tristan komen waere.
des wâren s'alle samet vrô.
vrô meine ich aber, als ez in dô
nâch ir leide was gewant.
wan die allerbesten, die man vant   6030
in allem Curnewâle,
die wâren zuo dem mâle
alle dar ze hove komen
ze laster, alse ir habet vernomen.
die edelen lantgenôze   6035
die giengen dâ ze lôze
ir kinden z'einem valle.
sus vant si Tristan alle
kniuwende unde an ir gebete,
daz iegelîcher sunder tete   6040
unschamelîch unde untougen,
mit riezenden ougen,

Nun wollen wir zur Geschichte zurückkommen.
Tristan hatte gehört
von diesem Kummer in Cornwall.
Zudem war ihm schon von früher her   6010
bekannt, zu welchen Bedingungen
dieser Tribut verlangt wurde.
Dennoch hörte er jeden Tag,
wie die Bevölkerung sprach
von der Schmach und dem Schmerz des Landes,   6015
wohin er auch immer ritt
an Burgen und Städten vorbei.
Und als er wieder nach Tintajol
zum Hof kam,
seht, da hörte er   6020
in allen Gassen und Straßen
ein solches Wehklagen,
daß es ihn tief bekümmerte.
Bald erreichte Marke
und den Hof die Nachricht,   6025
daß Tristan gekommen sei.
Darüber waren sie alle froh,
so froh jedenfalls, meine ich, als es
ihr Kummer ihnen gestattete.
Denn die Vornehmsten, die man fand   6030
in ganz Cornwall,
waren zu dem Zeitpunkt
alle zum Hof gekommen
– zu ihrer Demütigung, wie Ihr gehört habt.
Die vornehmen Landbarone   6035
losten dort
um das Unglück ihrer Kinder.
So fand Tristan sie alle
kniend und betend.
Jeder einzelne tat das,   6040
ohne sich zu schämen oder heimlich,
mit tränenden Augen,

mit inneclîchem smerzen
des lîbes unde des herzen:
daz im got der guote   6045
beschirmete unde behuote
sîn edelkeit und ouch sîn kint.
nu s'alle an ir gebete sint,
Tristan kam zuo gegangen.
wie wart aber er enpfangen?   6050
daz ist iu lîhte geseit:
Tristan wart von der wârheit
under allem dem gesinde
von keinem muoterkinde
noch ouch von Markes gruoze   6055
enpfangen niht sô suoze,
als er doch waere getân,
und haete sî diz leit verlân.
Des nam aber Tristan cleine war,
wan gienc et baltlîchen dar,   6060
dâ man in daz lôz dâ maz,
dâ Môrolt unde Marke saz.
»ir hêrren« sprach er »alle samet,
alle mit einem namen genamet,
die hie ze lôze loufent,   6065
ir edelkeit verkoufent,
schamt ir iuch der schanden niht,
diu disem lande an iu geschiht?
sô manhaft alse ir alle zît
alle unde an allen dingen sît,   6070
sô soltet ir billîche
beide iuch und iuwer rîche
ahpaeren unde hêren
und an den êren mêren!
nu habet ir iuwer vrîheit   6075
iuwern vînden geleit
ze vüezen und ze handen
mit zinslîchen schanden.

mit tiefem Kummer
an Leib und Seele,
damit der gütige Gott 6045
beschütze und behüte
sein Geschlecht und auch sein Kind.
Als nun alle beim Gebet waren,
kam Tristan herein.
Wie wurde er da empfangen? 6050
Das ist leicht gesagt.
In Wirklichkeit wurde Tristan
von dem ganzen Gefolge nicht
und von keiner Menschenseele
noch auch durch Markes Begrüßung 6055
so freundlich empfangen,
wie es geschehen wäre,
wenn die Trauer es nicht verhindert hätte.
Darauf jedoch achtete Tristan nicht,
sondern er ging kühn dorthin, 6060
wo man ihnen das Los zuteilte
und wo Morold und Marke saßen.
»Ihr Herren« sagte er, »alle zusammen,
um alle mit einem Namen anzusprechen,
die Ihr zum Losen hierhereilt 6065
und Eure Vornehmheit verkauft,
schämt Ihr Euch nicht der Schande,
die diesem Reiche durch Euch zugefügt wird?
So tapfer Ihr sonst immer
in allen Dingen seid, 6070
so solltet Ihr von Rechts wegen
Euch und Euer Land
achtbar und angesehen halten
und seine Ehre noch vergrößern!
Dagegen habt Ihr Eure Freiheit 6075
Euren Feinden
zu Händen und Füßen übergeben
mit schmählichem Tribut!

und iuwer edelen kindelîn,
diu iuwer wunne solten sîn,   6080
iuwer lust und iuwer leben,
diu gebet ir unde habet gegeben
ze schalken unde z'eigen
und enkunnet niht gezeigen,
wer iuch betwinge dar zuo   6085
oder welher hande nôt ez tuo
niwan ein einwîc unde ein man.
kein ander nôt enist hier an.
und enkunnet under iu allen
an einen niht gevallen,   6090
der wider einen man sîn leben
an die wâge welle geben,
weder er belîbe oder gesige.
nû sî daz, daz er dâ belige,
deiswâr so ist doch der kurze tôt   6095
und disiu lange lebende nôt
ze himele und ûf der erde
in ungelîchem werde.
ist aber, daz er dâ gesiget
und daz daz unreht geliget,   6100
sô hât er iemer mêre
dort gotes lôn, hie êre.
jâ suln vetere vür ir kint,
wan sî mit in ein leben sint,
ir leben geben: deist mit gote.   6105
ez ist gâr wider gotes gebote,
der sîner kinde vrîheit
der eigenschefte vür leit,
daz er sî ze schalken gebe
und er mit vrîheite lebe.   6110
sol ich iu rât umbe iuwer leben
nâch gote und nâch den êren geben,
sô râte ich zwâre dar an,
daz ir iu kieset einen man,

Und Eure edlen Kinder,
die Eure Freude sein sollten,   6080
Eure Lust und Euer ganzer Lebensinhalt,
die gebt Ihr und habt Ihr weggegeben
als Knechte und Leibeigene,
und Ihr könnt nicht einmal beweisen,
wer Euch dazu zwingt   6085
und welche Notwendigkeit Euch dazu veranlaßt,
außer durch einen Zweikampf und einen Mann.
Einen anderen zwingenden Grund gibt es nicht.
Und Ihr könnt unter Euch
nicht einen finden,   6090
der gegen einen Mann sein Leben
aufs Spiel setzt,
ob er nun fällt oder siegt.
Und gesetzt den Fall, daß er unterliegt,
so ist doch wahrlich dieser kurze Tod   6095
und diese ewig während Bedrängnis
im Himmel und auf Erden
von sehr unterschiedlichem Gewicht.
Wenn er aber siegt
und das Unrecht unterliegt,   6100
so besitzt er auf ewig
dort Gottes Lohn und hier Ansehen.
Ja, Väter sollen für ihre Kinder,
mit deren Leben das ihre fest verbunden ist,
ihr Leben hingeben. Das ist gottgefällig.   6105
Derjenige handelt gegen Gottes Gebot,
der die Freiheit seiner Kinder
der Leibeigenschaft überantwortet,
indem er sie zu Sklaven macht,
um selbst in Freiheit leben zu können.   6110
Wenn ich Euch raten soll zu einem Leben,
das Gott gefällt und ehrenhaft ist,
dann rate ich Euch wahrlich,
daß Ihr einen Mann aussucht,

swâ sô man den vinde   6115
under disem lantgesinde,
der ze kampfe sî getân
und an gelücke welle lân,
weder er genese oder entuo.
und bitet den alle derzuo   6120
durch gotes willen allermeist,
daz ime der heilege geist
gelücke gebe und êre,
und envürhte niht ze sêre
Môroldes groeze und sîne craft.   6125
sî et an gote gemuothaft,
der nie dekeinen man verlie,
der mit dem rehten umbe gie.
wol balde gêt ze râte.
berâtet iuch wol drâte,   6130
wie ir iuch dirre schande erwert
und iuch vor einem manne ernert!
g'unêret niemer mêre
iur geburt und iuwer êre!«

»Â hêrre« sprâchen s'alle dô   6135
»jâ ist disem manne niht alsô.
ime kan nieman vor genesen.«
Tristan sprach: »lât die rede wesen!
durch got versinnet iuch doch noch.
nû sît ir an gebürte doch   6140
allen künegen ebengrôz,
und aller keisere genôz,
und wellet iuwer edelen kint,
diu iu gelîche edele sint,
versellen und versachen   6145
und ze schalken machen?
und ist daz, daz ir keinen man
niht muget geherzen hier an,
daz er durch iuwer aller leit

wofern Ihr einen findet   6115
in der Bevölkerung des Reiches,
der kampfbereit ist
und es dem Schicksal überlassen will,
ob er überlebt oder nicht.
Für den betet alle   6120
um Gottes willen besonders darum,
daß der Heilige Geist ihm
Glück und einen ehrenvollen Kampf gewähre
und daß er nicht zu sehr fürchte
Morolds Größe und Kraft.   6125
Möge er Gott vertrauen,
der noch niemanden verlassen hat,
der das Recht auf seiner Seite hatte.
Entschließt Euch schnell.
Überlegt Euch gleich,   6130
wie Ihr diese Schmach abwendet
und Euch vor einem Manne rettet.
Erniedrigt nie wieder
Euren Stand und Euer Ansehen!«

Da sagten sie alle: »Ach, Herr,   6135
so ist es mit diesem Manne nicht.
Niemand kann gegen ihn bestehen.«
Tristan antwortete: »Redet nicht so!
Um Gottes willen, überlegt Euch doch:
Ihr seid an Herkunft   6140
allen Königen gleichgestellt
und allen Kaisern ebenbürtig,
und Ihr wollt Eure edlen Kinder,
die ebenso edel sind wie Ihr,
weggeben und opfern   6145
und zu Leibeigenen machen?
Und wenn Ihr niemanden
dazu ermutigen könnt,
daß er wegen Euren Kummers

und durch des landes armekeit   6150
getürre nâch dem rehten
in gotes namen vehten
gegen dem einem manne,
geruochet ir es danne
an got gelâzen unde an mich,   6155
deiswâr, ir hêrren, sô wil ich
mîne jugent und mîn leben
durch got an âventiure geben
und wil den kampf durch iuch bestân.
got lâze in iu ze guote ergân   6160
und bringe iuch wider ze rehte!
ouch swie mir an der vehte
iht anders danne wol geschiht,
daz enschadet iu z'iuwerm rehte niht.
gelige ich an dem kampfe tôt,   6165
dâ mite ist iuwer keines nôt
weder abe noch an gekêret,
geminret noch gemêret.
sô stât ez aber rehte als ê.
sî daz ez aber ze heile ergê,   6170
daz ist binamen von gotes gebote.
des endanket nieman niuwan gote.
wan den ich eine sol bestân,
als ich vil wol vernomen hân,
der ist von muote und ouch von craft   6175
ze ernestlîcher ritterschaft
ein lange her bewaeret man.
sô gân ich alrêrest an
an muote und an der crefte
und bin ze ritterschefte   6180
niht alsô kürbaere,
als uns nu nôt waere.
wan daz ich aber zer vehte
an gote und ouch an rehte
zwô sigebaere helfe hân,   6185

und der verzweifelten Lage des Reiches   6150
sich getraute, um das Recht
im Namen Gottes zu kämpfen
gegen diesen einen Mann,
dann überlaßt es
Gott und mir.   6155
Wahrlich, Ihr Herren, ich will in diesem Falle
meine Jugend und mein Leben
um Gottes willen dem Schicksal anheimgeben
und für Euch den Kampf wagen.
Gott möge Euch alles zum Vorteil wenden   6160
und verhelfe Euch wieder zu Eurem Recht!
Selbst wenn es mir bei dem Kampfe
schlecht ergeht,
schadet es Eurer Rechtsposition nicht.
Wenn ich erschlagen werde,   6165
wird dadurch niemandes Problem
weder gelöst noch verschärft,
weder gemindert noch verschlimmert.
Es bleibt genau so, wie es vorher war.
Wenn es aber gut ausgeht,   6170
dann war es wirklich Gottes Wille,
und wir haben nur Gott dafür zu danken.
Denn der, gegen den ich allein kämpfen soll, ist,
wie ich gehört habe,
in Tapferkeit und Stärke   6175
bei ritterlichen Kämpfen
seit langem ausgewiesen.
Ich dagegen beginne erst
mit Tapferkeit und Stärke
und bin für den Kampf   6180
nicht so vorzüglich,
wie es uns jetzt not täte.
Allerdings habe ich beim Kampf
in Gott und dem Recht
zwei siegbringende Helfer,   6185

die suln mit mir ze kampfe gân!
dar zuo hân ich willigen muot,
der selbe ist ouch ze kampfe guot.
und helfent mir die selben drî,
swie unversuoht ich anders sî,   6190
sô hân ich guoten trôst dar an,
ich genese wol vor einem man.«
»Hêrre« sprach al diu ritterschaft
»diu heilege gotes craft,
diu al die werlt geschaffen hât,   6195
diu vergelte iu trôst unde rât
unde den saeleclîchen wân,
den ir uns allen habet getân.
hêrre, lât iu daz ende sagen:
unser rât mag lützel vür getragen.   6200
solte unser saelde hân geruoht,
sô vil sô wir sîn haben versuoht,
als ofte es ie begunnen wart,
ez waere niht biz her gespart.
wirn haben niht z'einem mâle   6205
wir hie ze Curnewâle
umbe unser angest rât genomen.
wir sîn an manege sprâche komen
und enkunden doch dekeinen nie
under uns vinden, ern wolt ie   6210
sîn kint vür eigen gerner geben,
dan er verlür sîn selbes leben
wider disen vâlandes man.«
»wie redet ir sus!« sprach Tristan
»jâ ist der dinge vil geschehen.   6215
man hât des wunder gesehen,
daz unrehtiu hôhvart
mit cleiner craft genidert wart.
daz möhte ouch vil wol noch ergân,
der ez getörste bestân.«   6220

die mit mir in den Kampf gehen werden.
Außerdem habe ich meine feste Entschlossenheit,
die ebenfalls beim Kampfe hilft.
Und wenn diese drei mir beistehen,
selbst wenn ich im übrigen noch unerprobt bin,   6190
dann habe ich begründete Hoffnung,
gegen diesen einen Mann zu bestehen.«
»Herr«, sagten da die Ritter,
»Gottes heilige Kraft,
die die ganze Welt erschaffen hat,   6195
möge Euch den Trost, die Hilfe
und die glückliche Hoffnung vergelten,
die Ihr uns allen vermittelt habt.
Herr, laßt uns Euch noch sagen:
Unsere Beratungen nützen nichts.   6200
Wenn das Glück es gewollt hätte,
um das wir uns so häufig bemüht haben,
wann immer das Problem wieder auftauchte,
dann hätten wir nicht bis jetzt warten müssen.
Wir haben nicht nur einmal   6205
hier in Cornwall
über unsere Furcht verhandelt.
Wir haben uns oft beraten
und konnten doch keinen
unter uns finden, der nicht   6210
lieber sein eigenes Kind hergeben wollte,
als selbst sein Leben zu verlieren
gegen diesen teuflischen Mann.«
Tristan sagte: »Was redet Ihr!
Es ist schon vieles geschehen.   6215
Man hat sehr häufig erlebt,
wie unrechtmäßiger Hochmut
mit geringer Stärke gebrochen wurde.
Das könnte sich durchaus noch wiederholen,
wenn einer es zu tun wagte.«   6220

Nu Môrolt der hôrte allez an
und verdûhte in sêre, daz Tristan
sô vaste nâch dem kampfe sprach,
dô er'n sô kindeschen sach,
und truog im in dem herzen haz.   6225
Tristan sprach aber dô vürbaz:
»ir hêrren alle, redet hie zuo,
waz ist iu noch liep, daz ich tuo?«
»hêrre« sprachen s'alle dô
»kunde ez iemer werden sô,   6230
der wân, den ir uns habet getân,
daz der möhte vür sich gân:
daz waere unser aller ger.«
»ist iu daz liep?« sprach aber er.
»sît daz ez danne an dise vrist   6235
und her ze mir behalten ist,
wil's danne got geruochen,
sô wil ich versuochen,
ob iu got habe ûf geleit
an mir dekeine saelekeit   6240
und ob ich selbe iht saelden habe.«
hie begunde in Marke leiten abe
mit allen sînen sinnen.
er wânde im abe gewinnen,
ob er'z in lâzen hieze,   6245
daz er ez durch in lieze.
nein er, weiz got, er entete.
weder mit gebote noch mit bete
kund er ime sô vil niht mite gegân,
daz er'z durch in wolde lân.   6250
Wan gieng et hin, dâ Môrolt saz
und redete aber dô vürbaz:
»hêrre« sprach er »saget mir,
sô helfe iu got, waz werbet ir?«
»vriunt« sprach Môrolt sâ zestunt   6255
»wes vrâget ir? iu ist doch wol kunt,

Morold hörte sich das alles an,
und es mißfiel ihm sehr, daß Tristan
so heftig nach einem Zweikampf verlangte,
obwohl er noch so jung wirkte.
Das nahm er ihm übel.   6225
Tristan fuhr fort:
»Ihr Herren, äußert Euch!
Was soll ich jetzt tun?«
Sie alle antworteten: »Herr,
wenn es geschehen könnte,   6230
daß die Hoffnung, die Ihr uns gemacht habt,
in Erfüllung ginge,
dann wäre das unser aller Wunsch.«
Er sagte: »Wollt Ihr das?
Da es so lange Zeit   6235
und bis jetzt mir vorbehalten blieb
und falls Gott es zuläßt,
will ich versuchen,
ob Gott Euch bestimmt hat
Glück durch mich   6240
und ob ich selbst Glück habe.«
Davon wollte Marke ihn abbringen
mit aller Überredungskunst.
Er hoffte von ihm zu erreichen,
daß, wenn er es ihm untersagte,   6245
er es dann auch ließe.
Bei Gott, nein! Er tat es nicht.
Weder durch Befehle noch durch Bitten
konnte er ihn dazu bewegen,
es um seinetwillen zu lassen.   6250
Vielmehr ging Tristan dorthin, wo Morold saß,
und fuhr fort:
»Sagt mir, Herr,
in Gottes Namen, was tut Ihr hier?«
Morold antwortete sogleich: »Freund,   6255
was fragt Ihr? Ihr wißt genau,

waz ich hie wirbe und wes ich ger.«
»ir hêrren alle, hoeret her:
der künec mîn hêrre und sîne man!«
sprach aber der wîse Tristan;   6260
»mîn hêr Môrolt, ir habet wâr,
ich weiz ez unde erkennez gâr:
al sî ez lasterbaere,
ez ist iedoch ein maere,
daz nieman undertreten mac.   6265
man hât den zins nu manegen tac
von hinnen und von Engelant
z'Îrlanden âne reht gesant.
dar zuo brach ez sich lange
mit michelem getwange,   6270
mit manigem gewalte;
wan man den landen valte
beidiu bürge unde stete
und in ouch an den liuten tete
sô grôzen und sô manegen schaden,   6275
biz daz si wurden überladen
mit gewalte und mit unrehte,
unz daz die guoten knehte,
die dannoch wâren genesen,
die muosen undertaenic wesen   6280
alles des man in gebôt,
durch daz si vorhten den tôt
und enmohten, alse in was getân,
die zît niht anders ane gegân.
als ist daz michel unreht,   6285
als ir noch hiutes tages seht,
an in begangen iemer sît
und waere zwâre lange zît,
daz sî der grôzen swacheit
mit wîge haeten widerseit;   6290
wan sî sint sêre vür komen.
diu lant diu habent zuo genomen

was ich hier tue und will.«
»Hört alle zu, Ihr Herren,
mein Herr, der König, und sein Gefolge!«
sprach wieder der kluge Tristan.   6260
»Herr Morold, Ihr habt recht,
ich weiß es genau.
Obwohl sie schändlich ist,
kann diese Geschichte
niemand ignorieren.   6265
Schon lange hat man den Zins nun
von hier und von England aus
ohne Rechtsgrundlage nach Irland geschickt.
Darauf hat man lange gedrungen
mit starkem Zwang   6270
und nackter Gewalt,
denn man schleifte im Reiche
Burgen und Städte
und fügte zudem der Bevölkerung
so großen und schweren Schaden zu,   6275
bis sie überschüttet waren
mit Gewalt und Unrecht
und die tapferen Krieger,
die dennoch überlebt hatten,
sich allem unterwerfen mußten,   6280
was man ihnen befahl,
denn sie fürchteten um ihr Leben
und konnten, wie es um sie stand,
in ihrer Lage nicht anders handeln.
So wurde großes Unrecht,   6285
wie Ihr es noch heute seht,
seitdem immer an ihnen begangen.
Und wahrlich, es wäre längst an der Zeit,
daß sie ihrer großen Schmach
gewaltsam entgegenträten.   6290
Denn sie haben große Fortschritte gemacht.
Die Reiche sind erstarkt

an kunden unde an gesten,
an steten unde an vesten,
an guote und an den êren.   6295
man sol ez wider kêren,
daz unz her verkêret ist,
wan unser aller genist
muoz sus hin an gewalte wesen.
sul wir iemer genesen,   6300
daz müeze wir beherten
mit wîge und mit herverten.
unser dinc stât an den liuten wol.
diu lant sint beidiu liute vol.
man sol ez uns her wider geben,   6305
daz man uns allez unser leben
mit gewalte hât genomen.
wir suln dar selbe zuo z'in komen,
swenne uns got schiereste lât.
swaz man des unseren dâ hât,   6310
es sî lützel oder vil,
der mînes willen volgen wil
und mînes râtes dar an pflegen:
man muoz ez uns her wider wegen
unz an den jungesten rinc.   6315
ie noch möht unser messinc
ze rôtem golde werden.
ez ist vil ûf der erden
vremeder dinge geschehen,
der man sich minre hât versehen.   6320
und dirre hêrren edeliu kint,
diu dâ ze schalken worden sint,
diu möhten noch wol werden vrî,
swie ungedâht es in doch sî.
got sî, der mich noch des gewer!   6325
wan ich's in sînem namen ger,
daz ich noch mit mîn selbes hant
den hervanen in Îrlant

an eigener und hinzugekommener Bevölkerung,
an Städten und Befestigungen,
an Besitz und Ansehen.   6295
Man soll das Recht wiederherstellen,
das bisher verfälscht wurde,
denn unser aller Rettung
muß fortan in der Gewalt liegen.
Wenn wir jemals unser Heil erringen wollen,   6300
dann müssen wir es erzwingen
mit Krieg und Feldzug.
Um unsere Sache steht es, was Menschen angeht, gut.
Beide Reiche sind voller Menschen.
Man soll uns zurückerstatten,   6305
was man uns unser Leben lang
gewaltsam geraubt hat.
Wir werden selbst zu ihnen kommen,
sobald Gott es uns erlaubt.
Was auch immer von unserem Besitz man dort hat,   6310
es sei wenig oder viel:
wer meinem Entschluß folgt
und meinen Rat beherzigt –
alles muß man uns vergelten
bis hin zum letzten Pfennig.   6315
Da könnte unser Messing sich noch
in rotes Gold verwandeln.
Es ist viel auf der Erde
an merkwürdigen Dingen geschehen,
womit man nicht gerechnet hat.   6320
Und die edlen Kinder dieser Herren,
die zu Leibeigenen geworden sind,
die könnten wieder frei werden,
auch wenn es ihnen unvorstellbar vorkommt.
Gott möge mir das gewähren!   6325
Denn in seinem Namen flehe ich,
daß ich mit eigener Hand
unsere Fahne in Irland

mit disen lantgenôzen
alsô müez ûf gestôzen,   6330
daz daz lant und diu erde
von mir genidert werde!«

Môrolt sprach aber: »hêr Tristan,
naemet ir iuch minre an
dirre dinge und dirre maere,   6335
ich waene, ez iu guot waere.
wan swaz hier under rede geschiht,
wirn lâzen doch dar umbe niht,
des wir ze rehte sulen hân.«
hie mite gieng er vür Marken stân: 6340
»künec Marke« sprach er »sprechet hie,
lât hoeren ir und alle die,
die hie ze gegenwürte sint
mit mir ze redene umbe ir kint,
bescheidet mich der maere baz.   6345
ist iuwer aller wille daz
und lît ouch iuwer muot dar an,
als iuwer voget hêr Tristan
mit worten hie bescheiden hât?«
»jâ hêrre, eist unser aller rât,   6350
unser wille und unser muot,
swaz er gesprichet oder getuot.«
Môrolt sprach aber: »sô brechet ir
mînem hêrren unde mir
iuwer triuwe und iuwern eit   6355
und alle die sicherheit,
diu under uns allen ie geschach.«
der höfsche Tristan aber dô sprach:
»nein hêrre, ir misseredet hier an.
ez lûtet übele, swer dem man   6360
an sîne triuwe sprichet.
ir aller keiner brichet
weder triuwe noch eit.

mit diesen Landsleuten
aufpflanzen möge
und das Reich   6330
durch mich gedemütigt werde.«

Morold entgegnete: »Herr Tristan,
wenn Ihr Euch weniger gekümmert hättet
um diese Verträge und Pläne,
so wäre es wohl besser gewesen.   6335
Denn was hierbei auch geredet wird,
wir geben doch nicht her,
was uns rechtmäßig zusteht.«
Damit trat er vor Marke   6340
und sagte: »Sagt, König Marke,
laßt hören, und Ihr alle,
die Ihr hier seid,
um mit mir über Eure Kinder zu verhandeln,
erklärt mir genauer: 6345
Ist das Euer aller Wille
und seid Ihr alle dazu entschlossen,
was Euer Fürsprecher Herr Tristan
in seiner Ansprache mitgeteilt hat?«
»Ja, Herr, es ist unser aller Entschluß,   6350
unser Wille und unsere Absicht,
was immer er sagt oder tut.«
Morold antwortete: »Also brecht Ihr
meinem Herrn und mir
Eure Treue und Euren Eid   6355
und den ganzen Vertrag,
der zwischen uns galt.«
Da ergriff der höfische Tristan wieder das Wort:
»Nein, Herr, da verleumdet Ihr uns.
Es klingt schlecht, wenn man einem Menschen   6360
seine Bündnistreue abspricht.
Keiner von ihnen bricht
irgendeinen Schwur oder Vertrag.

ein gelübede unde ein sicherheit
wart wîlent under iu getân,   6365
die sol man ouch noch staete lân:
daz s'alle jâr z'Îrlanden
mit guotem willen sanden
von Curnewal und von Engelant
den zins, der in dâ wart benant,   6370
oder aber si sazten sich ze wer
mit einwîge oder mit lanther.
sint s'iu der dinge noch bereit
und loesent ir triuwe unde ir eit
mit zinse oder aber mit vehte,   6375
sô tuont s'iu allez rehte.
hêrre, hie zuo denket ir:
berâtet iuch und saget mir,
weder iu lieber sî getân.
an swederz ir iuch wellet lân,   6380
an kampf oder aber an lantstrît,
des sît ir nû und alle zît
an uns gewis und ouch gewert.
ez müezen doch sper unde swert
under uns und iu bescheiden.   6385
nu kieset under den beiden
ir einez unde saget uns daz.
der zins enlîchet nû niht baz.«
Môrolt sprach aber: »hêr Tristan,
hie bin ich schiere komen an.   6390
ich weiz wol, wederz ich dâ wil.
mîn ist hie nû niht alse vil,
daz ich ze lantstrîte
iht gewerlîche rîte.
ich vuor von lande über mer   6395
mit einem heinlîchen her
und kam vil vridelîche
her in disiu rîche,
als ich ê mâles hân getân.

Ein Gelöbnis und ein Abkommen
wurde einst vereinbart,
das man auch einhalten soll: 6365
daß sie jährlich nach Irland
freiwillig schickten
von England und Cornwall
den Zins, der ihnen genannt wurde,   6370
oder aber daß sie sich dagegen wehrten
mit Zweikampf oder Krieg.
Wenn sie dazu noch willens sind
und ihren Vertrag und Schwur
entweder mit Zins oder Kampf einlösen,   6375
dann behandeln sie Euch rechtmäßig.
Daran denkt, Herr.
Überlegt Euch und teilt mir mit,
was Ihr lieber wollt.
Wofür Ihr Euch auch entscheidet,   6380
für Zweikampf oder Krieg,
das wollen wir Euch jetzt und immer
zusichern und gewähren.
Speer und Schwert müssen nun
zwischen uns entscheiden.   6385
Unter beiden wählt
eines aus und teilt es uns mit.
Der Zins gefällt uns jetzt nicht mehr.«
Morold erwiderte: »Herr Tristan,
da entscheide ich mich schnell.   6390
Ich weiß genau, welches von beiden ich will.
Von meinen Männern sind nicht genug hier,
als daß ich einen Krieg
angemessen gerüstet führen könnte.
Ich reiste über das Meer hierher   6395
mit einer kleinen Truppe
und kam in Frieden
in dieses Land,
wie ich es auch zuvor schon getan habe.

ich wânde, ez sus niht solte ergân.   6400
in versach mich dirre geschiht
an dise lanthêrren niht.
ich wânde varn von hinnen
mit rehte und ouch mit minnen.
nû habet ir mir wîc vür geleit,   6405
dar zuo bin ich noch unbereit.«

Tristan sprach: »hêrre, ist iuwer muot
ze einem lantstrîte guot,
sô kêret umbe zehant,
vart wider heim in iuwer lant,   6410
besendet iuwer ritterschaft,
besamenet alle iuwer craft
und kumet her wider und lât uns sehen,
wie unde waz uns süle geschehen.
und tuot ir des niht zwâre   6415
in disem halben jâre,
sô nemet ir unser dâ z'iu war:
sô komen wir sicherlîchen dar.
man hât uns doch hie vor gezalt,
gewalt hoere wider gewalt   6420
und craft wider crefte.
sît man mit ritterschefte
lant unde reht sol swachen,
hêrren ze schalken machen
und daz ein billîch wesen sol,   6425
sô getrûwen wir des gote wol,
daz unser aller swacheit
noch werde wider hin z'iu geleit.«
»Got weiz« sprach Môrolt »hêr Tristan,
ich hoere vil wol, daz ein man,   6430
der nie ze solhem schalle kam
noch dirre drô nie niht vernam,
dem waeren disiu maere
sorclîch und angestbaere.

Ich glaubte nicht, daß es so verlaufen würde.   6400
Auf so etwas war ich nicht gefaßt
bei diesen Landbaronen.
Ich dachte, ich würde wieder fortsegeln
mit rechtlicher Billigung und im Einvernehmen.
Nun habt Ihr mir einen Kampf vorgeschlagen,   6405
zu dem ich noch nicht vorbereitet bin.«

Tristan sagte: »Herr, wenn Ihr
einen Krieg wollt,
dann kehrt gleich um,
segelt wieder heim,
ruft Eure Ritter,   6410
versammelt Eure ganze Streitmacht,
kommt zurück und laßt uns dann sehen,
was mit uns geschehen wird.
Und wenn Ihr das nicht tatsächlich   6415
in einem halben Jahre tut,
so achtet daheim auf uns:
Wir kommen ganz bestimmt zu Euch.
Man hat uns doch zuvor gesagt,
Gewalt müsse mit Gewalt   6420
und Macht mit Macht beantwortet werden.
Da man mit Krieg
Länder und deren Rechte demütigt
und Herren zu Dienern macht
und wenn das Gesetz sein soll,   6425
dann vertrauen wir auf Gott,
daß unser aller Schmach
dereinst an Euch vergolten werden möge.«
Morold sagte: »Gott weiß, Herr Tristan,
ich sehe ein, daß jemandem,   6430
der solche Prahlerei
und solche Drohung noch nie gehört hat,
diese Worte erscheinen müssen
beängstigend und besorgniserregend.

ich trûwe ir aber vil wol genesen.   6435
ich bin ouch dicker dâ gewesen,
dâ schallen unde hôhvart
mit solher rede getriben wart.
ez ist wol der geloube mîn,
Gurmûn welle âne sorge sîn   6440
umbe sîn liut und umbe sîn lant
vor iuwerm vanen unde iuwer hant.
ouch wirt dise übermüetekeit,
man enbreche uns danne triuwe und eit,
niemer gespart z'Îrlanden.   6445
wir suln ez hie mit handen,
wir zwêne under uns beiden
in einem ringe scheiden,
weder ir reht habet oder ich.«
Tristan sprach aber: »diz muoz ich   6450
mit gotes helfe erzeigen,
und müeze den geveigen,
der unreht under uns beiden habe!«
sînen hantschuoch zôh er abe.
er bôt in Môrolde dar.   6455
»ir hêrren« sprach er »nemet war:
der künec mîn hêrre und alle die,
die hie sîn, die hoeren, wie
ich disen kampf bespreche,
daz ich daz reht niht breche.   6460
daz mîn hêr Môrolt, der hie stât,
noch der in her gesendet hât,
noch mit gewalt kein ander man
zins ze rehte nie gewan
ze Curnewal noch z'Engelant: 6465
daz wil ich mit mîner hant
wâr machen und wârbaeren,
got unde der werlt bewaeren
ûf disen hêrren, der hie stât,
der unz her gevrumet hât   6470

Mir aber werden sie wohl nichts anhaben. 6435
Ich bin schon öfter dabei gewesen,
wenn Prahlen und Aufschneiden
mit solchen Worten betrieben wurde.
Ich bin überzeugt,
daß Gurmun sich keine Sorgen machen muß 6440
um sein Reich und sein Volk
vor Euren Fahnen und Eurer Hand.
Zudem wird diese Überheblichkeit,
wenn Ihr uns Schwur und Eid brecht,
nicht bis Irland aufgespart: 6445
Wir werden mit unseren Händen
unter uns beiden
auf einem Kampfplatz entscheiden,
ob Ihr recht habt oder ich.«
Tristan erwiderte: »Das werde ich 6450
mit Gottes Hilfe beweisen.
Und er möge den verderben,
der von uns im Unrecht ist.«
Er zog seinen Handschuh aus,
bot ihn Morold dar 6455
und sagte: »Seht, Ihr Herren!
Der König, mein Herr, und
die Seinen mögen hören, wie
ich diesen Kampf verabrede,
damit ich nicht regelwidrig handle. 6460
Daß weder Herr Morold, der hier steht,
noch der, der ihn hergesandt hat,
noch sonst jemand mit Gewalt
jemals rechtens Zins forderte
von Cornwall und England, 6465
das will ich mit meiner Hand
belegen und beweisen,
Gott und der Welt bescheinigen
an diesem Herrn, der hier steht
und bislang bewirkt hat 6470

daz laster und daz ungemach,
daz disen zwein landen ie geschach.«
dâ rief an der stunde
von herzen und von munde
manec edeliu zunge hin ze gote,   6475
daz got mit sînem gebote
bedaehte ir laster unde ir leit
und lôste sî von schalcheit.
swaz aber ir aller swaere
von disem kampfe waere,   6480
daz gie Môrolde cleine
ze herzen oder ze beine:
er was vil unrekomen dâ van.
der wol gestandene man
der enleite ez niender nidere.   6485
er bôt ouch ime dâ widere
des kampfes bewaerde
mit herter gebaerde,
mit fierer contenanze.
in dûhte disiu schanze   6490
vil wol nâch sînem willen wesen.
er trûte ir harte wol genesen.

Nû diz gewisset was alsô,
der kampf der wart den hêrren dô
unz an den dritten tac gespart.   6495
nû daz der dritte tac dô wart,
dô kam al diu lantschaft
und volkes ein sô michel craft,
daz der stat bî dem mer
aller bevangen was mit her.   6500
Môrolt vuor wâfenen sich.
mit des gewaefene wil ich
noch mit sîner sterke
mînes herzen merke
noch mînes sinnes spitze sehe   6505

die Schande und Schmach,
die diesen beiden Ländern je widerfuhr.«
Da riefen
aus Herz und Mund
viele Gott an, 6475
damit Gott in seiner Allmacht
ihre Schande und ihr Unglück bedenken
und sie aus der Knechtschaft befreien möge.
Wie groß aber auch ihre Sorge
vor diesem Zweikampf war, 6480
so wenig ging es Morold
zu Herzen oder ins Mark.
Er blieb unberührt davon.
Der vielfach erprobte Mann
nahm die Herausforderung an. 6485
Er bot ihm auch
ein Kampfespfand
mit grimmiger Geste
und stolzer Haltung.
Dieses Wagnis schien ihm 6490
ganz nach seinem Sinn.
Er rechnete damit, es glänzend zu bestehen.

Als nun alles mitgeteilt war,
wurde der Kampf für die Herren
auf den dritten Tag festgesetzt. 6495
Als der dritte Tag anbrach,
kam die ganze Ritterschaft
und so viel Volk,
daß der Platz am Meer
voller Menschen war. 6500
Morold ging, um sich zu bewaffnen.
Mit der Beschreibung seiner Rüstung
und seiner Stärke will ich
meine gespannte Aufmerksamkeit
und die geschärfte Sehkraft meiner Dichtkunst 6505

mit nâhe merkender spehe
niht stumpfen noch lesten,
sô dicke als er zem besten
an rehter manheit ist gezalt.
diu zal von ime ist manicvalt,　　　　　　6510
daz er an muote, an groeze, an craft
ze vollekomener ritterschaft
daz lob in allen rîchen truoc.
hie sî des lobes von ime genuoc.
ich weiz wol, daz er kunde　　　　　　6515
dô unde z'aller stunde
ze kampfe und ouch ze vehte
nâch ritteres rehte
sînem lîbe vil wol mite gân.
er haete es ê sô vil getân.　　　　　　6520

Der guote künic Marke
dem gie der kampf sô starke
mit herzeleide an sînen lîp,
daz nie kein herzelôsez wîp
die nôt umbe einen man gewan.　　　　　　6525
er enhaete keinen trôst dar an,
ez enwaere Tristandes tôt,
und haete gerne jene nôt
iemer umbe den zins geliten,
daz der kampf waere vermiten.　　　　　　6530
nu ergieng ez aber allez baz
umbe diz und umbe daz,
umbe zins und umbe man.
Der unversuohte Tristan
ze nôtlîchen dingen　　　　　　6535
der begunde ouch sich mit ringen
warnen an der stunde,
sô er allerbeste kunde.
sînen lîp und sîniu bein
diu bewârte er schône und wol in ein.　　　　　　6540

durch genaue Betrachtung
nicht abstumpfen oder belasten,
obwohl er schon oft zu den Besten
an männlicher Kühnheit gezählt wurde:
Viele Erzählungen berichten über ihn,
daß er in bezug auf Mut, Stärke und Größe   6510
als vollkommener Ritter
in allen Reichen hoch gelobt wurde.
Dieses Lob soll uns hier genügen.
Ich weiß genau, daß er sich
damals und immer   6515
zum Streit und Kampf
nach ritterlichem Recht
ganz auf seine Kraft verlassen konnte.
Das hatte er schon oft getan.   6520

Dem edlen König Marke
bereitete der Kampf so
schmerzlichen Kummer,
daß noch niemals eine verzagte Frau
solche Drangsal um einen Mann empfand.
Er war fest überzeugt,   6525
daß Tristan sterben würde,
und bereitwillig hätte er jene Schmerzen
über den Tribut auf immer erlitten,
wenn dadurch der Kampf hätte vermieden werden können.
Jedoch verbesserte sich
das eine wie das andere,   6531
in bezug auf den Zins wie auf den Mann.
Tristan, der unerfahren war
in solchen gefährlichen Unternehmungen,
begann, sich mit einem Ringpanzer   6535
alsbald zu rüsten,
so gut er es konnte.
Körper und Beine
schützte er sorgfältig und in einem Stück.   6540

dar über leite er edel werc,
zwô hosen und einen halsperc,
die wâren lieht unde wîz,
als der meister sînen vlîz
und alle sîne wîsheit   6545
an sî haete geleit.
zwên edele sporen starke
die spîen im sîn vriunt Marke
und sîn getriuwer dienestman
mit weinendem herzen an.   6550
sîne wâfenriemen er im bant
alle mit sîn selbes hant.
ein wâfenroc wart dar getragen,
der was, alse ich hôrte sagen,
mit drîhen in den spelten   6555
zen vuogen und zen velten,
z'allen sînen enden
mit vrouwînen henden
in vremedem prîse bedâht
und noch prîslîcher vollebrâht.   6560
hî! dô er den an sich genam,
wie lustic und wie lobesam
er dô dar inne waere,
daz waere sagebaere!
wan daz aber ichz niht lengen wil.   6565
der rede der würde alze vil,
ob ich ez allez wolte
ergründen, alse ich solte.
und sult ir doch wol wizzen daz:
der man gezam dem rocke baz   6570
und truog in lobes und êren an
vil mêre danne der roc den man.
swie guot, swie lobebaere
der wâfenroc doch waere,
er was doch sîner werdekeit,   6575
der in dô haete ane geleit,

Darüber legte er eine feine Rüstung,
zwei Beinlinge und einen Brustpanzer,
die waren hell und leuchtend,
weil der Meister seinen ganzen Eifer
und sein ganzes Können
hineinverarbeitet hatte.   6545
Zwei kräftige, vornehme Sporen
schnallten ihm sein Freund Marke
und sein getreuer Helfer
mit weinendem Herzen um.
Seine Waffenriemen band er sich   6550
alle eigenhändig um.
Ein Waffenrock wurde gebracht,
der war, wie ich hörte,
mit Sticknadeln im Webrahmen
an den Kanten und Falten   6555
überall
von Damen
mit fremdartiger Pracht entworfen
und noch prächtiger ausgeführt worden.
Ah, als er den anlegte,   6560
wie anmutig und feierlich
er darin aussah,
darüber könnte man viel erzählen!
Aber ich will die Geschichte nicht ausdehnen.
Ich müßte zu ausführlich berichten,   6565
wenn ich alles so
gründlich schildern wollte, wie ich es müßte.
Aber eines sollt Ihr wissen:
Der Mann geziemte dem Rocke besser
und brachte ihm mehr Lob und Ansehen ein   6570
als umgekehrt der Rock dem Manne.
Wie kostbar und rühmlich
der Waffenrock auch war,
er war doch der Würde dessen,
der ihn angelegt hatte,   6575

kûme unde kûmeclîche wert.
dar über gurte im Marke ein swert,
daz sîn leben und sîn herze was,
von dem er allermeist genas   6580
vor Môrolde und ouch dicke sider.
und wac daz alsô rehte nider
und lac ûf sîner strâze
in sô gevüeger mâze,
daz ez noch ûf noch nider wac   6585
wan rehte, dâ sîn weide lac.
ein helm wart ouch besendet dar,
der was als ein cristalle var,
lûter unde veste,
der schoeneste unde der beste,   6590
den ie ritter ûf genam.
ich waene ouch ie sô guoter kam
inz lant ze Curnewâle.
dar ûffe stuont diu strâle,
der minnen wîsaginne,   6595
diu sît her mit der minne
an ime vil wol bewaeret wart,
swie lange ez würde dar gespart.
den sazte im Marke ûf unde sprach:
»â neve, daz ich dich ie gesach,   6600
daz wil ich gote vil tiure clagen.
ich wil dem allem widersagen,
des kein man ze vröuden giht,
ist, daz mir leide an dir geschiht.«

Ein schilt der wart ouch dar besant.   6605
an dem haete ein gevüegiu hant
gewendet allen ir vlîz
und was der niuwan silberwîz,
durch daz er einbaere
helm unde ringen waere.   6610
er was aber gebrûnieret,

bei weitem nicht angemessen.
Darüber gürtete ihm Marke ein Schwert,
das ihm Leben und Herz bedeutete
und mit dessen Hilfe er sich rettete   6580
vor Morold und auch später noch häufig.
Das paßte gut zu ihm
und steckte an seinem Platz
so angemessen,
daß es sich weder auf noch ab bewegte,   6585
sondern nur dorthin, wo es hingehörte.
Ein Helm wurde ihm gebracht,
der war hell wie ein Kristall,
rein und fest,
der prächtigste und beste,   6590
den je ein Ritter hatte.
Ich glaube, ein so guter Helm kam
noch nie nach Cornwall.
An seiner Spitze war ein Pfeil,
Symbol der Liebe,   6595
das sich danach mit Liebe
an ihm ganz erfüllte,
wenn es auch noch lange dauerte.
Den setzte ihm Marke auf und sagte:
»Ach, Neffe, daß ich dich je gesehen habe,   6600
will ich Gott von Herzen klagen.
Ich will auf alles verzichten,
was einen Mann erfreuen kann,
wenn ich um dich Schmerz erleide.«

Ein Schild wurde auch gebracht.   6605
Auf den hatte eine geschickte Hand
all ihren Eifer verwendet.
Er war ganz silberweiß,
damit er passend
zu Helm und Rüstung sei.   6610
Er war auf Hochglanz poliert.

mit lûtere gezieret
reht alse ein niuwe spiegelglas.
ein eber dar ûf gesniten was
vil meisterlîchen unde wol   6615
von swarzem zobel alsam ein kol.
den leite im aber sîn oeheim an.
der stuont dem keiserlîchem man
und vuogete ime zer sîten
dô unde z'allen zîten,   6620
als er dar gelîmet waere.
nû daz der lobebaere,
der genaeme kindesche man
Tristan den schilt an sich gewan,
nû lûhten disiu vier werc,   6625
helm unde halsperc,
schilt unde hosen ein ander an
sô schône, ob sî der wercman
alle viere alsô haete ûf geleit,
daz iegelîches schônheit   6630
dem andern schoene baere
und sîn geschoenet waere,
sone kunde ir aller vierer schîn
ebenliehter niemer sîn.
und aber daz niuwe wunder,   6635
daz dar inne und dar under
ze schaden und ze sorgen
den vînden was verborgen,
haete aber daz dekeine craft
wider dirre vremeden meisterschaft,   6640
diu ûzen an gebildet lac?
ich weiz ez wârez alse den tac:
swie sô der ûzer waere,
der innere bildaere
der was baz betihtet,   6645
bemeistert unde berihtet
ze ritters figiure

und mit einem leuchtenden Schimmer versehen,
ganz wie neues Spiegelglas.
Darauf war ein Eber geschnitten
sehr meisterhaft und ganz 6615
aus kohlschwarzem Zobel.
Auch den legte ihm sein Onkel an.
Er paßte gut zu dem überaus stattlichen Mann
und schmiegte sich ihm an die Seite
da und immer, 6620
als ob er angeleimt wäre.
Als nun der rühmenswerte,
angenehme, knabenhafte
Tristan den Schild bekommen hatte,
strahlten diese vier Dinge, 6625
Helm und Panzer,
Schild und Beinlinge sich gegenseitig
so herrlich an, als ob der Künstler
alle vier so prächtig entworfen hätte,
damit ihre jeweilige Schönheit 6630
miteinander wetteifern
und dadurch noch gesteigert werden sollte.
Dem Glanz von allen vieren konnte
nichts gleichkommen.
Was aber über das neue Wunder, 6635
das darin und darunter
zum Nachteil und Entsetzen
der Feinde verborgen war,
hatte das kein Gewicht
gegenüber der ungewöhnlichen Kunstfertigkeit, 6640
die an der Außenseite verwendet war?
Ich bin mir völlig sicher:
Wie das Äußere auch aussah –
das Innere
war noch besser ersonnen, 6645
gestaltet und geschaffen
zum Inbegriff der Ritterlichkeit

dan diu ûzere faitiure.
daz werc daz was dar inne
an geschepfede unde an sinne   6650
vil lobelîchen ûf geleit.
des wercmannes wîsheit
hî, wie wol diu dar an schein!
sîn brust, sîn arme und sîniu bein
diu wâren hêrlîch unde rîch,   6655
wol gestalt und edelîch.
im stuont daz îsen dar obe
wol und ze wunderlîchem lobe.
sîn ors daz habete ein knappe dâ.
in Spanjenlant noch anderswâ   6660
wart nie kein schoenerez erzogen.
ezn was niender în gesmogen:
ez was rîch und offen
zer brust und zuo den goffen,
starc ze beiden wenden,   6665
erwünschet z'allen enden.
sîne vüeze und sîniu bein
diu behielten ouch vil wol in ein
al ir geschepfede unde ir reht.
die vüeze sinewel, diu bein sleht,   6670
ûfrihtic alle viere
als einem wilden tiere;
ouch was ez kurzlîcher kust:
hin vor dem satel und vor der brust
dâ stuont ez alsô rehte wol,   6675
als ein ros iemer beste sol.
dar ûffe ein wîziu decke lac,
lieht unde lûter alse der tac,
den andern ringen gelîch,
und was diu lanc und alsô rîch,   6680
daz sî wol ebene nider gie
dem orse vaste vür diu knie.

als die äußere Ausrüstung.
Das Kunstwerk im Inneren
war in Anlage und Absicht   6650
rühmenswert entworfen.
Die Kunst des Künstlers,
ah, wie wird sie da offenkundig!
Seine Brust, seine Arme und Beine
waren prächtig und stark,   6655
wohlgeformt und edel.
Die Rüstung stand ihm
gut und glänzend.
Ein Knappe hielt sein Pferd.
Weder in Spanien noch anderswo   6660
wurde je ein herrlicheres gezüchtet.
Es war nirgendwo eingefallen:
Es war stark und breit
an Brust und Hinterbacken,
kräftig in den Flanken,   6665
und vollkommen vorne und hinten.
Seine Hufe und Läufe
entsprachen genau
allen Vorschriften und Regeln:
die Hufe gewölbt, die Läufe gerade,   6670
alle vier schlank
wie bei einem Reh.
Zudem war es gedrungen.
Vor dem Sattel und um den Brustkasten
war es so gebaut,   6675
wie ein Pferd gebaut sein soll.
Es trug eine weiße Decke,
hell und leuchtend wie der Tag,
gleich der Rüstung,
und sie war so lang und prächtig,   6680
daß sie herunterhing
fast bis an die Knie des Pferdes.

Nû daz Tristan ze vehte
nâch ritteres rehte
nâch kampfes gewonheit   6685
wol und ze prîse was bereit,
die dô wol kunden prîsen
beidiu man und îsen,
die kâmen alle samet dar an,
daz beidiu, îsen unde man,   6690
geworhten schoener bilde nie.
swie wol daz aber schîne hie,
ez schein doch vil und verre baz,
sît dô er ûf daz ors gesaz
und sper ze handen genam,   6695
dô was daz bilde lussam,
dô was der ritter lobelîch,
ob dem satel und unden rîch.
arme und ahsele beide
die haeten breite weide.   6700
in den satel kunde er sich wol,
dâ man den satel sitzen sol,
gesetzen unde gevüegen.
hin neben des orses büegen
dâ swebeten sîniu schoeniu bein   6705
strac unde sleht alsam ein zein.
dô stuont daz ors, dô stuont der man
sô rehte wol ein ander an,
als ob si waeren under in zwein
mit ein ander unde in ein   6710
alsô gewahsen unde geborn.
die gebaerde wâren ûz erkorn,
staetelîch und staete,
die Tristan z'orse haete.
dar zuo swie wol gebaere   6715
gebaerdehalp er waere,
sô was doch innerthalp der muot
sô reine g'artet und sô guot,

Als nun Tristan zum Kampf
nach ritterlichem Brauch
und den Gesetzen des Zweikampfs   6685
gut und rühmlich vorbereitet war –
alle, die etwas verstanden
von Rittern und Rüstungen,
waren sich einig darin,
daß Ritter und Rüstung   6690
noch niemals besser ausgesehen hätten.
Wie schön das aber hier aussah,
es wurde noch viel herrlicher,
als er sich auf das Pferd setzte
und die Lanze in die Hand nahm.   6695
Der Anblick war begeisternd,
der Ritter herrlich,
prächtig oberhalb des Sattels und auch darunter.
Arme und Schultern
hatten viel Bewegungsfreiheit.   6700
Er verstand es, sich in den Sattel,
so wie man im Sattel sitzen soll,
zu setzen und zu schmiegen.
Auf beiden Seiten des Pferdes
streckten sich seine schönen Beine   6705
gerade und gleichmäßig wie Gerten.
Da stand das Pferd, da stand der Mann,
und beide paßten so gut zueinander,
als ob sie
gemeinsam und in einem   6710
so geboren und gewachsen wären.
Die Haltung war erlesen,
fest und aufrecht,
die er auf dem Pferde einnahm.
Aber wie auch immer seine Haltung   6715
und Erscheinung war,
im Innern seine Gesinnung
war so lauter und gut beschaffen,

daz edeler muot und reiner art
under helme nie bedecket wart.   6720

Sus was den kempfen beiden
ein kampfstat bescheiden,
ein cleiniu insel in dem mer,
dem stade sô nâhe unde dem her,
daz man dâ wol bereite sach,   6725
swaz in der insele geschach.
und was ouch daz beredet dar an,
daz âne dise zwêne man
nieman dar în kaeme,
biz der kampf ende naeme.   6730
daz wart ouch wol behalten.
sus wurden dar geschalten
den kempfen zwein zwei schiffelîn,
der ietwederz mohte sîn,
daz ez ein ors und einen man   6735
gewâfent wol trüege dan.
nû disiu schif diu stuonden dâ.
Môrolt zôch in ir einez sâ.
daz ruoder nam er an die hant,
er schiffete anderhalp an lant.   6740
und alse er ûz zem werde kam,
sîn schiffelîn er iesâ nam,
zuo dem stade hafte er daz.
ûf sîn ors er balde saz,
an sîne hant nam er sîn sper,   6745
al über den wert sô liez er her
rîlîche gân punieren,
hin unde her laisieren.
und wâren sîn puneize
in dem ernestcreize   6750
sô ringe und sô schimpfbaere,
als ez ze schimpfe waere.
Als Tristan ouch ze schiffe kam,

daß größerer Edelmut und ein reineres Wesen
noch nie unter einem Helm vereinigt waren.   6720

Den beiden Kämpfern wurde
eine Kampfbahn zugewiesen,
eine kleine Insel in der See,
die dem Strand und der Menge so nahe war,
daß man von da gut sehen konnte,   6725
was auf der Insel vor sich ging.
Und es wurde auch bestimmt,
daß zu den beiden Männern
niemand gehen dürfte,
ehe der Kampf zu Ende wäre.   6730
Das wurde auch genau eingehalten.
Dann wurden gegeben
den Kämpfern zwei Boote,
von denen jedes
ein Pferd und einen Mann   6735
in Waffen tragen konnte.
Diese Boote lagen wartend da.
Morold nahm sich eines.
Er nahm das Ruder zur Hand
und setzte über.   6740
Und als er zu der Insel kam,
nahm er sein Boot
und vertäute es am Ufer.
Sogleich setzte er sich auf sein Pferd,
nahm die Lanze in die Hand   6745
und sprengte über die ganze Insel
in einem kraftvollen Turniergang,
er ritt hin und her.
Sein Anstürmen mit eingelegter Lanze
auf der Kampfbahn   6750
sah so leicht und spielerisch aus,
als ob es ein Vergnügen wäre.
Tristan ging zu einem Boot,

sîn dinc dar în ze sich genam,
beidiu sîn ors und ouch sîn sper.   6755
vorn in dem schiffe dâ stuont er.
»künec« sprach er »hêrre Marke,
nune sorget niht ze starke
umbe mînen lîp und umbe mîn leben.
wir suln ez allez gote ergeben.   6760
unser angest hilfet hie zuo niht.
waz obe uns lîhte baz geschiht,
dan man uns habe ûf geleit?
unser sige und unser saelekeit
diu enstât an keiner ritterschaft   6765
wan an der einen gotes craft.
lât alle vorvorhte wesen,
wan ich mac harte wol genesen.
mir ist ze disem dinge
mîn gemüete harte ringe.   6770
als tuot ouch ir: gehabet iuch wol!
ez ergât doch niuwan, alse ez sol.
und aber swie sô mîn ding ergê,
an swelhem ende sô'z gestê,
sô lât ir iuch doch hiute,   6775
iuwer lant und iuwer liute,
an den ich mich verlâzen hân.
got selbe, der mit mir sol gân
ze ringe und ouch ze vehte,
der bringe reht ze rehte!   6780
got muoz binamen mit mir gesigen
oder mit mir sigelôs beligen.
der walte es unde müeze es pflegen!«
hie mite bôt er in sînen segen.
sîn schiffelîn daz stiez er an   6785
und vuor in gotes namen dan.
hie wart sîn lîp und ouch sîn leben
von manegem munde gote ergeben.
im wart von maneger edelen hant

nahm seine Ausrüstung,
sein Pferd und seine Lanze,   6755
und am Bug des Bootes stehend
sagte er: »König, Herr Marke,
sorgt Euch nicht zu sehr
um mich und mein Leben.
Wir wollen es Gott überantworten.   6760
Unsere Furcht nützt uns hier nichts.
Wie, wenn es uns vielleicht besser ergeht
als wir ahnen?
Unser Sieg und unser Glück
hängen von keiner Ritterschaft ab   6765
als allein von Gottes Macht.
Legt alle Furcht ab,
denn ich werde den Kampf sicher bestehen.
Ich bin bei dieser Angelegenheit
völlig unbesorgt.   6770
Denkt auch so! Seid getrost!
Es kommt doch, wie es kommen soll.
Wie auch immer die Sache ausgehen,
zu welchem Ergebnis sie kommen mag,
vertraut Euch heute,   6775
Euer Reich und Euer Volk,
dem an, dem auch ich vertraue:
Gott selbst, der mit mir gehen wird
zum Kampfplatz und zum Kampf,
der möge dem Recht zu seinem Rechte verhelfen!   6780
Wahrlich, Gott muß mit mir siegen
oder sieglos mit mir unterliegen.
Er möge das Recht hüten und bewahren!«
Mit diesen Worten segnete er sie,
stieß sein Boot ab   6785
und fuhr in Gottes Namen davon.
Da wurde seine Gesundheit und sein Leben
aus manchem Munde Gott anbefohlen.
Von mancher edlen Hand wurde ihm

manec süeze segen nâch gesant.   6790
und alse er ûz ze stade gestiez,
sîn schiffelîn er vliezen liez
und saz ûf sîn ors iesâ.
nu was ouch Môrolt iesâ dâ.
»sag an« sprach er »waz tiutet daz,   6795
durch welhen list und umbe waz
hâstû daz schif lâzen gân?«
»daz hân ich umbe daz getân:
hie ist ein schif unde zwêne man,
und enist ouch dâ kein zwîvel an,   6800
belîbent die niht beide hie,
daz aber binamen ir einer ie
ûf disem werde tôt beliget,
sô hât ouch jener, der dâ gesiget,
an disem einen genuoc,   6805
daz dich dâ her zem werde truoc.«
Môrolt sprach aber: »ich hoere wol,
daz diz unwendic wesen sol,
der kampf enmüeze vür sich gân.
liezestû'n noch understân   6810
und schiede wir mit minnen
ûf solhe rede von hinnen,
daz ich mîn zinsreht staete
von disen zwein landen haete,
daz diuhte mich dîn saelekeit.   6815
wan zwâre mir ist sêre leit,
ist daz ich dich slâhen sol.
mirn geviel nie ritter alsô wol,
den ich mit ougen ie gesach.«
der gemuote Tristan aber dô sprach: 6820
»der zins muoz vürder sîn getân,
sol kein suone under uns ergân.«
»entriuwen« sprach der ander dô
»diu suone wirdet niht alsô.
sus kome wir niht ze minnen.   6825

ein inniger Segen nachgewinkt.   6790
Und als er am Ufer ankam,
ließ er sein Boot treiben
und saß gleich auf.
Morold war schnell da
und fragte: »Sag, was bedeutet das,   6795
aus welchem Grunde und wozu
hast du das Boot wegtreiben lassen?«
»Das habe ich deswegen getan:
Hier sind ein Schiff und zwei Männer,
aber es gibt keinen Zweifel,   6800
daß, wenn nicht beide umkommen,
einer von ihnen gewiß
auf dieser Insel erschlagen wird.
Dann aber hat der, der gesiegt hat,
an diesem einen Boot genug,   6805
das dich zu dieser Insel brachte.«
Morold erwiderte: »Ich höre,
daß es unabänderlich ist.
Der Kampf muß stattfinden.
Wenn du ihn unterließest   6810
und wir uns im Einvernehmen
und mit der Abmachung trennten,
daß ich mein Zinsrecht weiterhin
in diesen beiden Reichen behielte,
dann könntest du darüber froh sein.   6815
Denn es schmerzt mich sehr,
daß ich dich erschlagen soll.
Noch nie hat mir ein Ritter so gut gefallen,
den ich gesehen habe.«
Der tapfere Tristan sagte: 6820
»Der Zins muß abgeschafft werden,
wenn wir uns versöhnen wollen.«
»Wahrlich«, antwortete der andere,
»so können wir uns nicht versöhnen.
So kommen wir zu keinem Einvernehmen.   6825

der zins muoz mit mir hinnen.«
»sô trîbe wir« sprach Tristan
»vil harte unnütziu teidinc an.
Môrolt, sît daz du danne mîn
ze slahene sô gewis wilt sîn,   6830
sô wer dich, wellestû genesen.
hie enmac niht anders an gewesen.«

Daz ors daz warf er umbe,
er machte ûz einer crumbe
eine rihtige slihte.   6835
er lie her gân enrihte
mit aller sînes herzen ger
mit gesenketem sper.
mit vliegenden schenkelen,
mit sporn und mit enkelen   6840
nam er daz ors zen sîten.
wes mohte ouch jener dô bîten,
dem ez umbe daz leben dô stuont?
der tete reht als sî alle tuont,
die ûf rehte manheit   6845
alle ir sinne hânt geleit:
er nam ouch eine kêre
nâch sînes herzen lêre
wol balde hin und balder wider.
sper warf er ûf und iesâ nider.   6850
sus kam er her gerüeret,
als den der tiuvel vüeret.
beidiu ros unde man
kâmen Tristanden vliegende an
noch balder danne ein smirlîn.   6855
als giric was ouch Tristan sîn.
si kâmen mit gelîcher ger
gelîche vliegende her,
daz sî diu sper zestâchen,
daz s'in den schilten brâchen   6860

Den Zins muß ich mitnehmen.«
Tristan sagte: »Dann führen wir
eine völlig sinnlose Unterhaltung.
Morold, wenn du
so sicher bist, mich zu erschlagen,   6830
dann wehre dich, wenn du überleben willst.
Anders geht es nicht.«

Er warf sein Pferd herum
und bog aus der Biegung
in eine Gerade ein.   6835
Er ließ es geradeaus sprengen
aus vollem Herzen,
mit gesenkter Lanze.
Mit fliegenden Schenkeln,
mit Sporen und Fersen   6840
trieb er das Pferd an.
Worauf sollte nun jener noch warten,
dem es ans Leben ging?
Er tat, was alle tun,
die zu männlicher Tapferkeit   6845
entschlossen sind.
Er wendete ebenfalls,
wie sein Herz ihm sagte,
ritt schnell fort und noch schneller zurück
und hob und senkte dabei die Lanze.   6850
So sauste er heran
wie einer, den der Teufel leitet.
Pferd und Reiter
flogen auf Tristan zu
schneller als ein Zwergfalke.   6855
So kampfgierig auf ihn war auch Tristan.
Mit gleicher Entschlossenheit kamen sie
wie beflügelt aufeinander zu,
so daß sie die Lanzen zersplitterten
und ihnen die Schilde zerbarsten   6860

wol ze tûsent stucken.
dô gieng ez an ein zucken
der swerte von den sîten.
si giengen z'orse strîten.
got selbe möhte ez gerne sehen.   6865

Nu hoere ich al die werlde jehen
und stât ouch an dem maere,
daz diz ein einwîc waere,
und ist ir aller jehe dar an,
hiene waeren niuwan zwêne man.   6870
ich prüeve ez aber an dirre zît,
daz ez ein offener strît
von zwein ganzen rotten was.
swie ich doch daz nie gelas
an Tristandes maere,   6875
ich mache ez doch wârbaere.
Môrolt, als uns diu wârheit
ie hât gesaget und hiute seit,
der haete vier manne craft,
diz was vier manne ritterschaft.   6880
daz was der strît in eine sît.
sô was anderhalp der strît:
daz eine got, daz ander reht,
daz dritte was ir zweier kneht
und ir gewaerer dienestman,   6885
der wol gewaere Tristan,
daz vierde was willeger muot,
der wunder in den noeten tuot.
die viere und jene viere
ûz den gebilde ich schiere   6890
zwô ganze rotte oder ahte man,
als übel als ich doch bilden kan.

Ê dûhte iuch, daz diz maere
gâr ungevüege waere,

in tausend Stücke.
Da nahmen sie
die Schwerter von der Seite.
Sie kämpften auf ihren Pferden.
Gott selbst hätte es mit Vergnügen gesehen.   6865

Nun sagen alle
und es steht auch in der Geschichte,
daß dies ein Zweikampf sei,
und alle behaupten,
da seien nur zwei Männer.   6870
Ich schätze aber,
daß es ein offener Kampf
zwischen zwei ganzen Scharen war.
Obwohl ich das nie gelesen habe
in der Erzählung über Tristan,   6875
will ich es doch beweisen.
Morold, wie die wahre Geschichte
früher mitteilte und noch behauptet,
hatte die Stärke von vier Männern;
das war eine Streitmacht von vier Männern.   6880
Das war die eine Partei des Kampfes.
Die andere Seite sah so aus:
Da war zuerst Gott, außerdem das Recht
und drittens ihr Krieger
und ihr zuverlässiger Vasall,   6885
der tüchtige Tristan;
das vierte war feste Entschlossenheit,
die in der Bedrängnis Wunder bewirkt.
Diese vier und jene –
daraus bilde ich schnell   6890
zwei ganze Abteilungen oder acht Mann,
so gut ich es eben kann.

Eben noch hieltet Ihr die Geschichte
für ungereimt,

daz ûf zwein orsen zwei her   6895
iemer möhten komen ze wer.
nû habt ir'z vür wâr vernomen,
daz hie zesamene waeren komen
under einem helme ieweder sît
vier ritter oder vier ritter strît.   6900
die riten ouch zuo den zîten
vaste ûf ein ander strîten.
alsus kam ein geselleschaft,
Môrolt mit vier manne craft,
Tristanden alse ein dunre an.   6905
der veige vâlandes man
der sluoc sô crefteclîche ûf in,
daz er im craft unde sin
vil nâch mit slegen haete benomen.
waere ime der schilt ze staten niht komen,   6910
under dem er sich mit listen
kunde schirmen unde vristen,
weder helm noch halsperc
noch kein sîn ander kampfwerc
daz enhaete in dâ niht vür getragen,   6915
ern haete in durch die ringe erslagen.
ern liez im nie die state geschehen,
daz er vor slegen möhte ûf gesehen.
sus gieng er in mit slegen an,
biz er'm mit slegen an gewan,   6920
daz Tristan von der slege nôt
den schilt ze verre von im bôt
unde den schirm ze hôhe truoc,
biz er im durch daz diech sluoc
einen alsô hezlîchen slac,   6925
der vil nâch hin zem tôde wac,
daz ime daz vleisch und daz bein
durch hosen und durch halsperc schein
und daz daz bluot ûf schraete
und after dem werde waete.   6930

daß da auf zwei Pferden zwei ganze Heere   6895
miteinander kämpfen könnten.
Aber nun habt Ihr gehört,
daß tatsächlich hier aufeinandertrafen
unter einem Helm auf jeder Seite
vier Ritter oder eine Streitmacht aus vier Rittern.   6900
Die ritten nun
gewaltig aufeinander zu, um zu kämpfen.
So kam die eine Partei,
Morold mit so viel Kraft wie vier Männer,
auf Tristan zu wie ein Gewitter.   6905
Der verwünschte Mann des Teufels
schlug so mächtig auf ihn ein,
daß er ihm alle Kraft und Besinnung
mit seinen Hieben um ein Haar geraubt hätte.
Wäre sein Schild ihm nicht nützlich gewesen,   6910
unter dem er sich geschickt
abschirmen und schützen konnte,
hätten weder Helm noch Brustpanzer
noch seine übrige Rüstung
ihm da weitergeholfen.   6915
Morold hätte ihn durch den Ringpanzer hindurch
Er gab ihm keine Möglichkeit,   [erschlagen.
vor lauter Schlägen einmal aufzublicken.
So griff er ihn mit Schlägen an,
bis er ihn mit Schlägen so bezwang,   6920
daß Tristan in seiner Bedrängnis
den Schild zu weit von sich weghielt
und den Schutz etwas zu hoch trug,
bis er ihm durch den Schenkel schlug
mit einem bösen Hieb,   6925
der ihn fast tötete,
so schlimm, daß Fleisch und Knochen ihm
durch Beinlinge und Panzer schauten
und das Blut aufspritzte
und über die Insel strömte.   6930

»wie dô?« sprach Môrolt »wiltu jehen?
hier an mahtû wol selbe sehen,
daz nieman unreht vüeren sol.
dîn unreht schînet hier an wol.
noch denke, wellestû genesen,   6935
in welher wîse ez müge gewesen;
wan zwâre, Tristan, disiu nôt
diu ist dîn endeclîcher tôt.
ich eine enwende ez danne,
von wîbe noch von manne   6940
sone wirdestû niemêr gesunt.
du bist mit eime swerte wunt,
daz toedic unde gelüppet ist.
arzât noch arzâte list
ernert dich niemer dirre nôt,   6945
ez entuo mîn swester eine, Îsôt,
diu künegîn von Îrlande.
diu erkennet maneger hande
wurze und aller crûte craft
und arzâtlîche meisterschaft.   6950
diu kan eine disen list
und anders nieman, der der ist.
diun ner dich, dû bist ungenesen.
wiltû mir noch gevolgic wesen
und mir des zinses jehende sîn,   6955
mîn swester diu künigîn
diu muoz dich selbe heilen
und ich wil mit dir teilen
geselleclîche, swaz ich hân,
und wil dir nihtes abe gân,   6960
dâ dich dîn wille zuo getreit.«
Tristan sprach: »mîne wârheit
und mîn êre die engibe ich
durch dîne swester noch durch dich.
ich hân in mîner vrîen hant   6965
dâ her gevuort zwei vrîiu lant,

»Nun«, rief Morold, »gibst du dich geschlagen?
Hieran kannst du selbst sehen,
daß man sich nicht für das Unrecht einsetzen soll.
Dein Unrecht wird hier nun ganz offensichtlich.
Wenn du überleben willst, denke daran,   6935
wie das geschehen kann.
Denn wahrlich, Tristan, deine schlimme Lage
wird schließlich zu deinem Tode führen,
wenn einzig und allein ich es nicht abwende.
Weder durch Mann noch durch Frau   6940
wirst du ansonsten geheilt.
Ein Schwert hat dich verwundet,
das tödlich und vergiftet ist.
Ärzte und all ihr Können
werden dich aus dieser Not nicht retten,   6945
außer einzig meiner Schwester, Isolde,
der Königin von Irland.
Sie kennt zahlreiche
Wurzeln und die Heilkraft der Kräuter
und verfügt über ärztliche Meisterschaft.   6950
Sie allein beherrscht diese Kunst,
sonst niemand auf der Welt.
Wenn sie dich nicht rettet, stirbst du.
Wenn du mir gehorchst
und mir den Tribut zugestehst,   6955
wird meine Schwester, die Königin,
dich eigenhändig heilen,
und ich will alles mit dir teilen
in Freundschaft, was ich besitze,
und will dir nichts abschlagen,   6960
wonach du verlangst.«
Tristan antwortete: »Meinen Schwur
und mein Ansehen werde ich nicht aufgeben
für dich oder für deine Schwester.
In meiner freien Hand   6965
habe ich zwei freie Reiche mitgebracht;

diu varnt ouch mit mir hinnen
oder ich muoz ir gewinnen
groezern schaden oder aber den tôt.
ouch enbin ich noch ze solher nôt   6970
mit einer wunden niht getriben,
daz ez allez hier an sî beliben.
der kampf ist under uns beiden
ie noch vil ungescheiden.
der zins ist dîn tôt oder der mîn.   6975
hie enmac niht anders ane gesîn.«
Hie mite ruorte er in aber an.
nu sprichet daz vil lîhte ein man,
ich selbe spriche ez ouch dar zuo:
»got unde reht, wâ sint sî nuo,   6980
Tristandes strîtgesellen?
ob s'im iht helfen wellen,
des nimt mich michel wunder.
si sûment sich hier under.
ir rotte und ir geselleschaft   6985
diu ist sêre worden schadehaft.
sine komen danne drâte,
sô koment s'al ze spâte.
von diu sô komen schiere!
hie rîtent zwêne an viere   6990
und strîtent niuwan umbe ir leben.
daz selbe deist ouch sêre ergeben
an zwîvel unde an untrôst.
suln s'iemer werden erlôst,
daz muoz vil kurzlîche sîn!« –   6995
got unde reht diu riten dô în
mit rehtem urteile,
ir rotte ze heile,
ir vînden ze valle.
hie begunden sî sich alle   7000
gelîche rottieren:
viere wider vieren.

die werden mit mir auch wieder weggehen,
oder ich erleide für sie
noch größeres Verderben oder gar den Tod.
Zudem bin ich in solche Bedrängnis   6970
mit nur einer Wunde noch nicht getrieben,
daß alles verloren wäre.
Unser Kampf ist
noch ganz und gar nicht entschieden.
Der Zins ist dein Tod oder meiner.   6975
Etwas anderes gibt es nicht.«
Damit griff er ihn wieder an.
Vielleicht sagt nun jemand,
und ich sage es auch:
»Wo sind denn nun Gott und das Recht,   6980
Tristans Mitstreiter?
Ob sie ihm helfen werden,
das frage ich mich.
Sie zögern noch immer.
Ihre Rotte und ihre Schar   6985
ist schwer angeschlagen.
Wenn sie nicht bald kommen,
kommen sie zu spät.
Darum sollen sie schnell kommen!
Hier reiten zwei Männer gegen vier   6990
und kämpfen um ihr nacktes Leben,
welches völlig ausgesetzt ist
der Verzweiflung und Mutlosigkeit.
Wenn sie noch gerettet werden sollen,
muß es schnell erfolgen.«   6995
Da ritten Gott und das Recht herbei
mit gerechtem Urteil
zur Rettung ihrer Schar
und zum Untergang ihrer Gegner.
Da schlossen sich alle   7000
zu gleich starken Rotten zusammen:
vier gegen vier.

alsus reit schar wider schar.
und Tristan, alse er wart gewar
der sînen strîtgesellen,
dô wuohs im muot und ellen.
im brâhte sîn geselleschaft
beidiu herze unde craft.
daz ors er mit den sporn nam.
sô sêre er her gerüeret kam,
daz er nâch sîner gelust
hurtende mit des orses brust
den vînt sô sêre erschalte,
daz er'n zer erden valte
mit orse mit alle.
und alse er von dem valle
ein lützel sich erholte
und wider zem orse wolte,
nu was ouch Tristan iesâ dâ.
den helm den sluog er ime iesâ,
daz er waete al dort hin dan.
hie mite sô lief in Môrolt an.
durch die covertiure er sluoc
Tristandes orse abe den buoc,
daz ez under ime dar nider gesaz,
und er tete weder wirs noch baz,
wan sprang et anderhalp dervan.
Môrolt der listege man
den schilt ze rucke er kêrte,
als in sîn witze lêrte.
mit der hant sô greif er nider,
den helm den nam er aber wider.
er haete in sîner wîsheit
alsô gedâht und ûf geleit,
sô er wider z'orse kaeme,
daz er den helm ûf naeme
und rite aber Tristanden an.
nu er den helm ze sich gewan

7005

7010

7015

7020

7025

7030

7035

So ritt Trupp gegen Trupp.
Und als Tristan spürte
seine Streitgenossen,
da wuchsen sein Mut und seine Kraft.   7005
Seine Mitkämpfer vermittelten ihm
Kühnheit und Stärke.
Er gab seinem Pferd die Sporen.
So gewaltig stürmte er heran,   7010
daß er, von seiner Kampfgier
vorwärtsgetrieben, mit der Brust des Pferdes
seinen Feind so heftig rammte,
daß er ihn zu Boden riß
mit dem ganzen Pferd.   7015
Und als er sich von dem Sturz
ein wenig erholt hatte
und wieder aufsitzen wollte,
da war Tristan schon heran.
Er schlug ihm auf den Helm,   7020
daß dieser davonflog.
Dann griff Morold ihn an.
Durch die Decke schlug er
Tristans Pferd einen Vorderlauf ab,
so daß es unter ihm zusammenbrach.   7025
Und er tat nichts anderes,
als daß er zur Seite wegsprang.
Der geschickte Morold
drehte den Schild auf seinen Rücken
mit Geistesgegenwart.   7030
Mit der Hand griff er nach unten
und nahm den Helm wieder auf.
In seiner Klugheit
hatte er gedacht und geplant,
sobald er wieder auf seinem Pferde säße,   7035
den Helm aufzusetzen
und Tristan erneut anzugreifen.
Als er den Helm geholt hatte

und hin zem orse gâhete
und dem alsô genâhete,   7040
daz er die hant zem brîtel liez
und den linken vuoz gestiez
wol vaste in den stegereif
und mit der hant den satel ergreif,
nu haete in ouch Tristan erzogen.   7045
er sluoc im ûf dem satelbogen
daz swert und ouch die zeswen hant,
daz si beidiu vielen ûf den sant
mit ringen mit alle.
und under disem valle   7050
gab er im aber einen slac
reht obene, dâ diu kuppe lac,
und truoc ouch der sô sêre nider,
dô er daz wâfen zucte wider,
daz von dem selben zucke   7055
des swertes ein stucke
in sîner hirneschal beleip,
daz ouch Tristanden sider treip
ze sorgen und ze grôzer nôt:
ez haete in nâch brâht ûf den tôt.   7060
Môrolt, daz trôstelôse her,
do er âne craft und âne wer
sô sêre türmelende gie
und sich an den val verlie,
»wie dô, wie dô?« sprach Tristan   7065
»sô dir got, Môrolt, sag an,
ist dir dirre maere iht kunt?
mich dunket, dû sîst sêre wunt.
ich waene, dîn dinc übele stê.
swie ez mîner wunden ergê,   7070
dir waere guoter wurze nôt.
swaz sô dîn swester Îsôt
von erzenîe hât gelesen,
des wirt dir nôt, wiltû genesen.

und zum Pferd eilte
und sich ihm so weit genähert hatte,   7040
daß er den Zügel in die Hand nahm
und den linken Fuß
schnell in den Steigbügel stieß
und mit der Hand den Sattel ergriff,
da war auch Tristan heran.   7045
Er schlug ihm auf den Sattelbogen,
so daß das Schwert und die rechte Hand
in den Sand fielen
und mit ihnen die Panzerringe.
Und noch im Stürzen   7050
gab er ihm einen weiteren Hieb
ganz oben auf den Kopfschutz.
Der ging so tief herunter,
daß, als er die Waffe wieder herausziehen wollte,
von ebendiesem Schlag   7055
ein Stück des Schwertes
in der Schädeldecke steckenblieb,
das später Tristan eintrug
Gefahr und große Bedrängnis.
Es hätte ihm fast den Tod verursacht.   7060
Als Morold, die nunmehr hilflose Schar,
da kraft- und wehrlos
taumelte
und niederstürzte,
sagte Tristan: »Was denn, was denn?   7065
Bei Gott, Morold, sag mir,
weißt du, was das bedeutet?
Ich fürchte, du bist tödlich verwundet.
Ich glaube, es steht schlecht um dich.
Wie auch immer es meiner Wunde geht: 7070
jetzt brauchtest du heilkräftige Wurzeln.
Was deine Schwester Isolde
an Heilkunst gelernt hat,
das brauchst du jetzt, um zu überleben.

der rehte und der gewaere got   7075
und gotes waerlîch gebot
die habent dîn unreht wol bedâht
und reht an mir ze rehte brâht.
der müeze mîn ouch vürbaz pflegen!
disiu hôhvart diu ist gelegen!«   7080
hie mite trat er im nâher baz.
daz swert daz nam er und gab daz
ze beiden sînen handen.
er sluoc sînem anden
daz houbet mit der cuppen abe.   7085

Sus kêrte er wider zuo der habe,
dâ er Môroldes schif dâ vant.
dâ saz er în und vuor zehant
gein dem stade und gein dem her.
aldâ gehôrte er bî dem mer   7090
grôze vröude und grôze clage,
vröude unde clage, als ich iu sage.
der saelde an sîner sige lac,
den was ein saeleclîcher tac
und michel vröude erstanden.   7095
si slageten mit handen,
si lobeten got mit munde,
si sungen an der stunde
ze himele michel sigeliet.
so was ez aber der vremeden diet,   7100
den leiden gesten von Îrlant,
die dar wâren gesant,
ze michelem leide ertaget.
von den wart als vil geclaget,
als von disen gesungen.   7105
si wunden unde twungen
ir jâmer under ir henden.
die jâmerigen ellenden,
die clagenden Îrlandaere,

Der wahre und verläßliche Gott
und Gottes wahrhafte Allmacht
haben dein Unrecht vergolten
und das Recht durch mich wieder hergestellt.
Er möge mich auch fernerhin beschützen!
Dieser Hochmut ist gestürzt.«
Damit trat er näher.
Er nahm das Schwert
in beide Hände.
Er schlug seinem Feind
den Kopf ab mitsamt dem Kopfschutz.

7075

7080

7085

Dann kehrte er zum Landeplatz zurück,
wo er Morolds Boot fand.
Er setzte sich hinein und fuhr sogleich
zum Strand und den Leuten.
Da hörte er am Meer
große Freude und großes Jammern,
Freude und Jammer, wie ich Euch beschreibe.
Deren Glück von seinem Sieg abhing,
denen war ein glücklicher Tag
und große Freude geschenkt.
Sie klatschten in die Hände,
sie lobten Gott
und sangen alsbald
viele Siegeslieder zum Himmel.
Dagegen hatte für die Fremden,
die verhaßten Fremden aus Irland,
die hergesandt worden waren,
ein Tag großer Trauer begonnen.
Deshalb klagten jene so sehr,
wie diese jubelten.
Sie rangen
in ihrem Jammer die Hände.
Die jammervollen Fremden,
die klagenden Iren,

7090

7095

7100

7105

die wîle si in ir swaere   7110
ze schiffen wolten gâhen,
Tristan begunde in nâhen
und an dem stade bekam er in.
»ir hêrren« sprach er »kêret hin,
enpfâhet jenez zinsreht,   7115
daz ir dort ûf dem werde seht,
und bringet iuwerm hêrren heim
und saget im, daz mîn oeheim
der künic Marke und sîniu lant
diu senden ime den prîsant   7120
unde enbieten ime dâ bî:
swenne ez an sînem willen sî,
daz er's geruoche unde ger,
daz er sîne boten her
nâch solhem zinse sende,   7125
wir enlâzen s'îtelhende
niemer wider gekêren.
mit sus getânen êren
sende wir s'im hinnen,
swie kûme wir'z gewinnen.«   7130
und swaz hier under rede ergie,
mit dem schilte dacte er ie
daz bluot und die wunden
vor den unkunden
und ernerte in ouch daz selbe sider.   7135
wan jene die kâmen alsô wider,
daz ez ir keiner nie bevant.
wan si schieden dan zehant
und vuoren hin zem werde sâ
und vunden vür ir hêrren dâ   7140
einen zestucketen man.
den selben vuorten s'ouch von dan.

Nu sî ze lande kâmen,
ze handen si nâmen

als sie in ihrem Schmerz 7110
zu den Schiffen gehen wollten,
näherte sich ihnen Tristan
und erreichte sie am Strand.
»Ihr Herren«, sagte er, »gehet hin
und holt Euch jenes Zinsrecht, 7115
das Ihr dort auf der Insel findet.
Das bringt Eurem Herrn heim
und sagt ihm, daß mein Onkel,
König Marke, und sein Reich
ihm diese Gabe schicken 7120
und ihm dazu ausrichten lassen:
Wenn es sein Wille ist
und er beabsichtigt und danach verlangt,
seine Boten hierher
nach solchem Tribut zu schicken, 7125
so lassen wir mit leeren Händen
niemanden zurückkehren.
Mit solchen Ehren
lassen wir ihn wieder fort,
wie schwer es uns auch fällt.« 7130
Und während er so redete,
verdeckte er mit dem Schild
das Blut und die Wunde
vor den Fremden.
Später sollte ihn das retten, 7135
denn diese fuhren fort,
ohne daß es einer herausgefunden hätte.
Denn sie gingen gleich fort
und setzten zu der Insel über
und fanden dort als ihren Herrn 7140
einen zerstückelten Mann.
Den nahmen sie mit sich fort.

Als sie heimkamen,
nahmen sie

den jaemerlîchen prîsant,   7145
der bî in dar was gesant.
diu stucke meine ich elliu driu.
zesamene leiten si diu,
daz ieman iht dâ von verlür.
ir hêrren truogen sî si vür   7150
und seiten ime, als ich ê las,
vil rehte als ime enboten was.
ich waene und versihe mich wol,
des ich mich wol versehen sol:
der künec Gurmûn Gemuotheit   7155
der haete unmuot und michel leit
und gieng in ouch des nôt an.
er verlôs an disem einen man
herze unde muot, trôst unde craft
und maneges mannes ritterschaft.   7160
diu schîbe, diu sîn êre truoc,
die Môrolt vrîlîche sluoc
in den bîlanden allen,
diu was dô nider gevallen.
diu künigîn sîn swester,   7165
der leit was aber noch vester,
ir jâmer unde ir clagenôt.
sî unde ir tohter Îsôt
die quelten manege wîs ir lîp,
als ir wol wizzet, daz diu wîp   7170
vil nâhe gênde clage hânt,
dâ in diu leit ze herzen gânt.
si sâhen disen tôten man
durch niht niwan durch jâmer an,
durch daz ir herzeswaere   7175
al deste groezer waere.
daz houbet kusten s'und die hant,
diu in liute unde lant
haete gemachet undertân,
als ich hie vor gesaget hân.   7180

die traurige Gabe,   7145
die durch sie übersandt wurde.
Die Stücke, ich meine alle drei,
legten sie zusammen,
damit niemand etwas verlöre.
Sie trugen sie vor ihren Herrn   7150
und sagten ihm, wie ich gelesen habe,
genau das, was ihnen für ihn aufgetragen worden war.
Ich glaube und stelle mir vor,
was ich mir gut vorstellen kann:
König Gurmun der Kühne   7155
war zornig und sehr traurig
und hatte dazu auch allen Grund.
Denn er verlor an diesem einen Mann
Kühnheit und Tapferkeit, Hoffnung und Stärke
und die Kampfkraft vieler Männer.   7160
Das Glücksrad, an dem sein Ansehen hing
und das Morold ungehindert gedreht hatte
in allen Nachbarländern,
das war herabgestürzt.
Seine Schwester, die Königin,   7165
empfand aber noch heftigeres Leid,
tieferen Schmerz und Jammer.
Sie und ihre Tochter Isolde
marterten sich auf vielfältige Art.
Denn Ihr wißt, daß Frauen   7170
überaus schmerzlichen Kummer erleiden,
wenn ein Leid ihnen zu Herzen geht.
Sie sahen diesen Toten
nur um des Jammers willen an,
damit ihr tiefer Schmerz   7175
nur um so tiefer werde.
Sie küßten das Haupt und die Hand,
die ihnen Völker und Reiche
unterworfen hatte,
wie ich zuvor schon gesagt habe.   7180

des houbetes wunden
besâhen s'oben und unden
ange unde jaemerlîche.
nû ersach diu sinnerîche,
diu wîse küniginne　　　　　　　　　　7185
die scharten dar inne.
si besante ein cleinez zengelîn;
dâ mite sô reichte sî dar în
unde gewan die scharten dan.
sî unde ir tohter sâhen s'an　　　　　7190
mit jâmer und mit leide
und nâmen sî dô beide
und leiten sî in einen schrîn,
dâ sît daz selbe stuckelîn
Tristanden brâhte ze nôt.　　　　　　7195

Nu hêrre Môrolt der ist tôt.
tribe ich nu michel maere
von ir aller swaere
und von ir clage, waz hülfe daz?
uns waere nihtes deste baz.　　　　　7200
wer möhte ir aller leit beclagen?
Môrolt der wart ze grabe getragen,
begraben alse ein ander man.
Gurmûn dô trûren began
und hiez gebieten al zehant　　　　　7205
über al daz rîche z'Îrlant,
daz man genôte naeme war,
swaz in der werlde lebendes dar
von Curnewâle kaeme,
daz man ime den lîp naeme,　　　　7210
ez waere wîp oder man.
diz gebot und dirre ban
der gie vür sich sô sêre,
daz nieman keine kêre
ze keiner slahte stunde　　　　　　　7215

Die Kopfwunden
betrachteten sie von oben und unten
eindringlich und kummervoll.
Da erblickte die besonnene,
kluge Königin   7185
den Splitter darin.
Sie ließ sich eine kleine Zange geben.
Damit griff sie in die Wunde
und zog den Splitter heraus.
Sie und ihre Tochter betrachteten ihn   7190
mit Kummer und Schmerz.
Dann nahmen sie ihn und
legten ihn in ein Kästchen,
wo später dieses kleine Stück
Tristan in Gefahr bringen sollte.   7195

Herr Morold ist nun tot.
Wenn ich nun ausführlich berichtete
von ihrem Kummer
und ihrer Klage, was hülfe das?
Wir wären um nichts besser dran.   7200
Wer könnte ihren Schmerz beklagen?
Morold wurde zu Grabe getragen
und begraben wie jeder andere.
Gurmun grämte sich
und ließ sogleich befehlen   7205
überall in Irland,
daß man sorgfältig aufpassen sollte.
Wenn irgend etwas Lebendiges
aus Cornwall käme,
sollte man es sofort töten,   7210
ob es Mann oder Frau sei.
Dieser Bann und dieses Gebot
wurde so genau befolgt,
daß niemand
fortan   7215

dâ hin gehaben kunde
von curnewalscher diete,
daz er dekeine miete
möhte gebieten oder gegeben,
ez engienge im niuwan an daz leben,   7220
biz maneger muoter kint dâ van
unschuldeclîche schaden gewan.
und was daz allez âne nôt,
wan Môrolt lac billîche tôt.
der was niuwan an sîner craft   7225
und niht an gote gemuothaft
und vuorte z'allen zîten
ze allen sînen strîten
gewalt unde hôhvart,
in den er ouch gevellet wart.   7230

dorthin gehen konnte
von den Bewohnern Cornwalls
und daß er kein Lösegeld
anbieten oder geben konnte,
ohne daß es ihn das Leben gekostet hätte,   7220
bis viele Menschenkinder dadurch
ohne Verschulden gestraft wurden.
Und das alles war grundlos,
denn Morold war mit Recht gefallen.
Der hatte nur seiner Stärke,   7225
aber nicht Gott vertraut
und zeigte stets
in allen seinen Kämpfen
Gewalt und Hochmut,
durch die er auch zu Fall kam.   7230

Nu grîfe wider, dâ ich'z liez.
Tristan dô der ze stade gestiez
âne ros und âne sper,
nû kâmen tûsent rotte her
gedrungen mit ir gruoze   7235
ze orse und ze vuoze.
si enpfiengen in vrôlîche.
künec unde künicrîche
dien gelebeten nie sô lieben tac,
des man in wol getrûwen mac.   7240
wan in was ûf erstanden
grôz êre ûz sînen handen.
ir aller laster unde ir leit
daz haete er eine hin geleit.
und aber die wunden, die er truoc,   7245
die beclageten sî genuoc
und gieng in sêre nâhen.
wan sî sich aber versâhen,
daz er von dirre swaere
schiere genesen waere,   7250
done ahten sî'z ze nihte.
si vuorten in in rihte
hin wider zem palas under in.
wol balde entwâfenten si in
und schuofen ime senfte unde gemach,   7255
als er oder ieman vor gesprach.
arzâte man besande,
von bürgen und von lande
die allerbesten die man vant.
wie dô? die wâren besant,   7260
die leiten allen ir sin
mit arzâtlîchem liste an in.
waz truoc daz vür oder waz half daz?

XI. Tantris

Nun greife ich die Geschichte wieder auf, wo ich sie verließ.
Als Tristan zum Strand kam
ohne Pferd und Lanze,
drängten Tausende
heran zur Begrüßung   7235
zu Pferd und zu Fuß.
Sie empfingen ihn voller Freude.
Der König und sein Königreich
hatten nie einen so glücklichen Tag erlebt,
was man ihnen getrost glauben darf.   7240
Denn ihnen war zurückgewonnen worden
großes Ansehen durch seine Hände.
Ihrer aller Schmach und Leid
hatte er alleine beigelegt.
Jedoch die Wunden, die er davongetragen hatte,   7245
beklagten sie ausführlich,
und sie gingen ihnen sehr zu Herzen.
Weil sie aber damit rechneten,
daß er von diesem Leiden
schnell geheilt sein würde,   7250
achteten sie nicht sehr darauf.
Sie führten ihn sogleich
gemeinsam zum Palast.
Sie nahmen ihm gleich seine Waffen ab
und verschafften ihm Ruhe und Bequemlichkeit,   7255
so wie er oder sonst jemand es vorschlug.
Man schickte nach Ärzten
auf den Burgen und im Reiche,
den besten, die man finden konnte.
Was nun? Sie wurden gerufen   7260
und versuchten ihre ganze Weisheit
in der Heilkunst an ihm.
Was nützte und half es?

im was doch nihtes deste baz.
daz s'alle samet wisten   7265
von arzâtlîchen listen,
daz enmohte im niht ze staten gestân.
daz gelüppe was alsô getân,
daz sî'z mit nihte kunden
gescheiden von der wunden,   7270
unz ez im al den lîp ergienc
und eine varwe gevienc
sô jaemerlîcher hande,
daz man in kûme erkande.
dar zuo gevie der selbe slac   7275
einen sô griulîchen smac,
daz ime daz leben swârte,
sîn eigen lîp unmârte.
ouch was sîn meistez ungemach,
daz er daz alle zît wol sach,   7280
daz er den begunde swâren,
die sîne vriunde ê wâren,
und erkande ie baz unde baz
Môroldes rede. ouch haete er daz
ê mâles dicke wol vernomen,   7285
wie schoene und wie vollekomen
Îsôt sîn swester waere.
wan von ihr vlouc ein maere
in allen den bîlanden,
diu ir namen erkanden: 7290
diu wîse Îsôt, diu schoene Îsôt
diu liuhtet alse der morgenrôt.
Tristan der sorchafte man
hie gedâhte er z'allen zîten an
und wiste wol: solt er genesen,   7295
daz enkünde niemer gewesen
wan eine von ir liste,
diu disen list dâ wiste,
diu sinnerîche künigîn.

Ihm wurde doch nicht besser.
Was sie alle verstanden   7265
von ärztlicher Kunst,
das alles konnte ihm nicht helfen.
Das Gift war so beschaffen,
daß sie nicht vermochten,
es aus der Wunde zu entfernen,   7270
bis es seinen ganzen Körper durchdrang
und er sich verfärbte
so schrecklich,
daß man ihn kaum noch erkannte.
Zudem bekam diese Wunde   7275
einen so scheußlichen Geruch,
daß sein Leben ihm lästig wurde
und sein eigener Körper ihn abstieß.
Sein größter Kummer war,
daß er die ganze Zeit genau beobachtete,   7280
wie er denen zur Last fiel,
die zuvor seine Freunde gewesen waren.
Und er verstand besser und besser
Morolds Worte. Zudem hatte er
vorher schon oft gehört,   7285
wie schön und vollkommen
dessen Schwester Isolde wäre.
Von ihr ging ein Wort um
in allen Nachbarländern,
die ihren Namen kannten: 7290
Die schöne Isolde, die kluge Isolde
leuchtet wie das Morgenrot.
Der kummervolle Tristan
dachte unentwegt daran
und wußte: wenn er geheilt werden sollte,   7295
dann könnte das einzig geschehen
durch ihre Kunst,
die diese Kunst beherrschte,
die kluge Königin.

wie'z aber möhte gesîn,   7300
des enkunde er niht betrahten.
nu begunde er aber daz ahten,
sît ez sîn tôt doch waere,
sô waere im alsô maere
der lîp gewâget oder tôt   7305
als disiu tôtlîche nôt.
hie mite besazte er sînen sin,
er wolte binamen dâ hin,
ez ergienge im, swie got wolte,
genaese, ob er solte.   7310
sînen oeheim den besande er.
er seite im al von ende her
sîn tougen unde sînen muot,
als ein vriunt sînem vriunde tuot,
wes im wille waere   7315
nâch Môroldes maere.
diz geviel im übele unde wol.
wan daz man schaden ze noeten sol
dulten, als man beste kan.
under zwein übelen kiese ein man,   7320
daz danne minner übel ist.
daz selbe ist ouch ein nütze list.
sus wurden sî zwêne under in zwein
ir dinges alles inein,
als ez ouch allez gendet wart,   7325
wie er volante sîne vart:
wie manz verswîgen solte,
daz er z'Îrlanden wolte;
wie man solte sagen maere,
daz er in Salerne waere   7330
durch sînes lîbes genist.
nu disiu rede besetzet ist,
Curvenal wart ouch besant.
dem selben sageten s'ouch zehant
ir beider willen unde ir muot.   7335

Aber wie das gelingen könnte,   7300
vermochte er sich nicht vorzustellen.
Doch dann überlegte er,
daß, wenn er ohnehin sterben müßte,
es ihm dann gleichviel war,
ob er sein Leben riskierte oder stürbe   7305
oder ob er diese tödliche Krankheit erduldete.
Damit entschloß er sich,
tatsächlich dorthin zu reisen,
damit es ihm erginge, wie Gott wollte,
und er geheilt werde, falls ihm dies bestimmt war.   7310
Er ließ seinen Onkel kommen.
Er schilderte ihm von Anfang an
sein Geheimnis und seinen Plan,
wie ein Freund seinem Freunde,
und was er tun wolle   7315
gemäß Morolds Hinweis.
Dem König gefiel dies zugleich gut und schlecht.
Allerdings soll man in Bedrängnis Verluste
hinnehmen, so gut man kann.
Unter zwei Übeln wähle man das aus,   7320
welches geringer ist.
Das ist ein nützlicher Grundsatz.
So wurden die beiden
sich einig,
was denn auch schließlich ausgeführt wurde: 7325
wie sie die Reise bewerkstelligen wollten,
wie man es verschweigen sollte,
daß er nach Irland wollte,
wie man verbreiten sollte,
daß er in Salerno wäre   7330
zur Heilung.
Als das beschlossen war,
wurde Kurvenal geholt.
Dem teilten sie sogleich
ihre Absichten und Pläne mit.   7335

diz dûhte Curvenâlen guot
und jach, er wolte mit im wesen,
mit ime ersterben oder genesen.
und alse ez âbendende wart,
nu bereite man in zuo z'ir vart   7340
eine barken unde ein schiffelîn
und schuof in vollen rât dar în
an lîpnar unde an spîse,
an anderre schifwîse.
dâ wart der arme Tristan   7345
mit maneger clage getragen an
vil tougenlîche unde alsô,
daz dirre schiffunge dô
vil lützel ieman wart gewar,
wan die man ouch besande dar.   7350
sînem oeheime Marke
dem bevalh er harte starke
sîn gesinde und ander sîn dinc,
daz sînes dinges iemer rinc
von ein ander kaeme,   7355
biz man von ime vernaeme
gewislîchiu maere,
wie'z ime ergangen waere.
sîne harphen er besande.
die vuorte er ouch von lande   7360
und sînes dinges nie niht mê.

Hie mite so stiezen s'an den sê.
sus vuoren sî von dannen
niwan mit ahte mannen.
die selben haeten ouch ir leben   7365
ze bürgen und ze pfande geben
und ouch versichert bî gote,
daz s'ûz ir zweier gebote
niemer vuoz getraeten.
nu sî geschiffet haeten   7370

Kurvenal hielt sie für gut
und sagte, er wolle bei ihm bleiben
und mit ihm entweder sterben oder gerettet werden.
Und als es Abend wurde,
rüstete man ihnen für die Reise   7340
einen Kahn und ein kleines Schiff
und verstaute darin einen Vorrat
an Lebensmitteln und Proviant
und Schiffsgeräten.
Dann wurde der leidende Tristan   7345
unter schmerzlichem Wehklagen hingebracht
in aller Heimlichkeit und so,
daß diese Einschiffung
niemandem auffiel
außer denen, die man mitschickte.   7350
Seinem Onkel, Marke,
vertraute er eindringlich
sein Gefolge und seine Habe an,
damit nicht das geringste davon
verlorenginge,   7355
bis man von ihm hörte
verläßliche Nachricht,
wie es ihm ergangen sei.
Er ließ seine Harfe kommen.
Die nahm er mit   7360
und sonst nichts von seinem Besitz.

Damit stachen sie in See.
Sie fuhren fort
mit nur acht Mann.
Die hatten sich mit ihrem Leben   7365
dafür verbürgt
und bei Gott geschworen,
daß sie von den Befehlen der beiden
nicht um ein Fußbreit abweichen wollten.
Als sie weggefahren waren   7370

und Marke nâch Tristande sach,
sîn kurzewîle und sîn gemach,
ich weiz wol, daz was cleine.
ze herzen und ze beine
gieng ime daz selbe scheiden.   7375
wan daz ez aber in beiden
ze vröuden und ze liebe kam.
nu daz daz lantvolc vernam,
mit wie getâner swaere
Tristan gevaren waere   7380
hin wider Salerne durch genesen,
waere er ir aller kint gewesen,
sîn leit enwaere in allen nie
nâher gegangen, danne ez gie.
und wan im ouch sîn ungemach   7385
in ir dieneste geschach,
al deste nâher gieng ez in.
Nu Tristan der vuor allez hin
über state und über maht
beidiu tac unde naht   7390
die rihte wider Îrlant,
als in des marnaeres hant
wol geleiten kunde.
und als daz schif begunde
Îrlande alsô genâhen,   7395
daz sî daz lant wol sâhen,
Tristan den stiurmeister bat,
daz er sich gein der houbetstat
ze Develîne wante,
wan er daz wol erkante,   7400
daz diu wîse küniginne
haete ir wesen dar inne.
des endes er dô gâhete.
und alse er ir genâhete,
daz er si kôs und ebene sach,   7405
»seht hêrre« er zuo Tristande sprach

und Marke Tristan nachblickte,
waren seine Freude und Ruhe,
wie ich genau weiß, vergangen.
Ins Mark und ins Herz
traf ihn dieser Abschied.   7375
Trotzdem aber sollte er ihnen beiden
noch Glück und Lust einbringen.
Als die Bevölkerung nun hörte,
unter welchen Qualen
Tristan gereist sei   7380
zur Heilung nach Salerno –
wenn er ihr eigener Sohn gewesen wäre,
seine Drangsal wäre ihnen allen nicht
schmerzlicher gewesen als so.
Und weil ihm sein Unglück   7385
in ihrem Dienst widerfahren war,
bekümmerte es sie um so mehr.
Tristan segelte indessen
mit äußerster Kraft
Tag und Nacht   7390
auf Irland zu,
wie ihn die Hand des Kapitäns
sicher führte.
Und als das Schiff
sich Irland näherte   7395
und sie schon das Festland erblickten,
bat Tristan den Steuermann,
er möge auf die Hauptstadt
Dublin zuhalten.
Denn er wußte genau,   7400
daß die heilkundige Königin
dort wohnte.
Dorthin segelte er eilig.
Und als er sich der Stadt näherte
und er sie erkannte und deutlich sah,   7405
sagte er zu Tristan: »Seht, Herr!

»ich sihe die stat: waz râtet ir?«
Tristan dô sprach: »dâ sulen wir
hie enkeren unde belîben,
disen âbent hie vertrîben   7410
und ouch der naht ein teil hie sîn.«
sus wurfen sî den anker în
und ruoweten den âbent dâ.
und in der naht dô hiez er sâ
gein der stat hin lâzen gân.   7415
und alse daz dô was getân,
daz sî sô nâhe kâmen,
daz s'ir gemerke nâmen
eine halbe mîle von der stat,
Tristan ime dô geben bat   7420
daz aller ermeste gewant,
daz man in der barken vant.
und als man ime daz ane getete,
er hiez sich legen an der stete
ûz der barken in daz schiffelîn.   7425
sîne harpfen hiez er ouch dar în
und in der mâze spîse geben,
daz er ir möhte geleben
drî tage oder viere.
nû diz was allez schiere   7430
nâch sînem willen getân.
Curvenâlen hiez er vür sich gân
und ouch die schifman mit im.
»vriunt Curvenal« sprach er »nû nim
dise barken und diz liut an dich   7435
und pflig ir schône und wol durch mich
alle stunde und alle zît!
und alse ir wider komen sît,
sô lône in alsô rîche,
daz s'unser heinlîche   7440
getriuwelîche mit uns tragen
und nieman niht hier umbe sagen.

Ich sehe die Stadt. Was sollen wir tun?«
Tristan erwiderte: »Wir sollten
beidrehen und hier bleiben,
diesen Abend hier verbringen   7410
und einen Teil der Nacht.«
Also warfen sie Anker
und ruhten dort den Abend.
In der Nacht ließ er sie
auf die Stadt zutreiben.   7415
Als das getan war
und sie so nahe herangekommen waren,
daß sie ihre Position hatten in Sichtweite
eine halbe Meile von der Stadt entfernt,
da bat Tristan   7420
um das ärmlichste Gewand,
das man in dem Schiff mitführte.
Als man ihm das angelegt hatte,
ließ er sich sogleich
aus dem Schiff in das Boot legen.   7425
Er ließ sich auch seine Harfe
und etwas Essen reichen,
von dem er leben konnte
drei oder vier Tage lang.
Das alles wurde schnell   7430
nach seinen Wünschen erledigt.
Er rief Kurvenal zu sich
und außerdem die Schiffsbesatzung
und sagte: »Lieber Kurvenal, nimm nun
dieses Schiff und diese Männer   7435
und paß gut auf sie auf um meinetwillen
jederzeit und unentwegt.
Und wenn ihr heimgekehrt seid,
belohne sie so reichlich,
daß sie unser Geheimnis   7440
treu bewahren
und niemandem etwas davon erzählen.

und kêre balde wider heim.
grüeze mînen oeheim
und sage im daz, daz ich noch lebe   7445
und müge ouch noch mit gotes gebe
wol vürbaz leben unde genesen.
er ensol niht leidic umbe mich wesen.
und sage im daz zewâre,
ich kome in disem jâre,   7450
ist daz ich genesen sol.
gelinget mînen dingen wol,
daz wirt im schiere bekant.
sage in den hof und in daz lant,
daz ich belibe in dirre nôt   7455
under wegen ûf der verte tôt.
mîn gesinde, daz ich noch dâ habe,
des lâ binamen niht komen abe.
sich, daz si mîn dâ bîten
biz zuo den selben zîten,   7460
als ich dir hie gesaget hân.
und ist aber ez alsô getân,
daz mir in dirre jâres vrist
gelücke niht geschehen ist,
sô muget ir iuch mîn wol bewegen,   7465
sô lât ir got der sêle pflegen
und nemet ir iuwer selbe war:
sô nim dû mîn liut unde var
hin heim ze Parmenîe wider
und lâ dich bî Rûâle nider,   7470
mînem lieben vater. dem sage von mir,
daz er mir mîner triuwe an dir
durch sîne triuwe lône
und biete dir ez schône
und tugentlîche, als er wol kan,   7475
und underwîse in ouch dar an:
die mir habent gedienet her,
daz er mich an den gewer

Kehre schnell heim.
Grüße meinen Onkel
und sage ihm, daß ich noch lebe 7445
und mit Gottes Gnaden auch
weiterhin leben und genesen möge.
Er soll sich um mich nicht grämen.
Und versichere ihm,
daß ich noch vor Ende eines Jahres zurückkomme, 7450
falls ich geheilt werden sollte.
Wenn es gut um mich steht,
wird er das schnell erfahren.
Sage bei Hof und im Land,
daß ich meiner Verletzung 7455
auf der Reise erlegen sei.
Mein Gesinde, das ich dort noch habe,
entlasse unter keinen Umständen.
Achte darauf, daß sie dort auf mich warten
bis zu dem Zeitpunkt, 7460
den ich dir genannt habe.
Wenn es sich aber so fügt,
daß mir in diesem Jahr
kein Glück zuteil wird,
dann könnt ihr mich aufgeben. 7465
Befehlt Gott meine Seele
und sorgt für euch selbst.
Dann nimm meine Leute und kehre
heim nach Parmenien
und laß dich bei Rual nieder, 7470
meinem geliebten Vater. Erzähl ihm von mir,
damit er mir meine Treueschuld dir gegenüber
mit seiner Liebe begleicht
und dich so freundlich
und vornehm behandelt, wie er nur kann. 7475
Und sage ihm auch,
für die, die mir gedient haben,
möge er mir gewähren

einer bete und keiner mê:
als iegelîches dienest stê,   7480
daz er im danke und lône alsô.
nû lieben liute« sprach er dô
»hie mite sô sît ir gote ergeben,
vart iuwer strâze und lât mich sweben.
ich muoz ze disen zîten   7485
der gotes genâden bîten.
sô habet ouch ir zît, daz ir vart,
iuwern lîp und iuwer leben bewart.
ez nâhet vaste gein dem tage.«
sus kêrten sî mit maneger clage   7490
und mit manegem jâmer hin.
mit manegem trahene liezen s'in
swebende ûf dem wilden sê.
in getete nie scheiden alsô wê.
ein iegelîch getriuwer man,   7495
der ie getriuwen vriunt gewan
und weiz, wie man den meinen sol,
entriuwen der verstât sich wol
umbe Curvenâles swaere.
swie swaere im aber waere   7500
al sîn herze und al sîn sin,
sô schiffete er doch allez hin.

Tristan beleip al eine dâ.
der swebete dâ wâ unde wâ
mit jâmer und mit sorgen   7505
unz an den liehten morgen.
unde als die von Develîn
daz wîselôse schiffelîn
in dem wâge ersâhen,
sie hiezen balde gâhen   7510
und nemen des schiffelînes war.
die boten die kêrten iesâ dar.
nu sî begunden nâhen

nur eine Bitte:
Ihren Diensten angemessen   7480
danke er ihnen und entlohne sie.
Nun, liebe Leute«, sagte er dann,
»hiermit seid Gott anbefohlen;
segelt davon und überlaßt mich den Wellen.
Ich muß jetzt   7485
auf Gottes Barmherzigkeit warten.
Auch für euch ist es Zeit, zu fahren
und so euer Leben zu retten.
Der Tag zieht schon herauf.«
So fuhren sie mit lautem Klagen   7490
und großer Trauer davon.
Unter Tränen ließen sie ihn
auf dem wilden Meer treibend zurück.
Niemals hatte ein Abschied sie so geschmerzt.
Jeder getreue Mann,   7495
der jemals einen wahren Freund hatte
und weiß, wie man den lieben soll,
versteht wahrlich genau
Kurvenals Schmerz.
Wie traurig ihm aber auch waren   7500
sein Herz und sein Gemüt –
er fuhr trotzdem weg.

Tristan blieb allein zurück.
Er trieb dort im Auf und Ab der Wellen
mit Kummer und Furcht   7505
bis zum hellen Morgen.
Als die Bewohner von Dublin
das führerlose Boot
auf den Wellen erblickten,
ließen sie gleich hinsegeln   7510
und das Boot untersuchen.
Die Boten machten sich sogleich dorthin auf.
Als sie sich näherten

und dannoch nieman sâhen,
nu gehôrten s'al dort her   7515
suoze unde nâch ir herzen ger
eine süeze harpfen clingen
und mit der harpfen singen
einen man sô rehte suoze,
daz sîz in z'eime gruoze   7520
und ze âventiure nâmen
und von der stat nie kâmen,
die wîle er harpfete unde sanc.
diu vröude diu was aber unlanc,
die sî von im haeten an der stete,   7525
wan swaz er in dâ spiles getete
mit handen oder mit munde,
daz engie niht von grunde:
daz herze dazn was niht dermite.
so enist ez ouch niht spiles site,   7530
daz man'z dekeine wîle tuo,
daz herze daz enstê darzuo.
al eine geschehe es harte vil,
ez enheizet doch niht rehte spil,
daz man sus ûzen hin getuot   7535
âne herze und âne muot.
wan daz diu jugent Tristanden
mit munde und ouch mit handen
ir z'einer kurzewîle twanc,
daz er ir harpfete unde sanc,   7540
ez was dem marteraere
ein marter unde ein swaere.
und alse er sîn spil dô verliez,
daz ander schif dar nâher stiez.
sus griffen s'an sîn schiffelîn   7545
und warten widerstrît dar în.

Nu si sîn begunden nemen war
und in sô jaemerlîche var

und trotzdem niemanden bemerkten,
hörten sie von dort
wunderbar und zu ihrem Ergötzen   7515
eine liebliche Harfe ertönen
und zu der Harfe singen
einen Mann so schön,
daß sie es für eine Begrüßung
und ein Wunder hielten   7520
und sich nicht von der Stelle rührten,
solange er Harfe spielte und sang.
Die Freude dauerte aber nicht lange,
die sie an ihm dort hatten.
Denn was er ihnen dort vormusizierte   7525
mit Händen und Mund,
das kam nicht aus seinem Inneren.
Sein Herz war nicht dabei.
Es gehört zum Wesen der Musik,   7530
daß man sie nicht lange betreiben kann,
wenn man nicht in Stimmung ist.
Wenn es auch oft geschieht,
so kann man es doch nicht wahre Musik nennen,
die man nur oberflächlich betreibt   7535
ohne Herz und Gemüt.
Obwohl die Jugend Tristan
mit Mund und Hand
zur Unterhaltung zwang,
so daß er Harfe spielte und sang,   7540
war es dem Leidenden doch
eine Qual und Beschwerde.
Und als er zu spielen aufhörte,
kam das andere Boot näher heran.
Sie ergriffen sein Boot   7545
und blickten im Wettstreit hinein.

Als sie ihn da bemerkten
und in so ärmlichem Aufzug

und sô getânen sâhen,
nu begunde ez in versmâhen,   7550
daz er daz wunder kunde
mit handen und mit munde.
doch gruozten s'in als einen man,
der guoten gruoz verdienen kan,
mit munde und ouch mit handen   7555
und bâten dô Tristanden,
daz er in seite maere,
wie'z ime ergangen waere.
»diz sage ich iu«, sprach Tristan,
»ich was ein höfscher spilman   7560
und kunde genuoge
höfscheit unde vuoge.
sprechen unde swîgen,
lîren unde gîgen,
harpfen unde rotten,   7565
schimpfen unde spotten,
daz kunde ich allez alsô wol,
als sô getân liut von rehte sol.
dâ mite gewan ich sô genuoc,
biz mich daz guot über truoc   7570
und mêre haben wolte,
dan ich von rehte solte.
sus liez ich mich an koufrât,
daz mir den lîp verrâten hât.
zuo gesellen ich gewan   7575
einen rîchen koufman
und luode wir zwêne einen kiel
mit allem dem, als uns geviel,
dâ heime ze Hispanje
und wolten ze Britanje.   7580
alsus bestuont uns ûf dem mer
in einem schiffe ein roupher,
die nâmen uns cleine unde grôz
und sluogen mînen koufgenôz

und elend sahen,
da waren sie betroffen,
daß er so wundervoll musizieren konnte   7550
mit Hand und Mund.
Dennoch begrüßten sie ihn als einen,
der eine freundliche Begrüßung verdient,
mit Handschlag und Worten.
Sie baten Tristan,   7555
daß er ihnen mitteile,
was ihm widerfahren sei.
Tristan sagte: »Das will ich Euch sagen.
Ich war ein höfischer Spielmann
und beherrschte alle   7560
höfischen Künste und Fertigkeiten:
Sprechen und Schweigen,
Leier und Geige,
Harfe und Rotte,
Scherzen und Spaßen –   7565
all das konnte ich gut
und so, wie ein Spielmann es können muß.
Damit erwarb ich so große Reichtümer,
daß schließlich mein Besitz mich übermütig machte 7570
und ich mehr haben wollte,
als mir von Rechts wegen zustand.
So wurde ich Kaufmann,
was mein Verderben war.
Als Geschäftspartner fand ich   7575
einen reichen Kaufmann.
Wir beide beluden ein Schiff
mit allem, was uns gefiel,
zu Hause in Spanien
und wollten nach Britannien.   7580
Da überfiel uns auf dem Meer
in einem Schiff eine Piratenbande.
Die nahmen uns alles weg
und erschlugen meinen Kompagnon

und allez, daz dâ lebende was.   7585
daz aber ich eine genas
mit dirre wunden, die ich hân,
daz hât diu harpfe getân,
an der ir iegelîcher sach,
als ich in selbe verjach,   7590
ich waere ein art spilman.
sus gewan ich in mit noeten an
diz selbe cleine schiffelîn
und sô vil spîse dar în,
daz ich ir hân biz her gelebet.   7595
sus bin ich eine sider geswebet
mit marter und mit maneger clage
wol vierzic naht und vierzic tage,
swar mich die winde sluogen,
die wilden ünde truogen   7600
wîlent her und wîlent hin.
und enkan niht wizzen, wâ ich bin,
und weiz noch minre, war ich sol.
nu tuot ir hêrrren alsô wol,
daz iu lône unser trehtîn,   7605
und helfet mir, dâ liute sîn!«
»Geselle« sprâchen aber die boten
»dîner süezen stimme und dîner noten
der soltu hie geniezen.
dune solt niht langer vliezen   7610
âne trôst und âne rât.
swaz sô dich her gevüeret hât,
got oder wazzer oder wint,
wir bringen dich, dâ liute sint.«
diz tâten s'ouch: si vuorten in   7615
mit schiffe mit alle hin
reht in die stat, als er si bat.
sîn schif daz haften s'an den stat
und sprâchen aber: »sich, spilman,
nim war, sich dise burc an   7620

und alles, was lebte.   7585
Ich alleine überlebte
mit dieser Wunde, die ich habe.
Das verdanke ich der Harfe,
die jedem bewies,
was ich selbst ihnen erzählte,   7590
daß ich ein Spielmann sei.
So bekam ich mit knapper Not von ihnen
dieses kleine Boot
und so viel Verpflegung darin,
daß ich bis hierher überlebt habe.   7595
Seitdem bin ich umhergetrieben
unter Qualen und vielen Klagen
etwa vierzig Tage und Nächte,
wohin auch immer die Winde mich verschlugen
und die wilden Wellen warfen   7600
hin und her.
Ich weiß nicht, wo ich bin,
und noch weniger, wo ich hinmuß.
Seid so gütig, Ihr Herren,
damit Gott es Euch vergelte,   7605
und führt mich zu Menschen!«
Die Boten antworteten: »Freund,
deine schöne Stimme und dein Spiel
sollen dir von Nutzen sein.
Du sollst nicht länger umhertreiben   7610
ohne Hoffnung und Hilfe.
Was immer dich hierher gebracht hat,
Gott, das Wasser oder der Wind,
wir bringen dich zu Menschen.«
Und das taten sie auch. Sie brachten ihn   7615
mit seinem Boot
in die Stadt, wie er gebeten hatte.
Sein Boot machten sie am Landeplatz fest
und sagten: »Sieh, Spielmann,
sieh dir diese Burg an   7620

und dise schoene stat hie bî.
weistu noch, waz stete ez sî?«
»nein hêrre, in weiz niht, waz ez ist.«
»sô sage wir dir daz, daz du bist
ze Develîne in Îrlant.«   7625
»des lobe ich den heilant,
daz ich doch under liuten bin!
wan eteswer ist under in,
der sîne güete an mir begât
und tuot mir eteslîchen rât.«   7630

Hie mite kêrten die boten hin
unde begunden under in
mit rede von sînen sachen
vil michel wunder machen.
si seiten wider ze maere,   7635
daz in widervaren waere
âventiure an einem man,
dâ man sich es lützel an
und niemer solte versehen.
si seiten, alse ez was geschehen: 7640
ê sî dar nâher kaemen,
daz s'aldort her vernaemen
einen alsô süezen harpfen clanc
und mit der harpfen einen sanc.
got möhte in gerne hoeren   7645
in sînen himelkoeren.
und jâhen, daz daz waere
ein armer marteraere,
ein tôtwunder spilman.
»wol hin, ir seht ez ime wol an,   7650
er stirbet morgen oder noch.
und in der marter hât er doch
einen muot sô lebelîchen.
in allen künicrîchen
envünde man ein herze niht,   7655

und die herrliche Stadt dabei.
Weißt du, welche Stadt das ist?«
»Nein, Herr, das weiß ich nicht.«
»Dann sagen wir dir, daß du
in Dublin in Irland bist.« 7625
»Dafür danke ich dem Heiland,
daß ich wieder unter Menschen bin.
Denn vielleicht ist einer unter ihnen,
der seine Barmherzigkeit an mir beweist
und mir irgendwie hilft.« 7630

Damit gingen die Boten in die Stadt
und machten dort gemeinsam
mit Berichten über sein Schicksal
großes Aufheben.
Sie erzählten, 7635
daß sie gehabt hätten
ein Erlebnis mit einem Mann,
das man sich kaum
oder auch gar nicht vorstellen könnte.
Sie berichteten den Hergang: 7640
Ehe sie näher herankamen,
hätten sie von dort gehört
so liebliches Harfenspiel
und zu der Harfe einen Gesang,
den Gott mit Freuden hören würde 7645
in seinen Himmelschören.
Sie sagten, es sei
ein armer Leidender,
ein zu Tode verwundeter Spielmann.
»Geht hin, ihr seht es ihm deutlich an, 7650
daß er noch heute oder morgen sterben wird.
Und bei all seinen Qualen
ist sein Geist noch so lebendig!
In allen Königreichen
könnte man niemanden finden, 7655

daz alsô grôzer ungeschiht
möhte genemen sô cleine war.«
Die burgaere kêrten dar
und triben maneger hande
maere mit Tristande 7660
und vrâgeten in sus unde sô.
aber seite er iegelîchem dô
in der gelegenheite,
als er den boten ê seite.
sus bâten s'in, er harpfete in. 7665
und er kêrte allen sînen sin
an ir gebot und an ir bete,
wan er'z von allem herzen tete.
swâ mite er sich in kunde
mit handen oder mit munde 7670
gelieben, daz was al sîn ger,
des vleiz er sich und daz tete er.
und alse der arme spilman
wider sînes lîbes state began
sîn harpfen und sîn singen 7675
sô rehte suoze bringen,
ez begunde s'alle erbarmen.
sus hiezen sî den armen
ûz sînem schiffelîne tragen
und einem arzâte sagen, 7680
daz er'n ze hûse naeme.
und swaz im rehte kaeme,
daz er des vlîz haete
und umbe ir guot im taete
beidiu helfe unde gemach. 7685
diz wart getân und diz geschach.
und alse er'n heim brâhte,
al sîn gemach bedâhte,
alse er'z allerbeste
von sînem liste weste, 7690
dô half ez allez cleine.

der ein so großes Unglück
so gelassen hinnimmt.«
Die Dubliner gingen hin
und unterhielten sich ausgiebig
mit Tristan
und fragten ihn dieses und jenes.
Jedem sagte er da abermals
über die Umstände,
was er den Boten schon gesagt hatte.
Sie baten ihn, er möge ihnen etwas vorspielen.
Mit vollendeter Kunst erfüllte er
ihre Bitte,
denn er tat es von ganzem Herzen.
Womit er sich ihnen
mit Hand oder Mund
beliebt machen konnte, danach strebte er,
darum bemühte er sich und das tat er.
Und als der elende Spielmann
seinem körperlichen Zustand zum Trotz
zu singen und spielen begann
und überaus lieblich musizierte,
da empfanden alle Mitleid.
Sie ließen den Armen
aus seinem Boot heben
und baten einen Arzt,
daß er ihn zu Hause aufnähme.
Was ihm zuträglich war,
darum sollte er sich kümmern
und auf ihre Kosten ihm
helfen und seine Qualen lindern.
Dies geschah und wurde getan.
Und als er ihn in sein Haus genommen hatte
und ihm alle Pflege angedeihen ließ,
wie er es am besten
mit seiner Kunst vermochte,
da nützte es nichts.

7660

7665

7670

7675

7680

7685

7690

diz maere wart gemeine
über al die stat ze Develîn.
ein schar gienc ûz, diu ander în
und clageten sîn ungemach.   7695

In der wîle ez dô geschach,
daz ein pfaffe dar în kam
und sîne vuoge vernam
an handen unde an munde.
wan er ouch selbe kunde   7700
list unde kunst genuoge,
mit handen manege vuoge
an iegelîchem seitspil
und kunde ouch vremeder sprâche vil.
an vuoge unde an höfscheit   7705
haete er gewendet unde geleit
sîne tage und sîne sinne.
der was der küniginne
meister unde gesinde
und haete sî von kinde   7710
gewitzeget sêre
an maneger guoten lêre,
mit manegem vremedem liste,
den sî von im wiste.
ouch lêrte er ie genôte   7715
ir tohter Îsôte,
die erwünscheten maget,
von der diu werlt elliu saget
und von der disiu maere sint:
diu was ir einegez kint,   7720
und haete alle ir vlîzekeit
sît des tages an sî geleit,
daz s'iht gelernen kunde
mit handen oder mit munde.
die haete er ouch in sîner pflege.   7725
die lêrte er dô und alle wege

Diese Nachricht verbreitete sich
über ganz Dublin.
Viele gingen zu ihm, viele gingen weg,
und alle beklagten sein Unglück.   7695

Da geschah es,
daß ein Priester hinging
und von seinen Fertigkeiten
in Gesang und Spiel hörte.
Denn auch er selbst beherrschte   7700
viele Künste und Fertigkeiten,
große Geschicklichkeit mit den Händen
im Saitenspiel,
und er beherrschte viele fremde Sprachen.
Auf höfische Erziehung und feines Benehmen   7705
hatte er verwendet
seine Jahre und Geisteskräfte.
Er war der Königin
Lehrer und Gefolgsmann
und hatte sie von Kindesbeinen an   7710
unterrichtet
in zahlreichen Wissenschaften
und vielen seltenen Künsten,
die sie von ihm gelernt hatte.
Außerdem unterrichtete er seit langem sorgfältig   7715
ihre Tochter Isolde,
das vollkommene Mädchen,
von dem alle Welt spricht
und von dem diese Geschichte handelt.
Sie war ihr einziges Kind,   7720
und sie hatte sich mit ihrer ganzen Hingabe
um sie bemüht seit dem Zeitpunkt,
da sie lernen konnte
mit Händen oder Mund.
Sie war auch in seiner Obhut.   7725
Er unterrichtete sie ständig

beidiu buoch und seitspil.
dô der an Tristande alse vil
schoener künste und vuoge ersach,
in erbarmete sîn ungemach   7730
vil inneclîche sêre
und enbeite ouch dô niemêre.
er gie zer küniginne dan
und seite ir, daz ein spilman
in der stat dâ waere,   7735
der waere ein marteraere
und tôt mit lebendem lîbe
und daz nie man von wîbe
sîner künste als ûz erkorn
noch baz gemuot würde geborn.   7740
»â« sprach er »edeliu künigîn,
möhte ez iemer gesîn,
daz wir dar zuo gedaehten,
daz wir in eteswar braehten,
dar ir mit vuoge kaemet,   7745
daz wunder vernaemet,
daz ein sterbender man
als inneclîche suoze kan
geharpfen unde gesingen
und doch an sînen dingen   7750
weder rât noch helfe kan gewesen.
wan ern kan niemer genesen.
sîn meister und sîn arzât,
der sîn biz her gepflegen hât,
der hât in ûz der pflege gelân,   7755
ern mag im niht ze staten gestân
mit keiner slahte sinne.«
»Sich« sprach diu küniginne
»ich sol den kameraeren sagen,
müge er ez iemer vertragen   7760
und verdoln, daz man in handele
und under handen wandele,

in Buchwissen und Saitenspiel.
Als er an Tristan so viele
Fertigkeiten und Fähigkeiten bemerkte,
schmerzte ihn sein Unglück   7730
zutiefst,
und er zögerte keinen Augenblick:
Er ging zur Königin
und berichtete ihr, daß ein Spielmann
in der Stadt sei,   7735
der sehr krank
und bei lebendigem Leibe tot sei,
und daß keine Frau jemals einen Mann
von so erlesener Kunstfertigkeit
und von vornehmerer Gesinnung gebären könne.   7740
Er sagte: »Ach, edle Königin,
wenn wir uns doch
etwas ausdenken könnten,
damit wir ihn irgendwo hinbringen,
damit Ihr mit Anstand kommen   7745
und das Wunder hören könntet,
daß ein Sterbender
so hingegeben und lieblich
Harfe spielen und singen
und es für dessen Krankheit doch   7750
keine Hilfe geben kann.
Denn er wird nie wieder gesund.
Sein gelehrter Arzt,
der ihn bislang gepflegt hat,
hat ihn jetzt aus seiner Pflege entlassen.   7755
Er kann ihm nicht helfen
mit all seiner Kunst.«
Die Königin antwortete: »Sieh,
ich will den Dienern auftragen,
falls er es noch immer aushalten   7760
und ertragen kann, daß man ihn anfaßt
und trägt,

daz sî'n uns her ûf bringen,
ob ime ze sînen dingen
dekeiner slahte helfe tüge   7765
oder obe in iht generen müge.«

Diz wart getân und diz geschach.
nu daz diu künigîn gesach
sîn angest al begarwe,
die wunden unde ir varwe,   7770
nu erkande sîz gelüppe dâ.
»ach armer spilman« sprach si sâ
»dû bist mit gelüppe wunt.«
»ine weiz« sprach Tristan sâ zestunt
»ine kan niht wizzen, waz ez ist,   7775
wan mir enmac kein arzâtlist
gehelfen noch gevrumen hie zuo.
nune weiz ich mêre, waz getuo,
wan daz ich mich gote muoz ergeben
und leben, die wîle ich mac geleben.   7780
swer aber genâde an mir begê,
sît ez mir kumberlîche stê,
dem lône got: mirst helfe nôt,
ich bin mit lebendem lîbe tôt.«
Diu wîse sprach im aber zuo: 7785
»spilman, sag an, wie heizestuo?«
»vrouwe, ich heize Tantris.«
»Tantris, nu wis an mir gewis,
daz ich dich binamen neren sol.
wis gemuot, und gehabe dich wol!   7790
ich wil dîn arzât selbe sîn.«
»genâde, süeziu künigîn,
diu zunge diu gruone iemer,
daz herze ersterbe niemer,
diu wîsheit diu müeze iemer leben,   7795
den helfelôsen helfe geben,
dîn name der müeze werden

sie sollen ihn heraufbringen zu uns,
damit wir sehen können, ob ihm
nicht geholfen
und er nicht geheilt werden kann.«   7765

Das wurde getan und geschah.
Als nun die Königin
seinen schlimmen Zustand untersuchte,
die Wunde und ihre Färbung,   7770
da erkannte sie das Gift.
Sie sagte: »Ach, armer Spielmann,
du bist vergiftet.«
Tristan antwortete: »Ich weiß nicht
und kann nicht wissen, was es ist,   7775
denn keine ärztliche Kunst kann mir
helfen oder Erleichterung verschaffen.
Ich weiß nicht, was ich nun noch tun soll.
Ich kann mich nur noch Gott anvertrauen
und leben, solange ich eben noch lebe.   7780
Aber wer barmherzig mit mir ist,
weil es so schlecht um mich steht,
den lohne Gott. Ich brauche Hilfe,
denn ich bin tot bei lebendigem Leibe.«
Die kluge Königin fragte: 7785
»Sag mir, Spielmann, wie heißt du?«
»Ich heiße Tantris, Herrin.«
»Tantris, vertraue mir,
ich werde dich wirklich heilen.
Sei zuversichtlich und froh.   7790
Ich selbst werde deine Ärztin sein.«
»Danke, gütige Königin,
deine Zunge möge ewig blühen,
dein Herz möge niemals sterben,
deine Weisheit soll auf ewig leben   7795
und den Hilflosen helfen,
deine Name soll

gewerdet ûf der erden!«
»Tantris« sprach aber diu künigîn
»möhte ez an dînen staten gesîn,   7800
wan dazt aber alse uncreftic bist,
als ez kein wunder an dir ist,
sô hôrte ich gerne harpfenspil.
des kanstu, hoere ich sagen, vil.«
»nein vrouwe, sprechet alsô niht.   7805
mich enirret kein mîn ungeschiht,
ine tuo und müge ez harte wol,
daz iuwer dienest wesen sol.«
sus wart sîn harpfe dar besant.
ouch besande man zehant   7810
die jungen küniginne.
daz wâre insigel der minne,
mit dem sîn herze sider wart
versigelt unde vor verspart
aller der werlt gemeiner   7815
niuwan ir al einer,
diu schoene Îsôt si kam ouch dar
und nam vil vlîzeclîche war,
dâ Tristan harpfende saz.
nu harpfete er ouch michel baz,   7820
dan er ie dâ vor getaete.
wan er gedingen haete,
sîn ungelücke waere hin,
dâ sang er unde harphete in
niht alse ein lebelôser man,   7825
er vieng ez lebelîchen an
und alse der wol gemuote tuot.
er machete ez in sô rehte guot
mit handen und mit munde,
daz er in der kurzen stunde   7830
ir aller hulde alsô gevienc,
daz ez im z'allem guote ergienc.
und al des spiles, des er getete,

hoch gerühmt werden in aller Welt!«
»Tantris«, sagte die Königin wieder,
»wenn es dir möglich ist   7800
und du dich nicht zu schwach fühlst,
was kein Wunder wäre,
so würde ich gern dein Harfenspiel hören.
Man sagte mir, du könntest es vorzüglich.«
»Nein, Herrin, sagt das nicht.   7805
Mein Mißgeschick hindert mich nicht,
etwas zu tun und gut auszuführen,
das Euch gefällig sein kann.«
Man brachte ihm seine Harfe.
Auch schickte man sogleich   7810
nach der jungen Königin.
Sie war ein wahres Siegelbild der Liebe,
mit dem sein Herz seitdem
versiegelt und verschlossen war
für alle Welt   7815
außer für sie allein.
Die schöne Isolde kam auch dorthin
und beobachtete aufmerksam,
wie Tristan die Harfe spielte.
Er spielte viel besser   7820
als jemals zuvor,
denn er hatte die Hoffnung,
sein Unglück sei vorüber.
Also sang und spielte er für sie
nicht wie ein Sterbender.   7825
Er tat es vielmehr lebhaft
und wie ein Hoffender.
Er erfreute sie so sehr
mit Hand und Mund,
daß er in kurzer Zeit   7830
ihrer aller Zuneigung erwarb
und es zu seinem Vorteil ausschlug.
Aber die ganze Zeit, während er spielte,

beide anderswâ und an der stete,
sô smacte ie der veige slac   7835
und machete einen solhen smac,
daz nieman keine stunde
bî ime belîben kunde.

Aber sprach diu küniginne dô:
»Tantris, swenne ez gevüege alsô,   7840
daz dir dîn dinc alsô gestê,
daz dirre smac an dir zergê
und ieman bî dir müge genesen,
sô lâ dir wol bevolhen wesen
dise jungen maget Îsôte,   7845
diu lernete ie genôte
diu buoch und dar zuo seitspil
und kan des ouch billîche vil
nâch den tagen und nâch der vrist,
als sî derbî gewesen ist.   7850
und kanstu keiner lêre
und keiner vuoge mêre
danne ir meister oder ich,
des underwîse sî durch mich.
dar umbe wil ich dir dîn leben   7855
und dînen lîp ze miete geben
wol gesunt und wol getân.
diu mag ich geben unde lân,
diu beidiu sint in mîner hant.«
»jâ ist ez danne alsô gewant«   7860
sprach aber der sieche spilman
»daz ich sô wider komen kan
und mit spil genesen sol,
ob got wil, sô genise ich wol.
saeligiu küniginne,   7865
sît daz iuwer sinne
alsô stânt, als ir dâ saget,
umbe iuwer tohter die maget,

sowohl hier als auch anderswo,
roch stets die häßliche Wunde   7835
und verbreitete einen solchen Gestank,
daß niemand es auch nur eine Stunde
bei ihm aushalten konnte.

Wieder sprach da die Königin:
»Tantris, wenn es sich ergibt   7840
und deine Lage sich so verbessert,
daß dieser Geruch vergeht
und jemand bei dir bleiben kann,
dann laß dir anvertrauen
dieses Mädchen Isolde.   7845
Sie studiert eifrig
Buchwissen und auch Saitenspiel
und kann ziemlich viel,
gemessen an der Zeit,
die sie damit verbracht hat.   7850
Und wenn du noch andere Künste
oder Fertigkeiten beherrschst
als ihr Lehrer oder ich,
dann unterrichte sie mir zuliebe darin.
Ich will dir dafür dein Leben   7855
und deinen Körper als Lohn geben
in völliger Gesundheit und Schönheit.
Das kann ich tun und lassen.
Beides steht in meiner Macht.«
»Ja, wenn es denn so ist«,   7860
erwiderte der kranke Spielmann,
»daß ich mich erholen kann
und geheilt werde durch mein Spiel,
so werde ich mit Gottes Willen geheilt.
Gesegnete Königin,   7865
wenn Eure Absichten
so sind, wie Ihr sagt,
mit Eurer Tochter, dem Mädchen,

sô trûwe ich harte wol genesen.
ich hân der buoche gelesen   7870
in der mâze und alsô vil,
daz ich mir wol getrûwen wil,
ich gediene iu wol ze danke an ir.
dâ zuo sô weiz ich wol an mir,
daz mîner jâre kein man   7875
sô manic edele seitspil kan.
swaz ir dar über geruochet
und her ze mir gesuochet,
daz ist allez getân,
als verre alse ich's state hân.«   7880
Sus beschiet man ime ein kamerlîn
und schuof im alle tage dar în
alle die pflege und daz gemach,
daz er selbe vor gesprach.
alrêrste was diu wîsheit   7885
ze vrumen und ze staten geleit,
die er in dem schiffe begienc,
dô er den schilt zer sîten hienc
und barc sîne wunden
vor den unkunden,   7890
vor der îrlandeschen diet,
dô sî von Curnewâle schiet.
hie von sô was in unkunt
und enwisten niht, daz er was wunt.
wan haeten s'iht bevunden   7895
umbe keine sîne wunden,
sô wol als in daz was erkant,
wie'z umbe die wunden was gewant,
die Môrolt mit dem swerte sluoc,
daz er in allen noeten truoc,   7900
ezn waere Tristande nie
ergangen, alse ez ime ergie.
nû half aber ime, daz er genas,
daz er sô vorbedaehtic was.

dann werde ich wohl gewiß geheilt werden.
Ich habe Bücher gelesen   7870
in solchem Maße und so viele,
daß ich mir durchaus zutraue,
mir an ihr Eure Dankbarkeit zu verdienen.
Außerdem bin ich überzeugt,
daß niemand in meinem Alter   7875
so viele vornehme Saiteninstrumente beherrscht.
Was immer Ihr davon wünscht
oder von mir verlangt,
soll geschehen,
soweit ich es vermag.«   7880
So wies man ihm eine kleine Kammer zu
und verschaffte ihm dort alle Tage
jede Pflege und Bequemlichkeit,
um die er bat.
Erst jetzt kam die Umsicht   7885
ihm zustatten,
die er in dem Schiff walten ließ,
als er den Schild auf die Seite hielt
und seine Verletzung verbarg
vor den Fremden,   7890
den Iren,
als sie von Cornwall wegfuhren.
Daher war ihnen unbekannt
und sie wußten nicht, daß er verwundet war.
Denn hätten sie etwas bemerkt   7895
von seiner Verwundung:
bei ihrer genauen Kenntnis davon,
wie die Wunden beschaffen waren,
die Morold mit dem Schwerte schlug,
das er in allen Kämpfen benutzte,   7900
wäre es Tristan niemals
so ergangen wie jetzt.
So aber half bei seiner Genesung
seine Vorsicht.

hie mac ein man erkennen an   7905
und wizzen wol, wie dicke ein man
guote vorbedaehte
ze guotem ende braehte,
der gerne sinnebaere
und vorbesihtic waere.   7910

Diu wîse küniginne
diu kêrte alle ir sinne
und alle ir witze dar an,
wie sî generte einen man,
umbe des lîp und umbe des leben   7915
si gerne haete gegeben
ir lîp und alle ir êre.
si hazzete in noch mêre
dan sî sich selben minnete.
und swes si sich versinnete,   7920
daz ime ze senfte und ze vromen
und ze heile möhte komen,
dâ was si spâte unde vruo
betrehtic unde gescheffec zuo.
daz enwas kein wunderlîch geschiht.   7925
sine erkande ir vîndes niht.
und möhte sî daz wizzen,
an wen sî was vervlizzen
und wem sî half ûz tôdes nôt,
waere iht ergers danne der tôt,   7930
den haete s'ime zewâre gegeben
vil michel gerner dan daz leben.
nu enwiste aber sî dâ niuwan guot
und truog im niuwan guoten muot.

Ob ich iu nû vil seite   7935
und lange rede vür leite
von mîner vrouwen meisterschaft,
wie wunderlîche guote craft
ir arzenîe haete

Daran kann man erkennen 7905
und lernen, wie ein Mann oft
seine weise Bedachtsamkeit
nutzbringend verwendet,
der besonnen
und vorsichtig ist. 7910

Die kluge Königin
setzte all ihre Kunst
und ihren ganzen Verstand daran,
wie sie diesen Mann heilen könnte,
für dessen Leben und Gesundheit 7915
sie bereitwillig hingegeben hätte
ihr Leben und ihr Ansehen.
Sie haßte ihn noch mehr,
als sie sich selbst liebte.
Und dennoch: Was sie sich nur vorstellen konnte, 7920
was ihm angenehm, zuträglich
und heilsam sein könnte,
dafür war sie von früh bis spät
in Gedanken und Werken tätig.
Das war so verwunderlich nicht: 7925
Sie erkannte ja nicht ihren Feind.
Und wenn sie gewußt hätte,
um wen sie sich da so emsig bemühte
und wen sie vor dem Sterben rettete:
gäbe es Schlimmeres als den Tod, 7930
dann hätte sie es ihm gewiß geschenkt
mit weit größerer Lust als das Leben.
Dagegen wußte sie nur Gutes von ihm
und brachte ihm nur Wohlwollen entgegen.

Wenn ich Euch nun viel erzählte 7935
und ausführlich berichtete
von dem meisterhaften Können meiner Herrin,
welche staunenswerte Macht
ihre Heilkunst hatte

und wie s'ir siechen taete,   7940
waz hülfe ez und waz solte daz?
in edelen ôren lûtet baz
ein wort, daz schône gezimt,
dan daz man ûz der bühsen nimt.
als verre als ichz bedenken kan,   7945
sô sol ich mich bewarn dar an,
daz ich iu iemer wort gesage,
daz iuwern ôren missehage
und iuwerm herzen widerstê.
ich spriche ouch deste minner ê   7950
von iegelîcher sache,
ê ich iu daz maere mache
unlîdic unde unsenfte bî
mit rede, diu niht des hoves sî.
umbe mîner vrouwen arzâtlist   7955
und umbe ir siechen genist
wil ich iu kurzlîche sagen:
si half im inner zweinzec tagen,
daz man in allenthalben leit
und nieman durch die wunden meit,   7960
der anders bî im wolte sîn.
sît gie diu junge künigîn
alle zît ze sîner lêre.
an die sô leite er sêre
sînen vlîz und sîne stunde.   7965
daz beste daz er kunde,
sô schuollist, sô hantspil,
daz ich niht sunder zalen wil,
daz leite er ir besunder vür,
daz sî nâch ir selber kür   7970
ze lêre dar ûz naeme,
swes sô sî gezaeme.
Îsôt diu schoene tete alsô:
daz allerbeste, daz si dô
under allen sînen listen vant,   7975

und wie sie den Kranken behandelte,   7940
wozu sollte das gut sein?
In den Ohren vornehmer Zuhörer klingt angenehmer
ein schickliches, feines Wort
als eines, das man der Apotheker-Büchse entnimmt.
Solange ich das verhindern kann,   7945
will ich mich davor hüten,
jemals ein Wort zu gebrauchen,
das Euren Ohren mißfällt
und Euren Geschmack verletzt.
Lieber will ich weniger berichten   7950
von allem,
als daß ich eine Geschichte
unliebsam und unangenehm machte   ⌠entspricht.
durch eine Sprache, die den Regeln des Hofes nicht
Von der Heilkunst meiner Herrin   7955
und von der Heilung des Kranken
will ich Euch nur kurz sagen:
Innerhalb von zwanzig Tagen half sie ihm so weit,
daß man ihn überall gerne sah
und niemand ihn wegen der Verletzung mied,   7960
wenn er bei ihm sein wollte.
Von da an nahm die junge Königin
stets Unterricht bei ihm.
Ihr widmete er hingegeben
seinen Eifer und seine Zeit.   7965
Das Beste, was er konnte,
Buchwissen und Musizieren,
was ich im einzelnen nicht aufzählen will,
trug er ihr vor,
damit sie nach eigener Wahl   7970
sich zum Lernen das aussuche,
was ihr angemessen erschien.
Das tat die schöne Isolde.
Das Allerbeste, das sie da
unter all seinen Künsten fand,   7975

des underwant si sich zehant
und was ouch vlîzec dar an,
swes s'in der werlde began.
ouch half si harte sêre
diu vordere lêre.   7980
si kunde ê schoene vuoge
und höfscheit genuoge
mit handen und mit munde.
diu schoene si kunde
ir sprâche dâ von Develîn,   7985
si kunde franzois und latîn,
videlen wol ze prîse
in welhischer wîse.
ir vingere die kunden,
swenne sî's begunden,   7990
die lîren wol gerüeren
und ûf der harpfen vüeren
die doene mit gewalte.
sie steigete unde valte
die noten behendeclîche.   7995
ouch sanc diu saeldenrîche
suoze unde wol von munde.
und swaz s'ê vuoge kunde,
dâ kam si dô ze vrumen an.
ir meister der spilman   8000
der bezzerte si sêre.
under aller dirre lêre
gab er ir eine unmüezekeit,
die heizen wir morâliteit.
diu kunst diu lêret schoene site.   8005
dâ solten alle vrouwen mite
in ir jugent unmüezic wesen.
morâliteit daz süeze lesen
deist saelic unde reine.
ir lêre hât gemeine   8010
mit der werlde und mit gote.

das erlernte sie schnell,
und sie konzentrierte sich eifrig auf alles,
was sie unternahm.
Dabei half ihr sehr
ihre frühere Ausbildung.   7980
Schon vorher beherrschte sie feine Künste
und viele höfische Fertigkeiten
mit Hand und Mund.
Die Schöne konnte
die Sprache von Dublin,   7985
Französisch und Latein,
und sie spielte ausgezeichnet die Fiedel
auf welsche Art.
Ihre Finger verstanden es,
wenn sie es anfingen,   7990
die Leier schön zu spielen
und auf der Harfe hervorzubringen
machtvolle Töne.
Aufwärts und abwärts
spielte sie die Tonleiter geschickt.   7995
Zudem sang das begabte Mädchen
lieblich und mit schöner Stimme.
Und was sie an Künsten vorher schon beherrschte,
das war ihr nun von Nutzen.
Ihr Lehrer, der Spielmann,   8000
förderte sie beträchtlich.
Neben all diesen Fächern
unterrichtete er sie in einem Gegenstand,
den wir Sittenlehre nennen.
Diese Kunst vermittelt feinen Anstand.   8005
Alle vornehmen Damen sollten sich damit
in ihrer Jugend beschäftigen.
Sittenlehre ist eine liebliche Wissenschaft,
beseligend und rein.
Sie befindet sich in Übereinstimmung   8010
mit der Welt und Gott.

si lêret uns in ir gebote
got unde der werlde gevallen.
s'ist edelen herzen allen
ze einer ammen gegeben,   8015
daz sî ir lîpnar unde ir leben
suochen in ir lêre.
wan sîne hânt guot noch êre,
ezn lêre sî morâliteit.
diz was ir meiste unmüezekeit   8020
der jungen küniginne.
hie banekete s'ir sinne
und ir gedanke dicke mite.
hie von sô wart si wol gesite,
schône unde reine gemuot,   8025
ir gebaerde süeze unde guot.

Sus kam diu süeze junge
ze solher bezzerunge
an lêre und an gebâre
in dem halben jâre,   8030
daz von ir saelekeite
allez daz lant seite
und ouch ir vater der künec dâ van
vil grôze vröude gewan.
ir muoter ward es sêre vrô.   8035
nu gevuogete ez sich dicke alsô,
ir vater sô der was vröudehaft
oder alse vremediu ritterschaft
dâ ze hove vor dem künege was,
daz Îsôt in den palas   8040
vür ir vater wart besant.
und allez daz ir was bekant
höfschlîcher liste und schoener site,
dâ kürzete s'ime die stunde mite
und mit im manegem an der stete.   8045
swaz vröude sî dem vater getete,

In ihren Gesetzen unterweist sie uns darin,
Gott und zugleich der Welt zu gefallen.
Allen vornehmen Menschen ist sie
als Nährmutter zugeordnet,   8015
damit sie Nahrung und Lebenskraft
aus dieser Kunst beziehen.
Denn weder Besitz noch Ansehen wird ihnen zuteil,
wenn sie nicht in Sittenlehre unterwiesen sind.
Damit beschäftigte sich am ausführlichsten   8020
die junge Königin.
Hiermit übte sie ihren Geist
und ihre Gedanken sehr oft.
Dadurch bekam sie ein feines Benehmen,
ihr Geist wurde anmutig und vollkommen,   8025
ihr Auftreten lieblich und angenehm.

So machte das reizende Mädchen
solche Fortschritte
an Bildung und Anstand
innerhalb eines halben Jahres,   8030
daß ihre Vortrefflichkeit
jedermann rühmte
und auch ihr Vater, der König, darüber
sehr erfreut war.
Ihre Mutter war darüber ebenfalls überaus froh.   8035
Nun ergab es sich häufig,
wenn ihr Vater gutgelaunt war
oder wenn fremde Ritter
sich bei dem König am Hofe aufhielten,
daß Isolde in den Palas   8040
zu ihrem Vater gerufen wurde.
Und mit all ihrem Können
in höfischer Kunst und feinem Anstand
unterhielt sie ihn
und viele andere dort.   8045
Womit sie ihren Vater erfreute,

daz vröute s'al gelîche:
arme unde rîche
sî haeten an ir beide
eine saelige ougenweide,   8050
der ôren unde des herzen lust.
ûzen und innerhalp der brust
dâ was ir lust gemeine.
diu süeze Îsôt, diu reine
si sang in, si schreip und si las.   8055
und swaz ir aller vröude was,
daz was ir banekîe.
si videlte ir stampenîe,
leiche und sô vremediu notelîn,
diu niemer vremeder kunden sîn,   8060
in franzoiser wîse
von Sanze und San Dinîse.
der kunde s'ûzer mâze vil.
ir lîren unde ir harpfenspil
sluoc sî ze beiden wenden   8065
mit harmblanken henden
ze lobelîchem prîse.
in Lût noch in Thamîse
gesluogen vrouwen hende nie
seiten süezer danne hie   8070
la dûze Îsôt, la bêle.
si sang ir pasturêle,
ir rotruwange und ir rundate,
schanzûne, refloit und folate
wol unde wol und alze wol.   8075
wan von ir wart manc herze vol
mit senelîcher trahte.
von ir wart maneger slahte
gedanke und ahte vür brâht.
durch sî wart wunder gedâht,   8080
als ir wol wizzet, daz geschiht,
dâ man ein solich wunder siht

das freute alle gleichermaßen.
Ob mächtig oder von geringerem Stande,
alle genossen
ihren beglückenden Anblick,   8050
das Vergnügen für Ohren und Herzen.
In ihrer Brust und auch außerhalb
war ihre Freude ungeteilt.
Die liebliche, reine Isolde
sang, dichtete und las vor.   8055
Und was sie alle erfreute,
war Erquickung für sie selbst.
Sie fiedelte ihre Tanzweisen,
Lieder und fremdartige Melodien,
die fremdartiger nicht hätten sein können,   8060
im französischen Stil
von Sens und Saint-Denis.
Davon beherrschte sie überaus viele.
Leier und Harfe
spielte sie auf beiden Seiten   8065
mit hermelinweißen Händen
ganz vortrefflich.
Weder in Lud noch in Themse
schlugen Frauenhände jemals
die Saiten lieblicher als hier   8070
die liebliche, schöne Isolde.
Sie sang ihre Pastourelle,
ihre ›Rotrouenge‹ und ihr Rondeau,
Chanson, Refloit und Folate
über alle Maßen wunderschön,   8075
denn sie füllte viele Herzen
mit Sehnsucht.
Durch sie wurden viele
Gedanken und Überlegungen geweckt.
Sie regte sehr viele Betrachtungen an,   8080
wie es, wie Ihr genau wißt, geschehen kann,
wenn man ein solches Wunder erblickt

von schoene und von gevuocheit,
als an Îsôte was geleit.
Wem mag ich sî gelîchen   8085
die schoenen, saelderîchen
wan den Syrênen eine,
die mit dem agesteine
die kiele ziehent ze sich?
als zôch Îsôt, sô dunket mich,   8090
vil herzen unde gedanken în,
die doch vil sicher wânden sîn
von senedem ungemache.
ouch sint die zwô sache,
kiel âne anker unde muot,   8095
ze ebenmâzene guot.
si sint sô selten beide
an staeter wegeweide,
sô dicke in ungewisser habe,
wankende beidiu an und abe,   8100
ündende hin unde her.
sus swebet diu wîselôse ger,
der ungewisse minnen muot,
rehte als daz schif âne anker tuot
in ebengelîcher wîse.   8105
diu gevüege Îsôt, diu wîse,
diu junge süeze künigîn
alsô zôch sî gedanken în
ûz maneges herzen arken,
als der agestein die barken   8110
mit der Syrênen sange tuot.
si sanc in maneges herzen muot
offenlîchen unde tougen
durch ôren und durch ougen.
ir sanc, den s'offenlîche tete   8115
beide anderswâ und an der stete,
daz was ir süeze singen,
ir senftez seiten clingen,

an Schönheit und Geschick,
wie es sich in Isolde offenbarte.
Mit wem kann ich vergleichen   8085
das schöne, begnadete Mädchen
außer mit den Sirenen allein,
die mit dem Magnetstein
die Schiffe zu sich ziehen?
Ebenso zog Isolde, meine ich,   8090
viele Gedanken und Herzen an,
die sich ganz sicher fühlten
vor Liebeskummer.
Zudem sind
ein Schiff ohne Anker und Verliebtsein   8095
gut vergleichbar.
Niemals bewegen sie sich
auf geradem Wege.
Häufig sind sie in einem unsicheren Hafen,
schwanken auf und ab,   8100
werden von den Wellen hin und her geworfen.
So treibt das vage Verlangen,
die ungewisse Liebessehnsucht sie umher,
wie es das Schiff ohne Anker auch tut,
ganz genau so.   8105
Die kunstfertige, kluge Isolde,
die liebliche junge Königin,
zog so die Gedanken an
aus vielen fest verriegelten Herzen,
so wie der Magnetstein die Schiffe   8110
mit dem Gesang der Sirenen anzieht.
Sie sang sich in viele Herzen,
offen und heimlich,
durch die Augen und die Ohren.
Ihr Gesang, den sie öffentlich   8115
dort und überall anstimmte,
war ihr liebliches Singen,
ihr angenehmes Saitenspiel,

daz lûte und offenlîche
durch der ôren künicrîche   8120
hin nider in diu herzen clanc.
sô was der tougenlîche sanc
ir wunderlîchiu schoene,
diu mit ir muotgedoene
verholne unde tougen   8125
durch diu venster der ougen
in vil manic edele herze sleich
und daz zouber dar în streich,
daz die gedanke zehant
vienc unde vâhende bant   8130
mit sene und mit seneder nôt.

Sus haete sich diu schoene Îsôt
von Tristandes lêre
gebezzeret sêre.
sî was suoze gemuot,   8135
ir site und ir gebaerde guot.
si kunde schoeniu hantspil,
schoener behendekeite vil:
brieve und schanzûne tihten,
ir getihte schône slihten,   8140
si kunde schrîben unde lesen.
nu was ouch Tristan genesen
ganz unde geheilet garwe,
daz ime lîch unde varwe
wider lûteren begunde.   8145
nu vorhte er alle stunde,
daz in eteswer erkande
von gesinde oder von lande,
und was in staeter trahte,
mit wie gevüeger ahte   8150
er urloup genaeme
und ûz den sorgen kaeme.
wan er wol wiste, möhte ez sîn,

das laut und vernehmlich
durch das Königreich der Ohren   8120
ins Herz drang.
Ihr heimlicher Gesang dagegen war
ihre wundervolle Schönheit,
die mit ihrem herrlichen Klang
heimlich und verborgen   8125
durch die Fenster der Augen
in viele vornehme Herzen schlich
und dort einen Zauber bewirkte,
der die Gedanken sofort
einfing und fesselte   8130
mit Sehnsucht und Liebesschmerz.

So hatte die schöne Isolde
durch Tristans Unterricht
große Fortschritte erzielt.
Sie war von angenehmem Wesen,   8135
ihr Benehmen und ihr Auftreten waren gut.
Sie konnte glänzend musizieren
und viele schöne Künste;
sie konnte Texte und Melodien für Liebeslieder verfassen
und ihre Werke schön ausgestalten,   8140
verstand zu schreiben und zu lesen.
Nun war auch Tristan geheilt
und völlig wiederhergestellt,
so daß seine Hautfarbe
wieder frischer zu werden begann.   8145
Er befürchtete stets,
irgendwer könnte ihn erkennen
aus dem Gefolge oder im Lande.
Unentwegt überlegte er,
wie er mit Anstand   8150
Abschied nehmen
und der Gefahr entkommen könnte.
Denn er war sicher, daß in diesem Falle

im solte ietweder künigîn
kûme oder niemer urloup geben.   8155
nu bedâhte er aber, daz sîn leben
z'allen zîten was geleit
in michel ungewisheit.
er gie zer küniginne
und begunde in schoenem sinne   8160
sîne rede besetzen an der stete,
als er an allen steten tete.
er kniete vür si unde sprach:
»vrouwe, genâde unde gemach
und helfe, die ir mir habet getân,   8165
die lâze iu got ze staten gestân
in dem êwigen rîche!
ir habet sô saeleclîche
mit mir geworben und sô wol,
daz es iu got iemer lônen sol   8170
und ich ez iemer dienen wil
unz an mînes tôdes zil,
an swelher stat ich armer man
iuwer lop gevürdern kan.
saeligiu künigîn,   8175
ez sol mit iuwern hulden sîn,
daz ich wider ze lande var,
wan mîn dinc stât alsô dar,
daz ich langer niht belîben kan.«
Diu vrouwe lachete in an.   8180
»dîn smeichen« sprach si »deist ein wiht,
ich engibe dir urloubes niht,
dune kumest niht hinnen zwâre
vor disem ganzen jâre.«
»nein edeliu küniginne,   8185
nemet in iuwer sinne,
wie ez umbe die gotes ê
und umbe herzeliebe stê.
ich hân dâ heime ein êlîch wîp,

jede der beiden Königinnen ihn
nur sehr ungern oder gar nicht gehen lassen würde.   8155
Er dachte aber daran, daß sein Leben
ununterbrochen ausgesetzt war
großer Unsicherheit.
Er ging zur Königin
und begann mit feinem Anstand   8160
sich auszudrücken,
wie er es immer tat.
Er kniete vor ihr nieder und sagte:
»Herrin, Barmherzigkeit, Pflege
und Hilfe habt Ihr mir zuteil werden lassen.   8165
Gott möge Euch das vergelten
in seinem ewigen Reich!
Ihr habt so hochherzig
und gütig an mir gehandelt,
daß Gott es Euch ewig lohnen möge.   8170
Ich will es Euch immer vergelten
bis zu meinem Tode,
wo immer ich einfacher Mann
Euren Ruhm noch befördern kann.
Gesegnete Königin,   8175
bitte erlaubt mir,
daß ich wieder nach Hause zurückfahre,
denn die Verhältnisse sind so,
daß ich länger nicht bleiben kann.«
Die Herrin lächelte ihn an   8180
und sagte: »Dein Schmeicheln ist vergebens.
Ich lasse dich nicht fort.
Tatsächlich, du darfst nicht weg
vor dem Ende des ganzen Jahres.«
»Nein, edle Königin,   8185
bedenkt,
was es mit einer von Gott gesegneten Ehe
und mit der Liebe zweier Herzen auf sich hat.
Ich habe zu Hause eine Ehefrau,

die minne ich als mîn selbes lîp   8190
und weiz wol, daz sich diu versiht
und enhât ouch zwîvel dar an niht,
ich ensî binamen tôt.
und ist mîn angest und mîn nôt:
wirt s'einem andern gegeben,   8195
sô ist mîn trôst und mîn leben
und al diu vröude dâ hin,
ze der ich dingende bin,
und enwirde niemer mêre vrô.«
»entriuwen« sprach diu wîse dô   8200
»Tantris, diu nôt ist êhaft.
alsus getâne geselleschaft
sol nieman guoter scheiden.
got der genâde iu beiden,
dînem wîbe unde dir!   8205
swie rehte ungerne ich dîn enbir,
sô wil ich dîn durch got enbern.
urloubes muoz ich dich gewern
und bin dir willic unde holt.
ich und mîn tohter Îsôlt   8210
wir geben dir ze dîner var
und ze dîner lîpnar
zwô marc von rôtem golde.
die habe dir von Îsolde!«
sus vielt der ellende   8215
ietwedere sîne hende
des lîbes unde der sinne
ietwederer küniginne,
beidiu der muoter unde der maget.
»iu beiden« sprach er »sî gesaget   8220
von gote genâde und êre!«
und enbeite ouch dô niemêre,
er vuor von dannen z'Engelant,
von Engelanden al zehant
ze Curnewâle wider heim.   8225

die liebe ich so wie mich selbst   8190
und weiß genau, daß sie vermutet
und nicht daran zweifelt,
daß ich wahrhaftig tot bin.
Meine Angst und Befürchtung ist es, daß,
wenn sie einem anderen gegeben wird,   8195
meine Hoffnung, mein Lebensglück
und meine ganze Freude vernichtet sind,
nach der ich strebe,
und daß ich niemals wieder glücklich werde.«
Die Kluge antwortete: »Wahrlich,   8200
Tantris, dieses Hindernis ist zwingend.
Eine solche Verbindung
soll kein aufrechter Mensch trennen.
Gott steh euch bei,
deiner Frau und dir.   8205
So ungerne ich dich auch gehen lasse,
so will ich um Gottes willen doch auf dich verzichten.
Ich muß dir die Erlaubnis geben
und bleibe dir geneigt und wohlgesonnen.
Ich und meine Tochter Isolde   8210
geben dir für deine Reise
und für deinen Unterhalt
zwei Mark aus rotem Gold.
Die nimm von Isolde.«
Dann faltete der Heimatlose huldigend   8215
jeder von beiden seine Hände
sowohl wirklich als auch geistig,
den beiden Königinnen,
der Mutter und dem Mädchen.
Er sagte: »Euch beiden sei erbeten   8220
von Gott Glückseligkeit und Ansehen.«
Er zögerte nicht länger,
fuhr weg nach England
und von England sogleich
heim nach Cornwall.   8225

Nu Marke sîn oeheim
und daz lantliut vernam,
daz er gesunder wider kam,
si wurden al gelîche
von allem dem rîche   8230
rehte unde ûz allem herzen vrô.
der künec sîn vriunt der vrâgte in dô,
wie'z ime ergangen waere.
und er seite ime daz maere
von obene hin ze grunde   8235
so'r ebeneste kunde.
des nam s'ouch alle wunder
und begunden hier under
vil schimpfen unde lachen
und michel lahter machen   8240
von sîner verte in Îrlant,
von sîner vîndinne hant,
wie schône in diu generte,
von allem dem geverte,
daz er under in begie.   8245
si jâhen, sine gevriesschen nie
solhes wunders gemach.
Nu diz allez geschach,
daz sîn genist und sîn vart
sêre unde wol belachet wart,   8250
dô vrâgeten s'in genôte
von der maget Îsôte.
»Isôt« sprach er »daz ist ein maget!
daz al diu werlt von schoene saget,
deist allez hie wider alse ein wint.   8255
diu liehte Îsôt daz ist ein kint
von gebaerden und von lîbe,
daz kint noch maget von wîbe

XII. Die Brautfahrt

Als Marke, sein Onkel,
und die Bevölkerung erfuhren,
daß er geheilt zurückgekehrt sei,
da wurden sie gleichermaßen
überall im Reich   8230
aus tiefstem Herzen froh.
Der König, sein Vertrauter, fragte ihn,
wie es ihm ergangen sei.
Und er erzählte ihm die ganze Geschichte
von Anfang bis Ende,   8235
so gut er nur konnte.
Das erstaunte sie alle,
und sie begannen untereinander,
ausgiebig zu scherzen und zu lachen
und sich sehr darüber zu erheitern,   8240
wie er nach Irland gefahren war
und wie die Hand seiner Feindin
ihn freundlich heilte
und was ihm alles
dabei widerfahren war.   8245
Sie sagten, sie hätten noch nie erfahren
etwas so Merkwürdiges.
Als nun
seine Heilung und seine Reise
ausgiebig und sehr belacht worden war,   8250
fragten sie ihn eingehend
nach dem Mädchen Isolde.
Er sagte: »Isolde, das ist ein Mädchen!
Was alle Welt von Schönheit erzählt,
ist verglichen mit ihr unbedeutend.   8255
Die strahlende Isolde ist ein Mädchen
an Benehmen und Aussehen,
wie von einer Frau ein Kind oder Mädchen

als lustic unde als ûz erkorn
nie wart noch niemer wirt geborn.   8260
diu lûtere, diu liehte Îsolt,
diu ist lûter alse arâbesch golt.
des ich ie waenende was,
alse ich'z an den buochen las,
diu von ir lobe geschriben sint,   8265
Aurôren tohter unde ir kint,
Tyntarides diu maere,
daz an ir eine waere
aller wîbe schônheit
an einen bluomen geleit: 8270
von dem wâne bin ich komen,
Îsôt hât mir den wân benomen.
ine geloube niemer mê,
daz sunne von Mycêne gê.
ganzlîchiu schoene ertagete nie   8275
ze Criechenlant, si taget hie.
alle gedanke und alle man
die kapfen niuwan Îrlant an.
dâ nemen ir ougen wunne,
sehen, wie diu niuwe sunne   8280
nâch ir morgenrôte
Îsôt nâch Îsôte,
dâ her von Develîne
in elliu herze schîne!
diu liehte wunneclîche   8285
si erliuhtet elliu rîche.
daz s'alle lobes von wîben sagent,
swaz sî mit lobe ze maeren tragent,
deist allez hie wider ein niht.
der Îsôt under ougen siht,   8290
dem liutert'z herze unde muot,
rehte als diu gluot dem golde tuot:
ez liebet leben unde lîp.
mit ir enist kein ander wîp

so lieblich und vortrefflich
noch nie geboren wurde oder geboren werden wird.   8260
Die leuchtende, strahlende Isolde
ist so rein wie arabisches Gold.
Was ich zuvor glaubte
und in Büchern gelesen habe,
die zu ihrem Lobe verfaßt sind,   8265
daß nämlich in Auroras Tochter,
der berühmten Helena,
ganz allein
die Schönheit aller Frauen
wie in einer einzigen Blume versammelt sei –   8270
von diesem Glauben bin ich abgekommen.
Isolde hat mir diese Überzeugung geraubt.
Ich glaube nun nicht mehr,
daß die Sonne in Mykene aufgeht.
Vollkommene Schönheit strahlte niemals   8275
in Griechenland. Sie strahlt nur hier.
Alle Männer mögen in Gedanken
ausschließlich nach Irland schauen.
Ihre Augen mögen dort Ergötzung finden.
Sie mögen sehen, wie die neue Sonne   8280
nach ihrem Morgenrot,
Isolde nach Isolde,
dort von Dublin aus
in alle Herzen strahlt.
Das glänzende, wundervolle Mädchen   8285
erleuchtet alle Länder.
Was auch immer man von Frauen rühmt,
was man lobend erzählt,
wiegt dagegen gering.
Wer Isolde anblickt,   8290
dem läutert dies sowohl Herz als auch Geist,
so wie die Glut das Gold.
Es macht das Leben erfreulich.
Neben ihr wird keine andere Frau

erleschet noch geswachet,   8295
als maneger maere machet.
ir schoene diu schoenet,
si zieret unde croenet
wîp unde wîplîchen namen.
des ensol sich ir dekeiniu schamen.«   8300

Als Tristan haete gesaget
von sîner vrouwen der maget,
der wunneclîchen von Îrlant,
dâ nâch als ez im was erkant,
swer dô dâ bî dem maere was   8305
und ez rehte in sîn herze las,
dem süezete diu rede den muot
rehte alse des meien tou die bluot:
si haeten alle muot dâ van.
der wol gemuote Tristan   8310
der greif dô wider an sîn leben.
im was ein ander leben gegeben:
er was ein niuborner man.
ez huop sich êrste umbe in an.
er was dô geil unde vrô.   8315
künec unde hof die wâren dô
ze sînem willen gereit,
biz sich diu veige unmüezekeit,
der verwâzene nît,
der selten iemer gelît,   8320
under in begunde üeben,
der hêrren vil betrüeben
an ir muote und an ir siten,
daz sî'n der êren beniten
unde der werdekeite,   8325
die der hof an in leite
und al daz lantgesinde.
si begunden vil swinde
reden ze sînen dingen

in ihrem Wert gemindert oder gedemütigt,   8295
wie mancher vielleicht glauben mag.
Ihre Schönheit verschönt,
schmückt und krönt
alle Frauen und ihr ganzes Geschlecht.
Keine braucht sich darüber zu schämen.«   8300

Als Tristan erzählt hatte
von seiner Herrin,
dem liebreizenden Mädchen aus Irland,
was er wußte;
jedem, der bei dem Bericht anwesend war   8305
und ihn ganz in sich aufnahm,
erquickten diese Worte das Herz
wie der Mai die Blumen.
Sie alle gerieten dadurch in Entzücken.
Der hochgestimmte Tristan   8310
begann wieder sein Leben.
Ihm war ein zweites Leben geschenkt worden,
und er war wie neugeboren.
Nun begann er erst richtig zu leben;
er war heiter und frohgestimmt.   8315
Der König und der Hof
erfüllten alle seine Wünsche,
bis die verwünschte Regsamkeit,
der verfluchte Neid,
der selten jemals ruht,   8320
sich unter ihnen zu regen begann,
der viele Herren so umdüsterte
in Gedanken und Verhalten,
daß sie sein Ansehen schmälerten
und seine Würde,   8325
die der Hof ihm zumaß
und die Bevölkerung.
Sie begannen, boshaft
ihn zu verleumden,

und in ze maere bringen,　　　　　　　8330
er waere ein zouberaere.
diu vorderen maere,
wie er ir vînt Môrolden sluoc,
wie sich sîn dinc z'Îrlant getruoc,
des begunden s'under in dô jehen,　　8335
ez waere ûz zoubere geschehen.
»seht« sprâchen s'alle »merket hie
und sprechet, wie genas er ie
vor dem starken Môrolde?
wie betroug er Îsolde　　　　　　　　8340
die wîsen küniginne,
sîne tôtvîndinne,
daz si sîn alsô vlîzec was,
biz daz er von ir hant genas?
merket wunder, hoeret her:　　　　　8345
der pârâtiere, wie kan er
gesehendiu ougen blenden
und allez daz verenden,
daz er ze endene hât!«
Hie mite gevielen s'an den rât,　　　8350
die Markes râtes pflâgen,
daz si Marke an lâgen
beidiu vruo und spâte
mit vlîzeclîchem râte,
daz er ein wîp naeme,　　　　　　　　8355
von der er z'erben kaeme
einer tohter oder eines suns.
Marke sprach: »got der hât uns
einen guoten erben geben.
got helfe uns, daz er müeze leben!　　8360
Tristan die wîle er leben sol,
sô wizzet endelîche wol,
sone sol niemer künigîn
noch vrouwe hie ze hove gesîn.«
hie mite wart aber des hazzes mê,　　8365

und streuten über ihn aus,   8330
er sei ein Zauberer.
Seine früheren Taten,
wie er ihren Feind Morold erschlug
und wie es ihm in Irland erging,
seien, so meinten sie unter sich,   8335
durch Zauberei gelungen.
»Seht«, sagten sie alle, »überlegt
und sagt, wie konnte er jemals bestehen
gegen den gewaltigen Morold?
Wie täuschte er Isolde,   8340
die kluge Königin,
seine Todfeindin,
daß sie sich so um ihn kümmerte,
daß er durch ihre Hand geheilt wurde?
Bedenkt, wie merkwürdig   8345
der Betrüger es schafft,
die sehenden Augen zu blenden
und alles zu vollbringen,
was er unternommen hat!«
Dann faßten sie den Plan,   8350
die Markes Berater waren,
daß sie Marke nahelegten
von früh bis spät
mit großer Dringlichkeit,
er solle sich eine Frau nehmen,   8355
von der er als Erben bekommen könnte
eine Tochter oder einen Sohn.
Marke sagte: »Gott hat uns
einen würdigen Erben geschenkt.
Gott gebe, daß er lange leben möge!   8360
Solange Tristan lebt,
seid euch darüber klar,
soll keine Königin
oder Herrin hier am Hofe sein!«
Dadurch steigerte sich der Haß noch,   8365

des nîdes aber dô mê dan ê,
den sî Tristande truogen,
und begunde ouch an genuogen
ûz brechen alsô sêre,
daz sî'z in dô nie mêre   8370
vor verhelen kunden
und ime ze manegen stunden
die gebaerde buten und diu wort,
daz er ervorhte den mort
und was in den sorgen ie,   8375
daz s'eteswenne und eteswie
den rât in ein getrüegen,
daz sî'n mortlîche slüegen.
sînen oeheim Marken den bat er,
daz er der lanthêrren ger   8380
z'einem ende braehte
und durch got bedaehte
sîn angest unde sîne nôt.
er enwiste, wenne ez sîn tôt
und sîn ende waere.   8385
Sin oeheim der gewaere
der sprach: »neve Tristan,
swîc, ine kume hie niemer an.
ine ger niht erben niuwan dîn;
ouch soltu gâr âne angest sîn   8390
umbe dînen lîp und umbe dîn leben:
ich wil dir guoten vride geben.
ir aller nîden unde ir haz
nu sô dir got, waz schadet dir daz?
hazzen unde nîden   8395
daz muoz der biderbe lîden.
der man der werdet al die vrist,
die wîle und er geniten ist.
wirde unde nît diu zwei diu sint
rehte alse ein muoter und ir kint.   8400
diu wirde diu birt alle zît

der Neid vergrößerte sich,
den sie Tristan gegenüber hegten.
Und häufig brach dieser Neid
auch so heftig aus,
daß sie ihn ihm gegenüber nicht mehr   8370
verbergen konnten
und sich oft vor ihm
in Taten und Worten so verhielten,
daß er Mord befürchten mußte
und stets in der Angst lebte,   8375
daß sie irgendwann und irgendwie
übereinkommen könnten,
ihn zu ermorden.
Er bat seinen Onkel Marke,
daß er den Wunsch der Landbarone   8380
erfüllen
und um Gottes willen bedenken möge
seine Befürchtungen und Gefahr.
Er wüßte nicht, wann es sein Tod
und sein Ende sein würde.   8385
Sein rechtschaffener Onkel
sagte: »Neffe Tristan,
schweige. Ich lasse mich darauf nicht ein.
Ich will nur dich zum Erben.
Du brauchst auch keine Angst zu haben   8390
um deine Gesundheit und dein Leben.
Ich will dir sicheren Schutz geben.
Ihr Neid und ihr Haß,
bei Gott, was können sie dir anhaben?
Haß und Neid   8395
muß der Tüchtige ertragen.
Der Wert eines Mannes nimmt zu,
solange er gehaßt wird.
Ansehen und Neid sind
wie Mutter und Kind.   8400
Ansehen erzeugt stets

und vuoret haz unde nît.
wen gevellet ouch mê hazzes an
dan einen saeligen man?
diu saelde ist arm unde swach,   8405
diu nie dekeinen haz gesach.
lebe iemer und wirp iemer daz,
daz du einen tac sîst âne haz.
dû enwirbest niemer daz,
daz du iemer werdest âne haz.   8410
wellest aber von boeser diet
ungehazzet sîn, sô sing ir liet
und wis mit in ein boese wiht,
sône hazzent sî dich niht.
Tristan, swaz ieman getuo,   8415
sô rihte dû dich ie dar zuo,
daz tû hôhes muotes sîs.
wis vor bedenkende alle wîs
dînen vrumen und dîn êre
und enrât mir niht mêre,   8420
daz dir ze schaden müge ergân!
swaz rede hier umbe wirt getân,
des envolge ich weder in noch dir.«
»hêrre, sô gebietet mir,
sô wil ich von dem hove varn.   8425
ine mac mich vor in niht bewarn.
sol ich bî disem hazze wesen,
sone kan ich niemer genesen.
ê ich sus angestlîche
elliu künicrîche   8430
wolte haben ze mîner hant,
ich waere ê iemer âne lant.«

Dô Marke sînen ernest sach,
er bat in swîgen unde sprach:
»neve, swie gerne ich staete   8435
und triuwe zuo dir haete,

und speist Haß und Neid.
Wer wird mehr gehaßt
als ein glückbegnadeter Mensch?
Das Glück ist kümmerlich und gering,   8405
das keinen Haß auslöste.
Lebe und strebe immer danach,
daß auch nur ein Tag ohne Anfeindung vergeht:
du wirst es niemals schaffen,
daß du ohne Neider lebst.   8410
Wenn du dagegen von den Bösen
nicht gehaßt werden willst, dann sing ihr Lied
und sei mit ihnen ein Schurke,
denn dann hassen sie dich nicht.
Tristan, was immer die anderen tun,   8415
trachte stets danach,
deine Hochherzigkeit zu bewahren.
Sei stets bedacht auf
deine Würde und dein Ansehen,
und dringe von nun an nicht mehr auf Dinge,   8420
die durchaus zu deinem Nachteil ausschlagen könnten.
Was auch immer hierüber gesagt wird,
ich folge darin weder ihnen noch dir.«
»Dann entlaßt mich, Herr,
und ich will vom Hofe weggehen.   8425
Ich kann mich vor ihnen nicht schützen.
Wenn ich in solcher Feindschaft leben soll,
dann überlebe ich das nicht.
Bevor ich in solcher Bedrängnis
alle Königreiche   8430
in meine Gewalt bekommen wollte,
wäre ich lieber auf ewig ohne Land.«

Als Marke seinen Ernst bemerkte,
bat er ihn zu schweigen und sagte:
»Neffe, ich würde dir gerne meine beständige Treue   8435
und Liebe beweisen.

sone gestatestû mir's niht.
swaz sô nû hier ûz geschiht,
dâ bin ich gâr unschuldic an.
swie ich dir nû gevolgen kan,   8440
dâ bin ich aber bereite zuo.
sag an, waz wiltu daz ich tuo?«
»dâ besendet iuwern hoverât,
der iuch hier ûf geleitet hât,
und ervaret iegelîches muot: 8445
vrâget, wie si dunke guot,
daz ir hie mite gebâret,
ir willen sô gevâret,
daz ez mit êren müge gestân.«
nu diz wart schiere getân,   8450
daz s'alle wâren besant.
nu die gerieten ouch zehant
und niwan durch Tristandes tôt:
möhte ez gesîn, diu schoene Îsôt
diu gezaeme im wol ze wîbe   8455
an gebürte, an tugende, an lîbe,
und statten ouch den rât alsô.
vür Marken kâmen s'alle dô.
ir einer, der ez kunde,
der sprach mit einem munde   8460
ir aller willen unde ir muot:
»hêrre« sprach er »uns dunket guot:
diu schoene Îsôt von Îrlant,
als al den landen ist bekant,
diu uns und in gelegen sint,   8465
diu ist ein maget unde ein kint,
an die wîplîchiu saelekeit
alle die saelde hât geleit,
die si dar gelegen kunde,
als ir ze maneger stunde   8470
von ir selbe habet vernomen,
diu ist saelic unde vollekomen

Aber du läßt es nicht zu.
Was sich hieraus nun entwickeln mag,
ist nicht meine Schuld.
Wo ich deinem Wunsch nachkommen kann,   8440
bin ich dazu bereit.
Sag, was soll ich tun?«
»Laßt Euren Hofrat kommen,
die Euch auf den Gedanken gebracht haben.
Stellt fest, was jeder von ihnen denkt.   8445
Fragt, was ihnen richtig erscheint,
wie Ihr Euch verhalten sollt.
Erforscht so ihre Ansichten,
wie man es mit Anstand ausführen kann.«
Jetzt wurden schnell   8450
sie alle bestellt.
Sie rieten sogleich
(und nur um Tristan umzubringen):
Wenn es gelänge, dann wäre die schöne Isolde
eine vollkommene Ehepartnerin für ihn   8455
im Hinblick auf Abkunft, Vorzüge und Schönheit.
Dazu rieten sie.
Sie gingen alle zu Marke.
Einer von ihnen, der es konnte,
sprach allein   8460
ihrer aller Absicht aus.
»Herr«, sagte er, »dies ist unsere Überzeugung:
Die schöne Isolde aus Irland,
das wissen alle Länder,
die uns oder ihnen benachbart sind,   8465
ist ein Mädchen,
dem die weibliche Anmut
ihre ganze Schönheit geschenkt hat,
die sie verschenken kann.
Ihr selbst habt sehr oft   8470
über sie gehört,
daß sie herrlich ist und vollkommen

an lebene unde an lîbe.
mag iu diu ze wîbe
und uns ze vrouwen werden,   8475
sone kan uns ûf der erden
an wîbe niemer baz geschehen.«
Der künic sprach: »lât hêrre sehen:
ob ich die gerne wolte hân,
wie solte ez iemer ergân?   8480
wan nemet ir doch in iuwern sin,
wie'z under uns und under in
nu guote wîle sî gewant:
uns hazzet liut unde lant.
Gurmûn ist mir von herzen gram   8485
und hât ouch reht, ich bin im sam.
wer getrüege iemer under uns zwein
sô grôze vriuntschaft inein?«
»hêrre« sprâchen s'aber dô
»ez vüeget sich vil dicke alsô,   8490
daz under landen schade ergât.
sô suln si beidenthalben rât
beidiu suochen unde vinden
und suln ez mit ir kinden
wider ze suone bringen.   8495
ûz hezlîchen dingen
wirt dicke michel vriuntschaft.
sît ir hie zuo gedanchaft,
ir muget doch wol geleben den tac,
daz Îrlant iuwer werden mac.   8500
Îrlant stât niuwan an in drîn:
künic unde künigîn
an Îsôte eine g'erbet sint.
sî ist ir einegez kint.«
des antwurte in dô Marke: 8505
»Tristan der hât mich starke
in gedanke durch si brâht.
ich hân vil durch sî gedâht,

an Körper und Geist.
Wenn sie Eure Frau
und unsere Herrin werden kann,   8475
dann kann uns auf der ganzen Welt,
was Frauen betrifft, nichts Besseres zuteil werden.«
Der König antwortete: »Sagt mir, Ihr Herrn,
selbst wenn ich sie liebend gerne wollte,
wie sollte das jemals geschehen?   8480
Denn überlegt Euch doch,
wie es zwischen uns und ihnen
seit einer ganzen Weile schon steht.
Land und Leute hassen uns.
Gurmun ist mir aus tiefstem Herzen böse   8485
und hat ganz recht dabei: ich bin es ihm auch.
Wer könnte jemals zwischen uns beiden
so große Freundschaft stiften?«
Wieder sagten sie: »Herr,
es geschieht sehr häufig,   8490
daß zwei Länder miteinander streiten.
Dann sollen beide Seiten Abhilfe
suchen und schaffen
und zusammen mit ihren Kindern
sich wieder versöhnen.   8495
Aus Haß
entsteht oft herzliche Freundschaft.
Wenn Ihr Euch dazu entschließt,
werdet Ihr es durchaus noch erleben,
daß Irland Euch gehört.   8500
Irland hängt nur an drei Menschen:
Der König und die Königin
haben Isolde als Alleinerbin.
Sie ist ihr einziges Kind.«
Da erwiderte ihnen Marke: 8505
»Tristan hat mich sehr
nachdenklich gestimmt durch sie.
Ich habe viel über sie nachgedacht,

als er si lobete wider mich.
von den gedanken bin ouch ich 8510
von den andern allen
sô sêre an sî gevallen,
sine müge mir danne werden,
sone wirt ûf diser erden
niemer dekeiniu mîn wîp, 8515
sam mir got und mîn selbes lîp!«
den eit tete er niht umbe daz,
daz im sîn gemüete iht baz
sô hin stüende danne her.
durch die kündekeit swuor er, 8520
daz es im gâr was ungedâht,
daz ez iemer würde z'ende brâht.

Des küneges rât sprach aber dô:
»hêrre, gevüeget ir'z alsô,
daz mîn hêr Tristan, der hie stât, 8525
der dâ ze hove künde hât,
iuwer boteschaft dâ werben wil,
sô ist ez allez an ein zil
und an ein staetez ende brâht.
der ist wîse und wol bedâht 8530
und saelic z'allen dingen.
der mag ez ze ende bringen.
er kan ir aller sprâche wol.
er endet, swaz er enden sol.«
»Ir râtet übel« sprach Marke 8535
»ir vlîzet iuch ze starke
Tristandes schaden und sîner nôt.
er ist doch z'einem mâle tôt
vür iuch und iuwer erben.
ir sult in aber sterben 8540
zem anderen mâle.
nein ir von Curnewâle,
ir müezet selbe dâ hin.

als er sie vor mir rühmte.
Dadurch bin ich   8510
mehr als alle anderen
ihr völlig verfallen.
Wenn sie nicht mein werden kann,
dann soll auf der ganzen Welt
keine meine Frau werden.   8515
Das schwöre ich bei Gott und meinem Leben.«
Diesen Schwur legte er nicht deshalb ab,
weil seine Absicht
so und nicht anders war.
Er schwor aus Berechnung,   8520
denn es erschien ihm undenkbar,
daß es jemals realisiert werden könnte.

Der Rat des Königs fuhr fort:
»Herr, wenn Ihr verfügt,
daß Herr Tristan, der hier steht   8525
und sich am Hofe dort auskennt,
als Euer Botschafter dort auftritt,
dann ist schon alles erreicht
und zum sicheren Erfolg gebracht.
Er ist klug und besonnen   8530
und hat in allem Glück.
Ihm kann es gelingen.
Er kennt ihre Sprache
und setzt durch, was er durchsetzen will.«
Marke sagte: »Euer Rat ist schlecht.   8535
Ihr kümmert Euch zu sehr
um Tristans Nachteil und Unglück.
Er ist doch schon einmal gestorben
für Euch und Eure Nachkommen.
Ihr werdet ihn umbringen   8540
abermals.
Nein, Ihr Herren aus Cornwall,
ihr selbst sollt hin.

niemêre râtet mir ûf in!«
»hêrre« sprach aber Tristan   8545
»sine misseredent niht hier an.
ez waere wol gevüege,
swâ iuch der muot zuo trüege,
griffe ich ez beltlîcher an
und bereiter danne ein ander man.   8550
und ist ouch reht, daz ich ez tuo.
herre, ich bin harte guot dar zuo.
ez enwirbet zwâre nieman baz.
gebietet et in allen daz,
daz si selbe mit mir varn,   8555
hin unde her mit mir bewarn
iuwer dinc und iuwer êre.«
»nein, dû enkumest niht mêre
in ir gewalt und in ir hant,
sît dich got wider hât gesant.«   8560
»hêrre, zewâre diz muoz wesen.
suln si sterben oder genesen,
daz muoz ouch mir mit in geschehen.
ich wil si selbe lâzen sehen,
belîbet diz lant erben vrî,   8565
ob daz von mînen schulden sî.
heizet si sich bereiten!
ich wil den kiel leiten
und vüeren mit mîn selbes hant
in daz saelige Îrlant   8570
hin wider ze Develîne
gegen dem sunnenschîne,
der manegem herzen vröude birt.
wer weiz, ob uns diu schoene wirt?
hêrre, werde iu diu schoene Îsôt,   8575
laege wir dan alle tôt,
dâ waere lützel schaden an.«
und alse Markes râtman
gehôrten, war diu rede gie,

Ratet mir nicht noch einmal so tückisch zu ihm.«
»Herr«, sagte Tristan wieder,⁣ 8545
»sie haben da so unrecht nicht.
Es wäre durchaus richtig, daß,
wozu immer Ihr Euch entschließt,
ich es tapferer ausführte
und bereitwilliger als jeder andere.⁣ 8550
Und es ist auch richtig, daß ich es tue.
Herr, ich bin dazu gut geeignet.
Niemand könnte es besser.
Befehlt ihnen allen,
daß sie mich begleiten sollen,⁣ 8555
um auf der Hin- wie auf der Rückfahrt zu achten
auf Eure Sache und Euer Ansehen.«
»Nein, du gerätst mir nicht noch einmal
in ihre Gewalt und ihre Hand,
zumal Gott dich wieder zurückgeschickt hat.«⁣ 8560
»Herr, es muß wahrlich sein.
Ob sie sterben oder überleben,
mir soll mit ihnen dasselbe geschehen.
Sie sollen selbst sehen,
wenn das Reich ohne Erben bleibt,⁣ 8565
ob das meine Schuld ist.
Befiehl ihnen, sich vorzubereiten.
Ich will das Schiff lenken
und mit eigener Hand führen
in das glückliche Irland⁣ 8570
nach Dublin,
dem Sonnenschein entgegen,
der viele Herzen beglückt.
Wer weiß, ob wir die Schöne gewinnen können.
Herr, wenn Ihr die schöne Isolde bekommt –⁣ 8575
selbst wenn wir alle dabei umkämen,
wäre das ein geringer Verlust.«
Als Markes Berater
hörten, worauf er hinauswollte,

sine wurden alsô trûric nie   8580
in allen ir jâren,
sô sî der rede wâren.
nu muose ez unde solte wesen.
Tristan hiez ûz dem hove lesen
des küneges heinlîchaere,   8585
zweinzec ritter gewaere
und zuo der nôt die besten.
von lande und von gesten
gewan er sehzic umbe solt.
des râtes haete er âne golt   8590
zweinzec lantbarûne.
sus was der cumpanjûne
hundert unde dekeiner mê.
mit den vuor Tristan über sê,
die wâren sîn geselleschaft,   8595
und vuorte ouch râtes die craft
an spîse unde an waete,
an anderm schifgeraete,
daz sô vil liuten zuo z'ir vart
nie kiel sô wol berâten wart.   8600

Si lesent an Tristande,
daz ein swalwe z'Îrlande
von Curnewâle kaeme,
ein vrouwen hâr dâ naeme
z'ir bûwe und z'ir geniste   8605
(ine weiz, wâ sî'z dâ wiste)
und vuorte daz wider über sê.
genistet ie kein swalwe mê
mit solhem ungemache,
sô vil sô sî bûsache   8610
bî ir in dem lande vant,
daz s'über mer in vremediu lant
nâch ir bûgeraete streich?
weiz got, hie spellet sich der leich,

da waren sie noch nie so bestürzt   8580
in ihrem Leben
wie über diese Worte.
Nun mußte und sollte es so geschehen.
Tristan ließ vom Hofe auswählen
durch den Vertrauten des Königs   8585
zwanzig verläßliche Ritter
und die Tüchtigsten im Kampfe.
Unter Einheimischen und Fremden
warb er sechzig Männer für Sold.
Aus dem Kronrat hatte er unentgeltlich   8590
zwanzig Landbarone.
So zählte die Gruppe
hundert Mann und nicht mehr.
Mit denen fuhr Tristan über das Meer.
Sie waren seine Begleitung.   8595
Sie hatten so viele Vorräte bei sich
an Speise und Kleidung
und anderer Schiffsausrüstung,
daß für so viele Leute auf ihrer Fahrt
ein Schiff noch nie so gut ausgestattet war.   8600

Man liest über Tristan,
daß nach Irland eine Schwalbe
aus Cornwall kam,
dort ein Frauenhaar nahm
zum Nestbau   8605
(ich weiß nicht, woher sie das wußte)
und es wieder übers Meer trug.
Hat jemals eine Schwalbe genistet
so unbequem, daß sie,
obwohl sie Baumaterial   8610
in ihrer Heimat fand,
übers Meer in ferne Länder
auf der Suche nach Baustoff flog?
Bei Gott, hier gerät die Erzählung zu Geschwätz,

hie lispet daz maere.   8615
ouch ist ez alwaere,
swer saget, daz Tristan ûf daz mer
nâch wâne schiffete mit her
und ensolte des niht nemen war,
wie lange er vüere oder war,   8620
und enwiste ouch niht wen suochen.
waz rach er an den buochen,
der diz hiez schrîben unde lesen?
jâ waeren s'alle samet gewesen,
der künic, der sî ûz sande,   8625
sîn rât von dem lande,
die boten gouche unde soten,
waeren s'alsô gewesen boten.

Nû Tristan was ûf sîne vart
und schiffete allez hinewart,   8630
er unde sîn geselleschaft.
der was ein teil vil sorchaft.
ich meine die barûne,
die zweinzic cumpanjûne,
den rât von Curnewâle.   8635
die haeten zuo dem mâle
vil michel angest unde nôt.
sie wânden alle wesen tôt.
sie vluocheten der stunde
mit herzen und mit munde,   8640
daz der reise unde der vart
ze Îrlande ie gedâht wart.
sine kunden umbe ir eigen leben
in selben keinen rât gegeben.
si rieten her, si rieten hin   8645
und enkunden nie niht under in
gerâten, daz in töhte
und daz rât heizen möhte.
und enwas ouch daz kein wunder:

hier redet die Geschichte wirres Zeug. 8615
Zudem wäre es unsinnig
zu sagen, daß Tristan über das Meer
aufs Geratewohl mit seiner Schar gefahren sei
und nicht gemerkt haben sollte,
wie lange er unterwegs war und wohin, 8620
und nicht gewußt hätte, wen er suchte.
Was hat der sich bloß aus den Büchern zusammengesucht,
der das aufschreiben und berichten ließ?
Ja, sie alle miteinander,
der König, der sie wegschickte, 8625
sein Kronrat aus dem Reiche
und die Boten wären Narren und Toren gewesen,
wenn sie auf diese Weise ihr Boten-Amt ausgeübt hätten.

Nun war Tristan unterwegs
und segelte in Richtung Irland, 8630
er und seine Begleiter.
Die waren teilweise sehr besorgt.
Ich meine die Barone,
jene zwanzig Gefährten,
den Rat von Cornwall. 8635
Die hatten da
große Furcht und Angst.
Sie alle glaubten, sie müßten sterben.
Sie verfluchten den Augenblick
mit Herz und Mund, 8640
da diese Reise
nach Irland ersonnen wurde.
Sie konnten sich zu ihrer Rettung
nicht helfen.
Sie berieten hin und her 8645
und konnten doch miteinander nichts
finden, das ihnen nützen
und das Hilfe bedeuten konnte.
Und das war auch nicht verwunderlich.

hier umbe noch hier under   8650
was râtes niht wan zweier ein,
in müese einez under zwein
bringen umbe ir leben vrist:
âventiure oder list.
der list was aber dâ tiure.   8655
sô was ouch âventiure
ir keinem in wâne.
si wâren beider âne.
doch sprâchen ir genuoge:
»wîsheit unde vuoge   8660
der ist harte vil an disem man.
ist daz uns got gelückes gan,
wir mugen vil wol mit ime genesen,
wolte er dekeiner mâze wesen
an sîner blinden vrecheit.   8665
der ist ze vil an in geleit.
er ist ze vrech und ze gemuot,
ern ruochet hiute, waz er tuot.
ern gaebe niht ein halbez brôt
umbe uns noch umbe sîn selbes tôt.   8670
und iedoch unser bester wân
der muoz an sînen saelden stân.
sîn witze muoz uns lêre geben,
wie wir gevristen daz leben.«

Dô sî z'Îrlande kâmen,   8675
ir gelende dâ genâmen,
dâ man in sagete maere,
daz der künic waere
ze Weisefort vür die stat,
Tristan den anker werfen bat   8680
wol alse verre von der habe,
daz man mit einem bogen dar abe
niht möhte haben geslagen zuo z'in.
sîne lantbarûne bâten in,

In dieser Situation   8650
hatten sie die Wahl zwischen zwei Möglichkeiten,
von denen eine ihnen
das Leben retten konnte:
glücklicher Zufall oder List.
List jedoch war unwahrscheinlich,   8655
und auch auf Zufall
hoffte keiner von ihnen.
Beides fehlte ihnen.
Viele sagten:
»Klugheit und Geschick   8660
hat dieser Mann in hohem Maße.
Wenn Gott es gut mit uns meint,
könnten wir mit ihm wohl durchkommen,
wenn er sich nur mäßigen wollte
in seiner blinden Tollkühnheit.   8665
Davon hat er zuviel.
Er ist zu tapfer und wagemutig.
Ihn kümmert jetzt nicht, was er tut.
Er gäbe keinen Pfifferling
für uns oder seinen eigenen Tod.   8670
Und doch hängt unsere größte Hoffnung
von seinem Glück ab.
Sein Verstand muß uns zeigen,
wie wir am Leben bleiben können.«

Als sie in Irland ankamen   8675
und dort landeten,
wo man ihnen sagte,
daß der König sei:
vor der Stadt Wexford,
ließ Tristan den Anker werfen   8680
so weit von dem Hafen entfernt,
daß man von dort mit Bogenschüssen
sie nicht erreichen konnte.
Die Landbarone baten ihn,

daz er durch got in seite,   8685
mit waz gelegenheite
er wolte werben umbe daz wîp.
ez gienge in sêre an den lîp.
ez diuhte sî und waere ouch guot,
daz er in seite sînen muot.   8690
Tristan sprach: »dâ entuot niemê,
bewart, daz iuwer keiner gê
hin vür den liuten z'ougen.
weset alle hinne tougen!
wan knehte und marnaere,   8695
die vorschen der maere
ûf der brucke vor der schiftür,
und iuwer keiner kome dar vür!
swîget unde tuot iuch în!
ich wil selbe dâ vor sîn,   8700
wan ich die lantsprâche kan.
man wirt uns schiere komende an
von den burgaeren
mit übelîchen maeren.
den muoz ich liegen disen tac,   8705
swaz ich in geliegen mac.
helet ir iuch hier inne.
wan wirt man iuwer inne,
sô habe wir strît an der hant
und bestât uns allez daz lant.   8710
die wîle ich morgen ûze sî
(wan ich wil rîten hie bî
ûf âventiure vil vruo,
mir gelinge sône tuo)
sô sî Curvenal dâ vor   8715
und ander mit im an dem tor,
den diu sprâche sî bekant.
und eines dinges sît gemant:
ist daz ich under wegen sî
vier tage oder drî,   8720

er möge ihnen um Gottes willen sagen,   8685
wie
er um die Frau werben wolle.
Ihr Leben hing davon ab,
und sie hielten es für angemessen,
daß er ihnen seine Absichten mitteilte.   8690
Tristan sagte: »Tut nichts!
Achtet darauf, daß keiner von Euch
sich den Leuten zeigt.
Bleibt im Inneren verborgen.
Denn Matrosen und Schiffer   8695
fragen nach Neuigkeiten
vor der Schiffstür vom Steg.
Keiner von Euch darf sich zeigen.
Schweigt und bleibt drinnen.
Ich selbst will vor sie treten,   8700
weil ich die Landessprache beherrsche.
Bald werden uns entgegentreten
die Bürger
mit feindseligen Reden.
Denen muß ich dann vorlügen,   8705
was immer ich ihnen vorlügen kann.
Versteckt Euch hier drinnen.
Denn wenn man Euch bemerkt,
dann kommt es zum Kampf,
und wir haben das ganze Land gegen uns.   8710
Wenn ich morgen weg bin
(denn ich will in der Nähe ausreiten
sehr früh und mein Glück versuchen,
ob es gelingt oder nicht),
dann soll Kurvenal   8715
und mit ihm andere vor der Tür stehen,
die die Sprache beherrschen.
Und laßt Euch eines sagen:
Wenn ich weg bin
schon drei oder vier Tage,   8720

zehant enbîtet mîn nimê,
entrinnet wider über sê
und neret leben unde lîp!
sô hân ich eine daz wîp
verzinset mit dem lîbe,   8725
sô râtet ir ze wîbe
iuwerm hêrren, swar iuch dunke guot.
diz ist mîn rât und ouch mîn muot.«

Des küneges marschalc von Îrlant,
in des gewalt und in des hant   8730
ez allez stuont, stat unde habe,
der kam gerüeret dort her abe
gewâfent unde wîcgar
mit einer michelen schar
beidiu der burgaere unde ir boten,   8735
als in von hove was geboten
und als daz maere hie vor giht,
der dâ vor an daz maere siht:
swer dar ze stade gestieze,
daz man in vâhen hieze,   8740
biz man vil rehte erkande,
ob er von Markes lande
und des gesindes waere.
die selben wîzenaere,
die leiden mortaeten,   8745
die manegen mort haeten
begangen mit unschulden
ir hêrren ze hulden,
die kâmen in die habe gezogen
mit armbrusten und mit bogen   8750
und mit anderre wer
als von rehte ein roupher.
des kieles meister Tristan
leit eine reisekappen an
durch anders niht wan umbe daz,   8755

dann wartet nicht länger auf mich.
Fahrt über das Meer davon
und rettet Leib und Leben.
Dann habe ich für die Frau allein
mit meinem Leben bezahlt.   8725
Wählt dann eine Frau aus
für Euren Herrn, wie es Euch gutdünkt.
Das ist mein Vorschlag und meine Absicht.«

Der Marschall des Königs von Irland,
dessen Gewalt   8730
Stadt und Hafen unterstellt waren,
kam von dort herüber
bewaffnet und kampfbereit
mit einer großen Schar
von Bürgern und ihren Boten,   8735
wie es ihnen vom Hof befohlen war
und wie die Geschichte zuvor schon berichtete,
wenn Ihr weiter vorne noch einmal nachseht.
Jeden, der da landete,
sollte man gefangennehmen,   8740
bis man genau festgestellt hatte,
ob er aus Markes Reich
oder von seinen Leuten sei.
Diese Peiniger
und bösen Mörder,   8745
die viele Morde begangen hatten
an Unschuldigen,
um ihrem Herrn zu gefallen,
kamen zum Hafen
mit Armbrust und Bogen   8750
und anderen Waffen,
wie ein richtiges Räuberheer.
Tristan, der Führer des Schiffes,
legte einen Reisemantel an
aus keinem anderen Grunde,   8755

daz er sich haele deste baz.
ouch hiez er einen kopf dar tragen
von rôtem golde geslagen
und geworht ze vremedem prîse
in engeloyser wîse.   8760
sus trat er in ein schiffelîn
und Curvenal zuo z'ime dar în
und kêrte hin gegen der habe
und bôt in sînen gruoz hin abe
mit gebaerden und mit munde,   8765
sô er suozeste kunde.
swaz aber des gruozes waere,
genuoge burgaere
zen schiffelînen liefen,
von stade genuoge riefen: 8770
»habe an lant, habe an lant!«
Tristan stiez in die habe zehant.
»ir hêrren« sprach er »saget mir,
wie komet ir sus? waz tiutet ir
mit disem ungeverte?   8775
iur gebaerde die sint herte.
ine weiz, wes mich versehen sol.
durch gotes willen tuot sô wol,
sî ieman bî iu an der habe,
der gewalt von dem lande habe,   8780
der hoere und verneme mich!«
»jâ« sprach der marschalc »hie bin ich.
mîn gebaerde und mîn geverte
diu werdent iu sô herte,
daz ich binamen wizzen wil   8785
iuwer geverte unz ûf ein zil.«
»entriuwen hêrre« sprach Tristan
»dâ habet ir mich bereiten an.
der mir geswîgen hieze
und mich ze spruche lieze,   8790
des selben wolte ich gerne biten,

als daß er sich besser verbergen wollte.
Darüber hinaus ließ er sich einen Becher bringen,
der aus rotem Gold getrieben
und wunderschön gearbeitet war
auf englische Art.   8760
So bestieg er einen Kahn
und Kurvenal mit ihm.
Er fuhr zum Hafen hinüber
und grüßte sie
mit Gebärden und Worten,   8765
so freundlich er nur konnte.
Aber was er auch sagte,
viele Bürger
liefen zu ihren Booten,
und vom Ufer riefen viele: 8770
»Komm an Land, leg an!«
Tristan fuhr sogleich in den Hafen ein
und sagte: »Ihr Herren, sagt mir,
warum benehmt Ihr Euch so? Was soll
diese Unfreundlichkeit?   8775
Ihr seht böse aus.
Ich weiß nicht, was ich zu erwarten habe.
Um Gottes willen, tut mir den Gefallen:
Wenn jemand bei Euch am Hafen ist,
der Machtbefugnis hat,   8780
dann möge er mich anhören.«
Der Marschall sagte: »Ja, hier bin ich.
Mein Aussehen und Benehmen
erscheinen Euch so grob,
weil ich wahrlich erfahren will   8785
den genauen Grund Eurer Reise.«
Tristan antwortete: »Gewiß, Herr,
dazu findet Ihr mich bereit.
Wer mir Gehör verschaffen könnte
und mich reden ließe,   8790
den wollte ich darum mit Freuden bitten,

daz man mit guotlîchen siten
und sô mîn wort vernaeme,
als ez dem lande zaeme.«
hie mite wart ime ein stille gegeben.   8795
»Hêrre« sprach Tristan »unser leben,
unser geburt und unser lant
dar umbe ist ez alsô gewant,
als ich iu hie bediute.
wir sîn werbende liute   8800
und mugen uns des niht geschamen.
koufliute heizen wir binamen,
ich und mîn cumpanîe,
und sîn von Normandîe.
unser wîp und unser kint sint dâ.   8805
wir selbe sîn wâ unde wâ
von lande ze lande
koufende aller hande
und gewinnen, daz wir uns betragen.
und innen disen drîzec tagen   8810
dô vuore wir von lande dan,
ich und zwêne ander koufman.
wir drî wir wolten under uns drîn
mit geselleschaft z'Îberne sîn
und sint wol ahte tage iezuo,   8815
daz uns an einem tage vruo
von hinnen verre ein wint bestuont,
als uns die winde dicke tuont.
der hât uns drî gescheiden,
mich einen von in beiden   8820
und enweiz niht, wie si sîn gevarn,
wan got der müeze sî bewarn,
sî sîn lebende oder tôt!
ich bin mit micheler nôt
vil manegen übelen wec geslagen   8825
in disen swaeren ahte tagen.
und gester umbe den mitten tac,

damit man in angemessener Weise
und so meine Worte hören kann,
wie es dem Lande zukommt.«
Darauf gaben alle Ruhe für ihn.   8795
Tristan sagte: »Herr, um unser Leben,
unseren Stand und unsere Heimat
steht es so,
wie ich Euch jetzt erkläre:
Wir sind Handelsherren   8800
und brauchen uns deswegen nicht zu schämen.
Wahrlich, wir nennen uns Kaufleute,
meine Begleiter und ich,
und kommen aus der Normandie.
Unsere Frauen und Kinder leben dort.   8805
Wir selbst sind hier und dort,
fahren von Land zu Land
und kaufen allerlei Waren
und verdienen unseren Unterhalt.
Vor weniger als einem Monat   8810
fuhren wir von zu Hause fort,
ich und zwei andere Kaufherren.
Wir drei wollten miteinander
im Geleitzug nach Irland fahren.
Es ist jetzt wohl acht Tage her,   8815
daß uns eines Tages früh
weit von hier entfernt ein Wind entgegenblies,
wie es Winde häufig mit uns tun.
Der hat uns drei getrennt,
mich von den anderen beiden,   8820
und ich weiß nicht, wie es ihnen ergangen ist.
Gott möge sie beschützen,
ob sie nun leben oder umgekommen sind.
Unter großen Gefahren bin ich
so manchen schlechten Kurs gesegelt   8825
in diesen traurigen acht Tagen.
Gestern gegen Mittag,

dô sturm unde wint gelac,
dô erkante ich berge unde lant.
durch ruowen kêrte ich zehant   8830
und ruowete unze hiute dâ.
hiute an dem morgen iesâ
dô ez liehtende wart,
dô streich ich aber ûf mîne vart
alhie her wider Weisefort.   8835
nu vert ez hie wirs danne dort.
ich waene, ich bin noch ungenesen.
doch wânde ich hie genesen wesen,
wan ich die stat erkenne
und bin ouch eteswenne   8840
mit koufliuten hie gewesen.
deste baz wânde ich genesen
und hie genâde vinden.
nu bin ich sturmwinden
alrêrste in die hant gevarn,   8845
doch mag mich got noch wol bewarn.
sît ich bî disem gesinde
weder vride noch ruowe vinde,
sô kêre ich wider ûf daz mer.
dâ hân ich al der werlde wer   8850
und strît genuogen an der vluht.
Geruochet aber ir iuwer zuht
und iuwer êre an mir begân,
der mâze als ich hie guotes hân,
daz teile ich iu vil gerne mite   8855
umbe eine kurzlîche bite,
daz ir mir und mîner habe
schaffet vride in dirre habe,
biz ich besuoche unde besehe,
ob mir diu saelde geschehe,   8860
daz ich mîn lantgesinde
ervorsche unde ervinde.
und wellet ir mich des gewern,

als Sturm und Wind sich legten,
erkannte ich Berge und Land.
Zum Ausruhen drehte ich gleich bei 8830
und ruhte dort bis heute.
Heute früh,
als es hell wurde,
setzte ich meine Fahrt fort
hierher nach Wexford. 8835
Hier ergeht es mir nun schlimmer als dort.
Ich fürchte, ich finde trotzdem keine Rettung,
obwohl ich hoffte, hier welche zu finden,
denn ich kenne die Stadt
und bin auch einmal 8840
mit Kaufleuten hier gewesen.
Um so eher glaubte ich, hier Hilfe
und Schutz zu finden.
Nun bin ich den Stürmen
erst recht ausgeliefert. 8845
Dennoch kann Gott mich schützen:
Da ich bei diesen Leuten hier
weder Frieden noch Ruhe finde,
fahre ich zurück aufs Meer.
Dort kann ich mich gegen alle Welt verteidigen 8850
und gut kämpfen auf der Flucht.
Wenn Ihr aber Eure gute Erziehung
und Eure Ehrenhaftigkeit an mir erweisen wollt,
will ich, was ich an Reichtümern hier habe,
mit Freuden mit Euch teilen 8855
im Tausch gegen die Erlaubnis für einen kurzen Aufenthalt,
damit Ihr mich und meinen Besitz
beschützt in diesem Hafen,
bis ich festgestellt habe,
ob mir das Glück zuteil wird, 8860
meine Landsleute
wiederzufinden.
Wenn Ihr mir das zugestehen wollt,

sô heizet mir ouch vride bern:
si gâhent vaste dort her,   8865
ine weiz welhe oder wer,
in cleinen schiffelînen.
oder ich var wider zen mînen
und vürhte iuch alle niht ein strô.«
der marschalc der hiez s'alle dô   8870
wider kêren an daz lant.
zem gaste sprach er aber zehant:
»waz welt ir dem künege geben,
daz ich iu guot unde leben
in disem rîche bewar?«   8875
aber sprach der ellende dar:
»hêrre, ich gibe im alle tage,
swâ ich'z gewinne oder bejage
eine marc von rôtem golde.
und sult ir iu ze solde   8880
und ze miete disen kopf hân,
ob ich mich an iuch mag verlân.«
»jâ« sprachen s'alle zehant,
»er ist hie marschalc über diz lant.«
der marschalc sîne gâbe nam,   8885
diu dûhte in rîche und lobesam,
und hiez in stôzen in die habe.
sînem lîbe und sîner habe
vride unde genâde er dô gebôt.
dâ wâren sî rîch unde rôt,   8890
ich meine zins unde solt.
rîch unde rôt des küneges golt,
des boten solt rôt unde rîch.
si wâren beidiu rîlîch.
daz half ouch ime, daz ime geschach   8895
beidiu genâde unde gemach.

dann sorgt für meinen sicheren Schutz.
Sie kommen dort schnell näher,   8865
ich weiß nicht, wer es ist,
in kleinen Booten.
Oder aber ich fahre zu den Meinen zurück
und fürchte mich überhaupt nicht vor Euch.«
Der Marschall befahl ihnen allen,   8870
an Land zurückzukehren.
Zu dem Fremdling sagte er:
»Was wollt Ihr dem König geben,
damit ich Euch und Euren Besitz
in diesem Reiche beschütze?«   8875
Der Fremde antwortete:
»Herr, ich gebe ihm jeden Tag,
wo auch immer ich es herbekomme und erwerbe,
eine Mark von rotem Gold.
Und Ihr sollt zur Belohnung   8880
und als Entgelt diesen Becher haben,
wenn ich mich auf Euch verlassen kann.«
»Ja«, sagten da alle sogleich,
»er ist der Marschall dieses Landes.«
Der Marschall nahm sein Geschenk,   8885
das er für prächtig und löblich hielt,
und bat ihn anzulegen.
Ihm und seinem Besitz
versprach er Sicherheit und Schutz.
Da waren beide reichlich und rot,   8890
ich meine die Abgabe und das Geschenk:
reichlich und rot das Gold für den König,
rot und reichlich das Geschenk für seinen Boten.
Beide Geschenke waren großzügig.
Das half ihm, daß er erhielt   8895
Aufnahme und Schutz.

*Der Drachenkampf: Tristans Sieg und der Betrug
des Truchsessen*

Tristan schneidet dem Drachen die Zunge heraus

Nû Tristan der ist ze vride komen.
ie noch hât nieman vernomen,
waz er welle ane gân.
nu sol manz iuch wizzen lân,   8900
sone belanget iuch des maeres niht.
daz maere saget unde giht
von einem serpande,
der was dô dâ ze lande.
der selbe leide vâlant   8905
der haete liute unde lant
mit alsô schedelîchem schaden
sô schedelîchen überladen,
daz der künec swuor einen eit
bî küniclîcher wârheit: 8910
swer ime benaeme daz leben,
er wolte im sîne tohter geben,
der edel und ritter waere.
diz selbe lantmaere
und daz vil wunneclîche wîp   8915
diu verluren tûsenden den lîp,
die dar ze kampfe kâmen,
ir ende dâ genâmen.
des maeres was daz lant vol.
diz maere erkande ouch Tristan wol.   8920
diz eine sterkete in dar an,
daz er der reise ie began,
diz was sîn meistiu zuoversiht,
anders trôstes haete er niht.

»Nu ist es zît, nu kêre zuo!«   8925
des anderen tages vruo
nu wâfent er sich alsô wol,
als ein man ze noeten sol.

XIII. Der Kampf mit dem Drachen

Tristan hat sich nun Sicherheit erwirkt.
Doch noch hat niemand gehört,
was er tun wollte.
Wir wollen es Euch wissen lassen,   8900
damit Euch die Geschichte nicht langweilt.
Die Erzählung berichtet
von einem Drachen,
der dort im Reiche hauste.
Dieses verfluchte Ungeheuer   8905
hatte Land und Leute
mit so schrecklichem Unglück
so furchtbar überschüttet,
daß der König geschworen hatte
einen königlichen Eid: 8910
Wer immer ihn umbrächte,
dem wollte er seine Tochter geben,
sofern er adlig und ein Ritter sei.
Diese Nachricht
und das herrliche Mädchen   8915
kosteten Tausende das Leben,
die zum Kampf gekommen waren
und dort den Tod gefunden hatten.
Von solchen Geschichten war das Land voll.
Auch Tristan kannte sie.   8920
Das allein hatte ihn bestärkt,
die Reise anzutreten.
Das war seine größte Hoffnung.
Eine andere hatte er nicht.

»Nun ist es Zeit. Fang an!«   8925
Am nächsten Morgen
bewaffnete er sich so gut,
wie man es zum Kampf tun soll.

ûf ein starkez ors saz er,
er hiez im reichen ein sper   8930
grôz unde veste,
daz sterkeste und daz beste,
daz man in dem kiele vant.
ûf sînen wec reit er zehant
über velt und über gevilde.   8935
er nam im in der wilde
manege kêre und manege vart.
und alse der tac stîgende wart,
dô liez er vaste hine gân
wider daz tal z'Anferginân.   8940
daz was des trachen heimwist,
alsô man an der geste list.
nu sach er verre dort hin dan
vier gewâfende man
über ungeverte und über velt   8945
ein lützel balder danne enzelt
vliehende gâlopieren,
der einer von den vieren
truhsaeze was der künigîn.
der was ouch unde wolte sîn   8950
der jungen küniginne amîs,
wider ir willen alle wîs.
und alse ie man ze velde reit
durch gelücke und durch manheit,
sô was ouch der truhsaeze dâ   8955
eteswenne und eteswâ
durch niht, wan daz man jaehe,
daz man ouch in dâ saehe,
dâ man nâch âventiure rite,
und anders was ouch niht dermite,   8960
wan ern gesach den trachen nie,
ern kêrte belderîchen ie.
nu Tristan wart vil wol gewar
an der vliehenden schar,

Er setzte sich auf ein kräftiges Pferd
und ließ sich einen Speer reichen,   8930
groß und stark,
den stärksten und besten,
den man an Bord finden konnte.
Sogleich machte er sich auf den Weg
über die Felder.   8935
In der Wildnis machte er
viele Wendungen und Umwege.
Und als der Tag heraufdämmerte,
ritt er schnell voran
in Richtung auf das Tal von Anferginan.   8940
Dort war die Behausung des Drachen,
wie man in der Geschichte liest.
Da sah er in der Ferne
vier bewaffnete Männer
über das Gelände und die Felder   8945
ein wenig schneller als im Trab
galoppierend fliehen.
Der eine von den vier Männern
war der Truchseß der Königin.
Der wollte auch gerne sein   8950
der Liebhaber der jungen Königin,
völlig gegen ihren Willen.
Immer wenn jemand zum Kampf ausritt,
um sein Glück und seine Kraft zu probieren,
war auch der Truchseß da,   8955
überall und immer,
nur damit man sagen könnte,
man habe auch ihn da gesehen,
wo man zum Kampf ritt.
Das war seine ganze Mitwirkung,   8960
denn jedesmal, wenn er den Drachen sah,
kehrte er schleunigst um.
Tristan bemerkte
an der fliehenden Gruppe,

der trache der waere eteswâ dâ,   8965
und stapfet ouch des endes sâ
und reit unlange, unz er gesach
sîner ougen ungemach,
den egeslîchen trachen.
der warf ûz sînem rachen   8970
rouch unde vlammen unde wint
alse des tiuveles kint
und kêrte gein im aldort her.
Tristan der sancte daz sper,
daz ors er mit den sporen nam.   8975
sô swinde er dar gerüeret kam,
daz er'm daz sper zem giele în stach,
sô daz ez ime den rachen brach
und innen an dem herzen want
und er selbe ûf den serpant   8980
sô sêre mit dem orse stiez,
daz er daz ors dâ tôtez liez
und er dâ von vil kûme entran.
der trache gieng ez aber an
mit vrâze und mit viure,   8985
unz ez der ungehiure
vor dem satele gâr verswande.
nu was im aber als ande
daz sper, daz in dâ sêrte,
daz er von dem orse kêrte   8990
hin wider ein steingevelle.
Tristan sîn kampfgeselle
der kêrte im nâch rehte ûf sîn spor.
der veige streich im allez vor
mit solher ungedulte,   8995
daz er den walt vulte
mit egeslîcher stimme
und hürste vil von grimme
abe brande und ûz der erden sluoc.
des treib er vil und sô genuoc,   9000

daß der Drache irgendwo dort war.   8965
Er ritt vorsichtig hin,
und bald erblickte er
den Schrecken seiner Augen,
den greulichen Drachen.
Aus seinem Rachen schleuderte er   8970
Rauch, Flammen und Sturm
wie ein Kind des Teufels
und wandte sich ihm zu.
Tristan senkte den Speer
und trieb das Pferd mit den Sporen an.   8975
Er ritt so gewaltig heran,
daß er ihm den Speer in den Schlund stieß,
so daß er ihm den Rachen zerriß
und innen im Herzen steckenblieb.
Er selbst prallte auf den Drachen   8980
so heftig mit dem Pferd,
daß er es tot zurücklassen mußte
und mit knapper Not lebend entkam.
Der Drache griff es erneut an
mit Zähnen und Feuer,   8985
bis das Untier es
bis zum Sattel vertilgt hatte.
Nun quälte den Drachen aber wieder
der Speer, der ihn so schmerzte,
daß er sich von dem Pferd wegwandte   8990
auf ein felsiges Gelände zu.
Sein Kampfgegner Tristan
folgte ihm auf seiner Spur.
Das todgeweihte Tier lief ihm voran
unter solchen Schmerzen,   8995
daß es den Wald erfüllte
mit seiner schrecklichen Stimme
und zahlreiche Sträucher aus Zorn
niederbrannte oder aus der Erde riß.
Das tat er wütend und so lange,   9000

biz in der smerze überwant
und under eine steinwant
vil nâhen sich gedructe.
Tristan sîn swert dô zucte
und wânde, er vünde in âne strît.   9005
nein, ez wart engestlîcher sît,
dan ez ê mâles waere.
doch enwas ez nie sô swaere,
Tristan ruorte aber den trachen an,
der trache wider an den man   9010
und brâhte in z'alsô grôzer nôt,
daz er wânde wesen tôt.
ern liez in nie ze were komen,
er haete im schiere benomen
beidiu slege unde wer.   9015
dô was sîn ouch ein michel her.
er vuorte mit im an den kampf
beidiu rouch unde tampf
und andere stiure
an slegen unde an viure,   9020
an zenen unde an griffen:
die wâren gesliffen,
sêre scharpf unde wahs,
noch wahser danne ein scharsahs.
dâ mite treib er in umbe   9025
manege engestlîche crumbe
von boumen ze buschen.
dâ muose er sich vertuschen
und vristen, swie er mohte,
wan ime der kampf niht tohte.   9030
und haete ez doch sô sêre
versuochet mit der kêre,
daz ime der schilt vor der hant
vil nâch ze koln was verbrant,
wan er gieng in mit viure an,   9035
daz er im kûme vor entran.

bis der Schmerz ihn überwältigte
und er sich unter eine Felswand
verkroch.
Tristan zog sein Schwert
und glaubte ihn wehrlos.   9005
Nein, es war nun noch gefährlicher,
als es vorher gewesen war.
Doch war es nicht so schwierig, als daß
Tristan nicht den Drachen erneut angegriffen hätte
und der Drache ihn.   9010
Er brachte Tristan in solche Bedrängnis,
daß dieser glaubte, er müsse sterben.
Er ließ ihn nicht zum Zuge kommen
und hätte ihm um ein Haar geraubt
die Kraft zu Kampf und Verteidigung.   9015
Auf seiner Seite war auch ein großes Heer:
Er führte mit sich in den Kampf
Rauch und Dampf
und andere Hilfsmittel
an Schlägen und Feuer,   9020
an Zähnen und Klauen.
Sie waren geschliffen
messerscharf und spitz
und schärfer als eine Scherklinge.
Damit trieb er ihn herum   9025
in vielen bedrängenden Wendungen
von Bäumen zu Büschen.
Da mußte er sich verbergen
und retten, so gut er konnte,
denn zu kämpfen half ihm nicht.   9030
Trotzdem hatte er es so heftig
mit Gegenangriffen versucht,
daß ihm der Schild an der Hand
fast völlig zu Kohle verbrannt war,
denn er fiel ihn mit seinem Feueratem an,   9035
daß er ihm nur mit Mühe entkommen konnte.

doch werte ez niht vil lange.
der mortsame slange
der kam schiere dar an,
daz er zwîvelen began   9040
und ime daz sper sô nâhe gie,
daz er sich aber nider lie
und want sich ange und ange.
Tristan was aber unlange.
er kam gerüeret balde her,   9045
daz swert daz stach er zuo dem sper
zem herzen în unz an die hant.
nu lie der veige vâlant
einen dôz und eine stimme
sô griulîch und sô grimme   9050
ûz sînem veigen giele,
als himel und erde viele
und daz der selbe mortschal
verre in daz lant erhal
und Tristan harte sêre erschrac.   9055
und alse der trache dô gelac,
daz er in tôten gesach,
den giel er im ûf brach,
mit micheler arbeit.
ûz dem rachen er im sneit   9060
der zungen mit dem swerte
der mâze, als er ir gerte.
in sînen buosem er si stiez;
den giel er wider ze samene liez.
sus kêrte er gein der wilde hin.   9065
daz tete er aber durch den sin:
er wolte sich verbergen dâ,
den tac geruowen eteswâ
und wider komen ze sîner maht
und wolte danne hin ze naht   9070
ze sînen lantgesellen wider.
nu zôch in aber diu hitze nider,

Aber das dauerte nicht lange.
Die mörderische Schlange
war bald so weit,
daß sie zu verzagen begann   9040
und der Speer sie so schmerzte,
daß sie sich erneut niederlegte
und sich qualvoll hin und her wand.
Da zögerte Tristan nicht lange.
Er kam schnell heran.   9045
Das Schwert stieß er, wo der Speer war,
ihm ins Herz bis ans Heft.
Da ließ das todgeweihte Ungeheuer
einen Schrei und ein Gebrüll
so schrecklich und grauenhaft   9050
aus seinem unseligen Rachen,
als ob der Himmel und die Erde einstürzten
und daß dieser Todesschrei
weit ins Land gellte
und Tristan mächtig erschrak.   9055
Als der Drache dalag
und er ihn tot sah,
brach er ihm das Maul auf
unter großen Mühen.
Aus dem Hals schnitt er ihm   9060
die Zunge mit dem Schwert,
so viel, wie er davon wollte.
Er barg sie an seiner Brust.
Das Maul schloß er wieder.
Dann ging er auf die Wildnis zu.   9065
Das tat er aus folgendem Grund:
Er wollte sich dort verstecken,
den Tag über irgendwo rasten
und wieder zu Kräften kommen,
und dann wollte er am Abend   9070
wieder zu seinen Landsleuten.
Aber die Hitze zog ihn nieder,

die er beidiu von der arbeit
und dâ zuo von dem trachen leit,
und müedete in sô sêre,   9075
daz er iezuo niemêre
und vil kûme mohte leben.
nu gesach er eine lachen sweben
smal unde mâzlîche grôz,
in die von einem velse vlôz   9080
ein küelez cleinez brunnelîn.
dâ viel er alse gewâfent în
und sancte sich unz an den grunt.
er lie hie vor niwan den munt.
dâ lag er den tac und die naht.   9085
wan ime benam al sîne maht
diu leide zunge, die er truoc.
der rouch, der von der an in sluoc,
der eine entworhte in garwe
an crefte und an der varwe,   9090
daz er von dannen niht enkam,
unz in diu künigîn dâ nam.

Der truhsaeze, alse ich hân gesaget,
der der saeligen maget
vriunt unde ritter wolte sîn,   9095
dem begunden die gedanke sîn
ûf swellen harte grôze
von des trachen dôze,
der alsô griulîch und sô grôz
über walt und über velt dôz.   9100
in sîn herze er allez las,
rehte alse ez ouch ergangen was,
und dâhte: »er ist binamen tôt
oder aber in alsô grôzer nôt,
daz ich in mag gewinnen   9105
mit eteslîchen sinnen.«
von jenen drîn er sich verstal,

die er durch den Kampf
und außerdem durch den Drachen erlitt,
und ermüdete ihn so sehr,   9075
daß er sich da
kaum noch am Leben halten konnte.
Da sah er einen Tümpel,
schmal und nicht sehr groß,
in den aus einem Felsen   9080
eine kühle kleine Quelle floß.
Da fiel er in voller Rüstung hinein
und ließ sich bis auf den Boden sinken.
Nur den Mund hielt er über Wasser.
Da lag er den ganzen Tag und die Nacht über.   9085
Denn ihm raubte die Besinnung
die verfluchte Zunge, die er bei sich trug.
Der Geruch, der ihm von ihr entgegenschlug,
vernichtete allein völlig
seine Kräfte und Gesichtsfarbe,   9090
so daß er von dort nicht wegkam,
bis die Königin ihn herauszog.

Dem Truchseß, wie ich schon sagte,
der dem herrlichen Mädchen
Geliebter und Ritter sein wollte,   9095
waren die Gedanken
mächtig in Bewegung geraten
bei dem Schrei des Drachen,
der so grauenvoll und gewaltig
über Wald und Feld dröhnte.   9100
Er stellte sich im Inneren vor,
wie alles vor sich gegangen sei.
»Er ist tatsächlich tot«, dachte er,
»oder aber in solcher Bedrängnis,
daß ich ihn überwinden kann   9105
mit einiger Überlegung.«
Er stahl sich von seinen drei Gefährten weg,

eine halden stapfet er ze tal
und lie wol balde hine gân,
hin dâ der schrei dâ was getân.	9110
und alse er zuo dem orse kam,
eine ruowe er ime dâ nam.
bî dem sô habete er lange
trahtende cleine und ange.
in nam der kurzen reise	9115
grôz angest unde vreise.
iedoch genante er über lanc
und reit als âne sînen danc
erschrocken unde herzelôs
die rihte hin, dâ er dâ kôs,	9120
daz daz loup und daz gras
vor ime abe gesenget was,
und kam in kurzer vriste,
ê danne er sîn iht wiste,
rehte ûf den trachen, dâ er lac.	9125
und er der truhsaeze erschrac
als inneclîche sêre,
daz er nâch eine kêre
zer erden haete genomen,
durch daz er ime sô bî was komen	9130
und ime sô nâhen gereit.
nu was er aber zehant bereit:
daz ors warf er sô balde wider,
daz er mit dem orse nider
ze einem hûfen gelac.	9135
nu er sich wider ûf gewac
(ich meine von der erden),
done mohte im state niht werden
vor vorhten, die er haete,
daz er sô vil getaete,	9140
daz er ûf daz ors gesaeze.
der leide truhsaeze
er liez ez stân unde vlôch.

ritt vorsichtig einen Abhang hinunter
und ritt schnell dorthin,
wo der Schrei ertönt war.   9110
Als er zu dem Pferd kam,
gönnte er sich eine Rast.
Dort blieb er lange
und blickte sich genau und ängstlich um.
Der kurze Ritt hatte ihn   9115
in große Angst und Furcht gestürzt.
Dennoch faßte er bald darauf wieder Mut
und ritt wie unwillkürlich,
ängstlich und verzagt
dort entlang,   9120
wo das Laub und das Gras
vor ihm versengt war.
Nach kurzer Zeit kam er,
ehe er es sich versah,
genau zu dem Drachen, der dort lag.   9125
Da erschrak der Truchseß
im tiefsten Innersten so sehr,
daß er beinahe
zu Boden gestürzt wäre,
weil er ihm so nahe gekommen   9130
und so weit an ihn herangeritten war.
Aber bald fing er sich wieder.
Er warf das Pferd so schnell herum,
daß er mit seinem Pferd
übereinander niederstürzte.   9135
Als er sich wieder aufgerichtet hatte
(vom Boden, meine ich),
da fand er nicht einmal Gelegenheit
vor Furcht, die er hatte,
um auch nur wieder   9140
sein Pferd zu besteigen.
Der schurkische Truchseß
ließ es zurück und floh.

dô ime dô nieman nâch zôch,
dô gestuont er unde sleich dô wider,   9145
nâch sînem sper greif er nider,
daz ors er bî dem zügele nam,
z'einem ronen er gezogen kam,
ûf daz ors gesaz er,
sînes schaden vergaz er: 9150
er sprancte verre dort hin dan
und sach her wider den trachen an,
waz ampaere er haete,
ob er lebete oder entaete.
nu er in tôten ersach,   9155
»heil, ob got wil« er dô sprach
»hie ist âventiure vunden.
ich bin ze guoten stunden
und ze heile komen her!«
hie mite sô neicte er daz sper,   9160
mit dem zügel er hancte,
er hiu unde sprancte
und lie hin gân punieren,
punierende crôieren:
»schevalier damoysêle!   9165
ma blunde Îsôt, ma bêle!«
er stach ûf in mit solher craft,
der starke eschîne schaft
daz er im durch die hant reit.
daz er aber dô niemere streit,   9170
daz liez er niuwan durch den list.
er dâhte: »ob dirre in lebene ist,
der disen trachen hât erslagen,
sone kan ez mich niht vür getragen,
daz ich hie mite hân ûf geleit.«   9175
er kêrte dannen unde reit
und suohte her unde hin
ûf den gedingen, ob er in
iender haete vunden

Als ihm niemand folgte,
blieb er stehen und schlich sich zurück.   9145
Er nahm seinen Speer,
ergriff das Pferd beim Zügel
und zog es zu einem Baumstumpf.
Er saß auf
und vergaß sein Mißgeschick.   9150
Er ritt ein Stückchen weg
und blickte dann abermals zum Drachen hinüber,
welches Aussehen er hätte,
ob er lebte oder tot sei.
Als er erkannte, daß er tot war,   9155
sagte er: »Gerettet, mit Gottes Willen!
Das ist ein glücklicher Zufall.
Ich bin zu einem günstigen Zeitpunkt
und zu meinem Glück hierhergekommen.«
Damit senkte er den Speer,   9160
ließ den Zügel hängen,
gab seinem Pferd die Sporen und sprengte
und stürmte mächtig heran
mit dem Kampfruf:
»Ritter der jungen Dame!   9165
Blonde Isolde, meine Schöne!«
Er stieß mit solcher Kraft zu,
daß der starke Eschenschaft
ihm durch die Hand fuhr.
Daß er dann nicht weiterkämpfte,   9170
geschah aus kluger Berechnung.
Er dachte: »Wenn der noch lebt,
der diesen Drachen erschlagen hat,
dann kann mir nichts eintragen,
was ich mir ausgedacht habe.«   9175
Er ritt davon
und suchte überall
in der Hoffnung, ihn
vielleicht zu finden

sô müeden oder sô wunden,   9180
daz ime der strît töhte
und mit im strîten möhte,
daz ern erslagen wolte haben
und in erslagenen begraben.
und alse er sîn dô niene vant,   9185
»lâ hêrre varn!« dâhte er zehant
»sweder er lebe oder entuo,
bin ich der êrste darzuo,
mich enwîset nieman dâ van.
ich bin gevriunt unde geman,   9190
sô wert und sô genaeme,
swer sich'z an genaeme,
der haete doch dar an verlorn.«
er lie hin rîten gân mit sporn
ze sînem strîtgesellen wider   9195
und erbeizete dâ zer erden nider.
an sînen strît er wider vie
rehte an der stete, dâ er in lie.
mit dem swerte, daz er truoc,
dâ mite gebecte er unde gesluoc   9200
den vînt sô vil wâ unde wâ,
biz ern verschriet dâ unde dâ.
genuoc versuohte er'z an den cragen.
den haete er ime gerne abe geslagen;
dô was er sô herte und sô grôz,   9205
daz in der arbeit verdrôz.
über einen ronen brach er daz sper.
daz vorder stucke daz stach er
dem trachen zuo dem gorgen în,
als ez ein tjoste solte sîn.   9210

Ûf sînen spanjôl saz er dô.
er begunde vrôlîch unde vrô
ze Weisefort în rüeren
und hiez bald ûz vüeren

so müde oder verletzt,   9180
daß er mit ihm zu kämpfen wagte
und auch mit ihm kämpfen könnte.
Er wollte ihn dann erschlagen
und den Erschlagenen begraben.
Und als er ihn nirgendwo fand,   9185
dachte er sogleich: »Laß es gut sein, Herr!
Ob er nun lebt oder nicht,
ich bin jedenfalls der erste,
und niemand wird mich abweisen.
Ich habe Freunde und Gefolge,   9190
die sind so würdig und beliebt,
daß, wer auch immer es sich anmaßte,
gewiß verlieren würde.«
Er spornte sein Pferd, ritt
wieder zu seinem Kampfgegner   9195
und saß dort ab.
Er begann seinen Kampf erneut
dort, wo er ihn unterbrochen hatte.
Mit seinem Schwert, das er bei sich trug,
stach und schlug er   9200
den Feind immer wieder,
bis er ihn überall zerhauen hatte.
Oft versuchte er es am Hals,
den er ihm sehr gerne abgeschlagen hätte.
Aber der war so fest und dick,   9205
daß er der Mühe überdrüssig wurde.
An einem Baumstumpf zerbrach er seinen Speer.
Das Vorderende steckte er
dem Drachen in den Schlund,
als ob er ihn dort hineingestoßen hätte.   9210

Er bestieg sein spanisches Pferd
und ritt vergnügt und froh
nach Wexford.
Er befahl, daß sogleich ausrückten

vier pferit und einen kanzwagen,   9215
der daz houbet solte tragen,
und seite in allen maere,
wie ime gelungen waere
und waz er angeste hie mite
und kumberlîcher noete erlite.   9220
»jâ hêrre, al diu werlt« sprach er
»diu enbiete niuwan ôre her,
betrahte und sehe daz wunder an,
waz der geherzete man
und der gestandene muot   9225
durch liebes wîbes willen tuot!
daz ich der nôt, in der ich was,
ie dannen kam und ie genas,
des wundert unde wundert mich
und weiz ouch wol binamen, waer ich   9230
senfte alse ein ander man gewesen,
ine waere niemer genesen.
ine weiz niht, wer er waere:
ein âventiuraere,
der ouch nâch âventiure reit,   9235
der was ze sîner veicheit,
ê danne ich kaeme, zuo z'im komen,
der hât sîn ende dâ genomen.
got haete sîn vergezzen.
sî sint beidiu vrezzen,   9240
ros unde man ist allez mort.
daz ros daz lît noch halbez dort
zekuwen unde besenget.
waz töhte ez iu gelenget?
ich hân mê noete erliten hie mite,   9245
dan kein man ie durch wîp erlite.«
sîne vriunde er alle zuo sich nam,
zem serpande er wider kam
und zeigete in sîn wunder.
und bat ouch al besunder,   9250

vier Pferde mit einem Lastwagen,   9215
der den Kopf tragen sollte.
Er erzählte ihnen allen,
wie er es geschafft hätte
und in welche Drangsal
und schreckliche Gefahr er geraten sei.   9220
Er sagte: »Ja, Ihr Herren, jeder
leihe mir sein Ohr
und betrachte, welche Wunder
ein mutiger Mann
und standhafte Tapferkeit   9225
um der Liebe willen vollbringt.
Daß ich der Gefahr, in der ich war,
überhaupt lebend entkam,
das erstaunt mich immerzu.
Ich bin mir sicher, wäre ich   9230
so weichlich gewesen wie ein anderer,
dann wäre ich gewiß nicht davongekommen.
Ich weiß nicht, wer das war:
Ein Glücksritter,
der auf Abenteuer ausritt,   9235
war zu seinem Verderben
vor mir zu ihm gekommen
und hat dort den Tod gefunden.
Gott hatte ihn vergessen.
Beide sind sie aufgefressen worden,   9240
Mann und Pferd sind beide tot.
Das Pferd liegt noch dort,
zerbissen und versengt.
Was soll ich groß erzählen?
Ich habe hierbei größere Mühen auf mich genommen,   9245
als jemals ein Mann einer Frau zuliebe.«
Er nahm alle seine Freunde mit,
ging wieder zu dem Drachen
und zeigte ihnen sein Wunderwerk.
Er bat sie eindringlich,   9250

daz sî der wârheit jaehen,
als sî si dâ gesaehen.
daz houbet vuorte er mit im dan.
sîne mâge und sîne man
die ladete er, die besander,   9255
nâch dem künege rander
und mante in sîner sicherheit.
der rede der wart ein tac geleit
ze Weisefort vür daz lant.
hie mite sô wart daz lant besant,   9260
die lantbarûne die mein ich.
nu die bereiten alle sich,
als in von hove was getaget.

Nu wart ouch al zehant gesaget
ze hove den vrouwen maere.   9265
die marter und die swaere,
die s'alle haeten dâ van,
dien gesach an vrouwen nie kein man.
diu süeze maget, diu schoene Îsôt,
diu was rehte in ir herzen tôt.   9270
sô leiden tac si nie gesach.
Îsôt ir muoter zuo z'ir sprach:
»nein schoeniu tohter, nein, lâ stân,
lâ dir diz niht sô nâhen gân!
wan sweder ez mit der wârheit   9275
oder aber mit lüge ist ûf geleit,
wir suln ez doch wol undervarn.
ouch sol uns got dar vor bewarn.
niene weine, tohter mîne,
diu clâren ougen dîne   9280
diu ensuln niemer werden rôt
umbe alsô swechlîche nôt.«
»â muoter« sprach diu schoene
»vrouwe, niene gehoene
dîne geburt unde dich!   9285

daß sie der Wahrheit gemäß berichten sollten,
was sie dort gesehen hätten.
Den Kopf nahm er mit sich fort.
Seine Verwandten und Vasallen
lud er ein und ließ sie kommen, 9255
eilte zum König
und erinnerte ihn an sein Versprechen.
Daraufhin wurde ein Termin anberaumt
in Wexford für das ganze Reich.
Dann wurde nach den Einwohnern geschickt, 9260
den Landbaronen, meine ich.
Sie bereiteten sich alle vor,
wie es ihnen vom Hofe festgesetzt wurde.

Sogleich wurde auch alles ausgerichtet
den Damen bei Hofe. 9265
Die Qual und die Trauer,
die sie dadurch alle erlitten,
hat man noch nie an Damen gesehen.
Das liebliche Mädchen, die schöne Isolde,
erschrak tödlich bis ins Herz. 9270
Noch nie hatte sie einen so traurigen Tag erlebt.
Ihre Mutter Isolde sagte zu ihr:
»Nein, schöne Tochter, fasse dich!
Nimm es dir nicht so zu Herzen!
Denn ob es der Wahrheit entspricht 9275
oder aber Lüge ist,
wir werden es gewiß zu verhindern wissen.
Gott soll uns davor behüten.
Weine nicht mehr, meine Tochter.
Deine hellen Augen 9280
sollen sich nicht röten
wegen so geringer Sorgen.«
Die Schöne antwortete: »Ach, Mutter,
Herrin, entwürdige nicht
deine vornehme Herkunft und dich. 9285

ê ich's gevolge, sô stich ich
rehte in mîn herze ein mezzer ê.
ê sîn wille an mir ergê,
ich nim mir selber ê den lîp.
ern gewinnet niemer wîp   9290
noch vrouwen an Îsôte,
ern habe mich danne tôte.«
»nein schoeniu tohter, vürhte niht.
swes er oder ieman hie von giht,
daz ist allez samet verlorn.   9295
und haete es al diu werlt gesworn,
ern wirdet niemer dîn man.«
und alse ez nahten began,
diu wîse vrâgete unde sprach
umbe ir tohter ungemach   9300
ir tougenlîche liste,
von den si wunder wiste,
daz s'in ir troume gesach,
daz ez niht alsô geschach,
als der lantschal sagete.   9305
Und iesâ dô ez tagete,
si rief Îsôte und sprach ir zuo:
»â süeziu tohter, wachestuo?«
»jâ« sprach si »vrouwe muoter mîn.«
»nu lâ dîn angesten sîn.   9310
ich wil dir liebiu maere sagen:
ern hât den trachen niht erslagen.
swaz âventiure in her getruoc,
er ist ein gast, der in dâ sluoc.
wol ûf, wir suln vil balde dar,   9315
der maere selbe nemen war!
Brangaene, stant ûf lîse
und sage uns Paranîse,
daz er uns satele schiere.
wir müezen varn wir viere,   9320
ich und mîn tohter, dû und er.

Ehe ich gehorche, steche ich
mir lieber ein Messer ins Herz.
Ehe er seinen Willen an mir hat,
nehme ich mir lieber das Leben.
Er bekommt weder Ehefrau   9290
noch Herrin in Isolde.
Eher bekommt er mich tot.«
»Nein, schöne Tochter, fürchte nichts.
Was immer er oder sonst jemand dazu sagt,
ist gänzlich unerheblich.   9295
Und selbst wenn alle Welt es geschworen hätte:
Er wird niemals dein Mann.«
Und als es Nacht wurde,
befragte die Weise
wegen des Unglücks ihrer Tochter   9300
ihre geheimen Künste,
die sie vorzüglich beherrschte,
so daß sie im Traume sah,
daß sich nicht ereignete,
was allgemeine Gerüchte behaupteten.   9305
Und als es wieder Tag wurde,
rief sie Isolde und sagte zu ihr:
»Bist du wach, liebliche Tochter?«
»Ja«, erwiderte diese, »ja, Frau Mutter.«
»Vergiß deine Befürchtungen.   9310
Ich will dir erfreuliche Nachrichten mitteilen.
Er hat den Drachen nicht erschlagen.
Welcher Zufall ihn auch hierherbrachte,
ein Fremder hat ihn erschlagen.
Auf, wir wollen schnell hingehen   9315
und selbst nachforschen.
Brangäne, steh leise auf
und sage Paranis,
er möge uns schnell ein Pferd satteln.
Wir werden zu viert reiten,   9320
ich und meine Tochter, du und er.

und bringe er uns diu pferit her,
so ez schiereste müge gesîn,
vür unser hâltürlîn,
dâ der boumgarte   9325
hin ze velde warte!«
nu diz was allez gereit,
diu rotte saz ûf unde reit
des endes, dâ si hôrten sagen,
daz der trache was erslagen.   9330
nu sî daz ors vunden,
daz gereite sî begunden
bemerken unde betrahten
und in ir sinnen ahten,
sin gesaehen nie z'Îrlande   9335
gereite solher hande,
und kâmen alle dar an,
swer sô er waere, der man,
den daz ors dar trüege,
daz der den trachen slüege.   9340
vürbaz riten si dô zehant
und kâmen ûf den serpant.
nu was des tiuvels genôz
als ungehiure und alsô grôz,
diu liehte vrouwîne schar   9345
daz diu wart alse ein tôte var
vor angesten, dô s'in ersach.
Diu muoter aber zer tohter sprach:
»ei wie sicher ich es bin,
der truhsaeze daz er in   9350
ie getorste bestân!
wir mugen'z âne sorge lân.
und zwâre, tohter Îsôt,
dirre man sî lebende oder tôt,
mich anet sêre, daz er sî   9355
verborgen eteswâ hie bî.
ez wîsaget mir mîn muot.

Er soll uns die Pferde bringen
so schnell wie möglich
vor die verborgene Pforte,
wo der Obstgarten   9325
auf die Felder hinausgeht.«
Als alles vorbereitet war,
saß die Gruppe auf und ritt
dorthin, wo, wie sie hörten,
der Drache erschlagen worden war.   9330
Sie fanden das Pferd
und begannen, das Zaumzeug
genau zu untersuchen.
Sie meinten,
in Irland noch nie gesehen zu haben   9335
ein solches Zaumzeug,
und alle kamen zu der Überzeugung,
daß der Mann, wer immer es gewesen sei,
der dieses Pferd geritten habe,
den Drachen erschlagen habe.   9340
Sie ritten bald weiter
und stießen auf den Drachen.
Dieser Teufelsgenosse war aber
so riesig und gewaltig,
daß die strahlende Damen-Gesellschaft   9345
totenbleich wurde
vor Angst, als sie ihn erblickte.
Die Mutter sagte zu ihrer Tochter:
»Ich bin mir völlig sicher,
daß der Truchseß mit ihm   9350
zu kämpfen niemals gewagt hätte.
Wir können ohne Sorge sein.
Und wahrlich, Isolde,
ob dieser Mann tot ist oder lebendig,
ich habe das deutliche Gefühl, daß er   9355
irgendwo in der Nähe versteckt ist.
Das verrät mir mein innerer Sinn.

von dannen, dunket ez dich guot,
sô kêren an die suoche,
ob unser got sô ruoche,   9360
daz wir in eteswâ vinden
und mit im überwinden
die grundelôsen herzenôt,
diu uns beswaeret alse der tôt.«
des berieten sî sich schiere.   9365
die gereisen alle viere
si riten von ein ander sâ,
diu suohte hie und disiu dâ.
nu ergieng ez, alse ez solte
und alse der billîch wolte,   9370
diu junge künigîn Îsôt
daz sî ir leben unde ir tôt,
ir wunne unde ir ungemach
ze allerêrste gesach.
von sînem helme gienc ein glast,   9375
der vermeldete ir den gast.
nu sî des helmes wart gewar,
si kêrte und rief ir muoter dar:
»vrouwe île, rît her nâher baz!
ich sihe dort glesten, ine weiz waz.   9380
ez ist rehte alse ein helm getân.
ich waene in rehte ersehen hân.«
»entriuwen« sprach diu muoter dô
»mich selben dunket ouch alsô.
got der wil unser ruochen.   9385
ich waene, den wir suochen,
daz wir den haben vunden.«
sus riefen s'an den stunden
den anderen zwein zuo z'in
und riten alle viere hin.   9390

Nu si ime begunden nâhen
und in sô ligen sâhen,

Deshalb, wenn du zustimmst,
machen wir uns auf die Suche,
um, wenn Gott es will,   9360
ihn irgendwo zu finden
und mit ihm zu beenden
diesen unendlich tiefen Schmerz,
der uns so bedrückt wie der Tod.«
Darüber kamen sie schnell überein.   9365
Alle vier Gefährten
trennten sich voneinander,
die eine suchte hier, die andere da.
Nun geschah es, wie es sollte
und das Schicksal wollte,   9370
daß die junge Königin Isolde
ihr Leben und ihren Tod,
ihr Glück und ihren Kummer
als allererste sah.
Von seinem Helm ging ein heller Schein aus,   9375
der ihr den Fremden meldete.
Als sie den Helm bemerkte,
wandte sie sich um und rief ihre Mutter herbei:
»Herrin, reitet schnell näher.
Ich sehe dort irgend etwas blitzen.   9380
Es sieht aus wie ein Helm.
Ich glaube, ich habe es richtig erkannt.«
Da sagte die Mutter: »Tatsächlich,
ich glaube es auch.
Gott ist uns gnädig.   9385
Ich glaube, wen wir suchen,
haben wir gefunden.«
Da riefen sie sogleich
die anderen beiden zu sich
und ritten alle vier hin.   9390

Als sie sich ihm näherten
und ihn dort so liegen sahen,

nu wânden s'alle, er waere tôt.
»er ist tôt!« sprach ieweder Îsôt
»unser gedinge der ist hin.   9395
der truhsaeze der hât in
mortlîche ermordet unde erslagen
und hât in in diz mos getragen.«
si erbeizeten alle viere
und haeten in vil schiere   9400
her ûz gezogen an daz lant.
den helm enstricten s'ime zehant
und stricten ime die cuppen dan.
diu wîse Îsôt diu sach in an
und sach wol, daz er lebete   9405
und aber sîn leben clebete
kûme alse an einem hâre.
»er lebet« sprach si »zwâre.
nu balde, entwâfent in!
ist daz ich alsô saelic bin,   9410
daz er niht verchwunden hât,
sô mag es alles werden rât.«
die schoenen alle drîe,
diu liehte cumpanîe,
dô si den ellenden   9415
mit snêwîzen henden
entwâfenen begunden,
die zungen sî dô vunden.
»sich, warte« sprach diu künigîn
»waz ist diz oder waz mag diz sîn?   9420
Brangaene, höfschiu niftel, sprich!«
»ez ist ein zunge, dunket mich.«
»du sprichest wâr, Brangaene.
mich dunket unde ich waene,
sô was ouch sî des trachen.   9425
unser saelde diu wil wachen.
herzetohter, schoene Îsôt,
ich weiz ez alse mînen tôt,

hielten sie ihn alle für tot.
Beide Isolden sagten: »Er ist tot.
Unsere Hoffnung ist zunichte.   9395
Der Truchseß hat ihn
heimtückisch ermordet und erschlagen
und in diesen Sumpf gebracht.«
Sie saßen alle ab
und hatten ihn schnell   9400
heraus und an Land gezogen.
Sie nahmen ihm gleich den Helm ab
und öffneten ihm dann den Kopfschutz.
Die weise Isolde sah ihn an
und erkannte, daß er noch lebte,   9405
daß sein Leben aber
kaum noch an einem Haar hing.
Sie sagte: »Tatsächlich, er lebt noch.
Schnell, nehmt ihm seine Rüstung ab.
Wenn ich Glück habe   9410
und er nicht tödlich verwundet ist,
dann gibt es noch Rettung für uns.«
Als die drei Schönen,
die strahlende Gesellschaft,
dem Fremden   9415
mit ihren schneeweißen Händen
die Rüstung abnahmen,
fanden sie die Zunge.
»Seht«, sagte die Königin,
»was ist das, was kann das sein?   9420
Brangäne, edle Nichte, sag!«
»Ich glaube, es ist eine Zunge.«
»Du hast recht, Brangäne.
Ich meine,
sie gehört dem Drachen.   9425
Das Glück ist bei uns.
Schöne Isolde, liebste Tochter,
ich bin mir todsicher,

wir sîn zer rehten verte komen.
diu zunge hât ouch ime benomen   9430
beidiu craft unde sin.«
hie mite entwâfenten s'in
und dô s'an ime niht vunden
weder slege noch wunden,
dô wâren s'alle samet vrô.   9435
trîaken nam diu wîse dô,
diu listege künigîn
und vlôzte im der alsô vil în,
biz daz er switzen began.
»er wil genesen« sprach sî »der man,   9440
der tampf gerûmet schiere hie,
der von der zungen an in gie,
sô mag er sprechen unde ûf sehen.«
daz was ouch schiere geschehen.
er lag unlange, unz ez geschach,   9445
daz er beide ûf und umbe sach.
Nu er der saeligen schar
bî ime und umbe in wart gewar,
er gedâhte in sînem muote:
»â hêrre got der guote,   9450
dû hâst mîn unvergezzen.
mich hânt driu lieht besezzen,
diu besten, diu diu werlt hât,
manges herzen vröude unde rât
und maneges ougen wunne: 9455
Îsôt diu liehte sunne
und ouch ir muoter Îsôt
daz vrôlîche morgenrôt,
diu stolze Brangaene
daz schoene volmaene!«   9460
hie mite genante er unde sprach
kûme unde kûmeclîchen: »ach,
wer sît ir unde wâ bin ich?«
»â ritter, mahtu sprechen? sprich!

wir sind auf der richtigen Spur.
Die Zunge hat ihm geraubt   9430
Kraft und Bewußtsein.«
Dann nahmen sie ihm die Rüstung ab,
und als sie an ihm nicht fanden
Verletzungen oder Wunden,
waren sie alle sehr froh.   9435
Die Weise nahm Theriak,
die kundige Königin,
und flößte ihm davon so viel ein,
bis er zu schwitzen anfing.
»Der Mann wird überleben«, sagte sie.   9440
»Die giftigen Dämpfe werden sich bald verziehen,
die ihm von der Zunge entgegenschlugen.
Dann wird er reden und die Augen öffnen.«
Das geschah auch bald.
Es dauerte nicht lange, bis es eintrat.   9445
Er schlug die Augen auf und sah sich um.
Als er nun die liebliche Gruppe
um sich herum bemerkte,
dachte er bei sich:
»Ach, gütiger Gott,   9450
du hast mich nicht vergessen.
Drei Lichter umgeben mich hier,
die besten der Welt,
Freude und Trost für viele Herzen
und Wonne vieler Augen: 9455
Isolde, die strahlende Sonne,
und dazu ihre Mutter Isolde,
das glückliche Morgenrot,
und die herrliche Brangäne,
das liebliche Mondlicht.«   9460
Dann raffte er sich auf und sagte
mit kaum hörbarer Stimme: »Ach,
wer seid Ihr, und wo bin ich?«
»Ach, Ritter, kannst du sprechen? Sprich!

wir helfen dir ze dîner nôt!«   9465
sprach aber diu sinnerîche Îsôt.
»jâ süeziu vrouwe, saelic wîp,
und ine weiz, wie mir der lîp
und al mîn craft in kurzer vrist
geswachet unde geswichen ist.«   9470
diu junge Îsôt diu sach in an:
»diz ist Tantris der spilman«
sprach sî »ob ich in ie gesach.«
der andern ietwederiu sprach:
»uns dunket ouch entriuwen sô.«   9475
diu wîse diu sprach aber dô:
»bistû'z Tantris?« »vrouwe, jâ.«
»sag an« sprach aber diu wîse sâ
»wâ bistû her komen oder wie
oder waz wirbestu hie?«   9480
»saeligest aller wîbe,
ine hân ez an dem lîbe
noch leider an der crefte niht,
daz ich iu mîne geschiht
bescheidenlîche müge gesagen.   9485
heizet mich vüeren oder tragen
durch gotes willen eteswar,
dâ mîn ieman neme war
doch disen tag und dise naht.
und kume ich wider ze mîner maht,   9490
so ist reht, daz ich tuo unde sage,
swaz iu lîche und iu behage.«
Sus nâmen sî Tristanden
si viere ze handen,
ûf ein pferit huoben s'in   9495
und under in vuorten s'in hin.
sus brâhten s'in heinlîchen în
wider durch ir hâltürlîn,
daz umbe ir reise und umbe ir vart
nie nieman nihtes inne wart.   9500

Wir helfen dir in deiner Bedrängnis«,   9465
sagte die besonnene Isolde.
»Ja, liebliche Dame, herrliche Frau,
ich weiß gar nicht, wie mein Leben
und meine Kraft in kurzer Zeit
so schwinden und entweichen konnten.«   9470
Die junge Isolde sah ihn an.
»Das ist Tantris, der Spielmann«,
sagte sie, »wenn ich ihn je gesehen habe.«
Die anderen beiden fügten hinzu:
»Auch uns scheint es tatsächlich so.«   9475
Abermals sagte die Weise:
»Bist du Tantris?« »Ja, Herrin.«
»Sag«, fragte die Kluge dann,
»woher und wie bist du gekommen,
und was willst du hier?«   9480
»Herrlichste Frau,
ich bin noch nicht erholt
und leider auch nicht kräftig genug,
als daß ich Euch meine Geschichte
angemessen erzählen könnte.   9485
Laßt mich tragen oder bringen
um Gottes willen irgendwohin,
wo jemand sich um mich kümmert
den Tag und die nächste Nacht über.
Und wenn ich dann wieder zu Kräften gekommen bin,   9490
ist es nur richtig, daß ich tu und sage,
was Ihr wollt und Euch gefällt.«
Da nahmen sie Tristan
zu viert,
hoben ihn auf ein Pferd   9495
und führten ihn gemeinsam weg.
So brachten sie ihn heimlich herein
durch die verborgene Pforte,
damit von ihrem Ausflug und Ritt
niemand etwas bemerkte.   9500

dâ schuofen s'ime helfe unde gemach.
die zungen, alse ich ê dâ sprach,
sîn îsen und sîn ander dinc
des enbleip dâ weder vadem noch rinc.
si vuorten'z allez mit in dan,   9505
beidiu harnasch unde man.

Nu daz der ander tac dô kam,
diu wîse in aber ze handen nam.
»nu Tantris« sprach si »sage mir
bî den genâden, alse ich dir   9510
nû unde ê mâles hân getân,
daz ich dich zwirnt erneret hân
und bin dir willic unde holt,
und als du dînem wîbe solt.
wenne kaeme dû in Îrlant?   9515
wie slüege dû den serpant?«
»vrouwe, daz wil ich iu sagen.
ich kam in disen kurzlîchen tagen,
es sint drî tage von hiute,
ich und ander koufliute   9520
mit eime kiele in dise habe.
dô kam ein roupher hinnen abe,
ine weiz durch welhe geschiht,
die wolten uns, haete ich ez niht
mit mînem guote underkomen,   9525
den lîp zem guote hân genomen.
nu ist ez uns alsô gewant:
wir müezen dicke vremediu lant
heinlîchen unde bûwen
und enwizzen wem getrûwen,   9530
wan man uns vil gewaltes tuot.
sô weiz ich wol, mir waere guot,
mit swelher slahte dingen
ich'z dâ zuo möhte bringen,
daz mich diu lant erkanden.   9535

Da pflegten sie ihn und schufen ihm Linderung.
Die Zunge, von der ich zuvor sprach,
seine Waffen und seine übrige Ausrüstung,
von alldem blieb nicht das geringste zurück.
Sie nahmen alles mit,   9505
Rüstung und Mann.

Als der nächste Tag anbrach,
ergriff die Weise ihn wieder bei der Hand
und sagte: »Nun sage mir, Tantris,
bei all den Gefälligkeiten, die ich dir   9510
nun und schon vorher erwiesen habe,
daß ich dich zweimal gerettet habe
und dir wohlgesonnen und hilfsbereit bin,
wie du es mit deiner Frau sein sollst:
Wann kamst du nach Irland,   9515
und wie hast du den Drachen erschlagen?«
»Herrin, das will ich Euch sagen.
Ich kam erst kürzlich,
heute vor drei Tagen,
zusammen mit anderen Kaufleuten   9520
mit einem Schiff in diesen Hafen.
Da kam uns ein Räuberheer entgegen,
ich weiß nicht warum.
Die wollten uns, wenn ich es nicht
mit meinem Besitz verhindert hätte,   9525
außer der Habe auch das Leben nehmen.
Nun ist es so mit uns:
Wir müssen sehr oft fremde Länder
zu unserer Heimat machen und dort wohnen.
Wir wissen nicht, wem wir vertrauen sollen,   9530
denn oft tut man uns Gewalt an.
Ich bin deshalb sicher, daß es uns nützt,
wenn ich es auf irgendeine Weise
erreiche,
daß mich die Reiche kennenlernen.   9535

künde in vremeden landen
diu rîchet den koufman.
seht, vrouwe, dâ gedâhte ich an,
wan mir ist umbe den serpant
daz lantmaere lange erkant   9540
und sluog in niuwan umbe daz.
ich waene, daz ich deste baz
vride unde genâde vinde
bî disem lantgesinde.«
»vride unde genâde« sprach Îsôt   9545
»diu müezen dich an dînen tôt
mit wernden êren bringen!
du bist ze guoten dingen
dir selbem unde uns komen her.
nu trahte, wes dîn herze ger.   9550
daz ist getân, daz schaffe ich dir
von mînem hêrren und von mir.«
»genâde, vrouwe, sô ergib ich
mînen kiel unde mich
vil verre an iuwer triuwe.   9555
seht, daz mich iht geriuwe,
daz ich iu guot unde leben
an iuwer triuwe hân ergeben.«
»nein zwâre Tantris, ez entuot.
umbe dîn leben und umbe dîn guot   9560
ensorge nû niemêre.
mîne triuwe und mîn êre,
sê hie, die nim in dîne hant.
daz dir niemer ze Îrlant
bî mînem lebene leit geschiht.   9565
Entwer mich einer bete niht
und biut mir eteslîchen rât
umbe eine sache, an der nu stât
mîn êre und al mîn saelekeit.«
und seite im, alse ich hân geseit,   9570
wes sich der truhsaeze

Anerkennung in fremden Ländern
mehrt den Reichtum des Kaufmanns.
Seht, Herrin, daran dachte ich.
Denn mir war über den Drachen
die Nachricht schon lange bekannt.   9540
Ich habe ihn nur erschlagen,
weil ich glaube, daß ich dann um so besser
Schutz und Wohlwollen finde
bei der Bevölkerung.«
Isolde antwortete: »Schutz und Frieden   9545
mögen dich bis zu deinem Tod
mit bleibendem Ansehen begleiten.
Du bist mit guten Absichten
für dich und uns hierhergekommen.
Überlege, was du dir wünschst.   9550
Es sei dir erfüllt. Ich verschaffe es dir
von meinem Herrn und mir.«
»Danke, Herrin, so überantworte ich
mich und mein Schiff
von nun an Eurem Schutz.   9555
Gebt acht, daß ich nicht zu bereuen habe,
meinen Besitz und mein Leben
Eurem Schutze anvertraut zu haben.«
»Nein, wahrhaftig, Tantris, das brauchst du nicht.
Über dich und deine Habe   9560
sorge dich nun nicht mehr.
Bei meiner Aufrichtigkeit und meinem Ansehen,
sieh, verspreche ich dir in die Hand,
daß dir in Irland niemals
bei meinem Leben ein Haar gekrümmt wird.   9565
Versage mir nicht eine Bitte
und hilf mir
bei einer Sache, von der
mein Ansehen und mein Glück abhängt.«
Sie erzählte ihm, wie ich Euch berichtet habe,   9570
was sich der Truchseß

umbe dise tât vermaeze.
wie sêre und wie genôte
er spraeche nâch Îsôte
und wie er den valsch und die lüge   9575
ze offenlîchem kampfe züge,
ob ieman über in kaeme,
der sich ez an genaeme.
»saeligiu vrouwe« sprach Tristan
»hie enhabet keine sorge van.   9580
ir habet mir zwirnt lîp unde leben
mit gotes helfe wider gegeben,
diu suln ouch iu ze rehte
beidiu ze dirre vehte
und z'allen noeten bî stân,   9585
die wîle ich sî gesunde hân.«
»got lône dir, lieber Tantris!
des bin ich gerne an dir gewis
und wil dir ouch des wol verjehen:
ist daz diz wunder sol geschehen,   9590
sô sîn wir beide, ich unde Îsôt,
iemer mit lebendem lîbe tôt.«
»nein vrouwe, tuot die rede hin.
sît ich in iuwerm vride bin
und mînen lîp und swaz ich hân   9595
an iuwer êre hân verlân
und dar an sicher wesen sol,
trût vrouwe, sô gehabet iuch wol!
helfet mir ze lîbe wider,
ich gelege ez allez eine nider.   9600
und saget mir, vrouwe, ist iu bekant:
die zungen, die man bî mir vant,
beleip diu oder war tete man die?«
»entriuwen nein, ich hân si hie
und allez, daz du haben solt.   9605
mîn schoeniu tohter selbe, Îsolt,
und ich wir brâhten'z allez dan.«

wegen dieser Tat anmaßte,
wie heftig und dringend
er nach Isolde verlangte
und wie er diesen Betrug und diese Lüge   9575
in öffentlichem Kampf beweisen wollte,
falls jemand aufträte,
der selbst Ansprüche erhöbe.
Tristan sagte: »Gnädige Herrin,
sorgt Euch nicht mehr darüber.   9580
Zweimal habt Ihr mir Leben und Gesundheit
mit Gottes Hilfe wiedergegeben.
Mit gutem Recht sollen sie nun für Euch
in diesem Kampf
und in allen Gefahren einstehen,   9585
solange ich gesund bin.«
»Gott belohne dich dafür, lieber Tantris.
Mit Freuden vertraue ich dir
und will dir auch eingestehen,
daß, wenn diese Ungeheuerlichkeit eintreten sollte,   9590
wir beide, Isolde und ich,
auf ewig bei lebendigem Leibe tot wären.«
»Nein, Herrin, sagt so etwas nicht.
Nun, da ich unter Eurem Schutz stehe
und mich und meine Habe   9595
Eurer Ehre anvertraut habe
und durch sie abgesichert bin,
jetzt, liebe Herrin, faßt Mut.
Helft mir wieder zu Kräften,
und ich werde alles alleine ordnen.   9600
Und sagt mir, Herrin, wißt Ihr,
ob die Zunge, die man bei mir fand,
dort zurückgeblieben ist oder wohin man sie tat?«
»Nein, wahrhaftig, ich habe sie hier
und alles, was du hattest.   9605
Meine schöne Tochter Isolde
und ich haben alles selbst hergebracht.«

»diz kumt uns rehte« sprach Tristan;
»nu saeligiu künigîn,
lât aller slahte sorge sîn   9610
und râtet mir ze mîner craft,
sô ist ez allez endehaft.«

Die küniginne beide,
beide âne underscheide,
si nâmen in ze handen   9615
und swaz si beide erkanden,
daz ime ze heile und ze vromen
an sînem lîbe möhte komen,
daz was ir meiste unmüezekeit.
hier under haete michel leit   9620
sîn kiel und sîn geselleschaft,
der was genuoc als angesthaft,
daz s'ungenesen wânden wesen.
ir dekeiner trûwete genesen,
wan s'innerhalp den zwein tagen   9625
nie niht von ime gehôrten sagen.
ouch haeten sî den schal vernomen,
der von dem trachen ûz was komen.
und was des maeres vil getriben,
dâ waere ein ritter tôt beliben,   9630
des ors daz laege halbez dâ.
nu dâhten ouch die sîne sâ:
»wer waere daz niwan Tristan?
dane ist binamen kein zwîvel an,
haete ez ime der tôt niht benomen,   9635
er waere sît her wider komen.«
hie mite gerieten s'under in
und santen Curvenâlen hin,
daz er des orses naeme war.
daz tete er: Curvenal reit dar   9640
und vant daz ors unde erkande daz.
nu reit er aber vürbaz.

»Das kommt uns zustatten«, sagte Tristan.
»Nun, gnädige Königin,
sorgt Euch nicht mehr   9610
und helft mir, wieder zu Kräften zu kommen,
dann wird alles zu einem guten Ende gebracht.«

Die beiden Königinnen
ohne Unterschied
kümmerten sich um ihn,   9615
und woran immer sie denken konnten,
was ihm förderlich und von Nutzen
hätte sein können,
darum bemühten sie sich emsig.
Inzwischen litten sehr   9620
seine Freunde auf dem Schiff.
Sie fürchteten sich so sehr,
daß sie sich verloren glaubten.
Keiner hoffte mehr zu überleben,
denn sie hatten in den vergangenen zwei Tagen   9625
nichts von ihm gehört.
Zudem hatten sie den Lärm vernommen,
den der Drache gemacht hatte,
und die Nachricht hatte sie erreicht,
daß dort ein Ritter ums Leben gekommen sei,   9630
dessen Pferd zur Hälfte noch dort lag.
Da dachten die Seinen:
»Das kann nur Tristan sein.
Es gibt wahrlich keinen Zweifel:
hätte der Tod ihn nicht daran gehindert,   9635
wäre er inzwischen zurückgekehrt.«
Da berieten sie sich
und schickten Kurvenal hin,
damit er das Pferd untersuche.
Das tat er. Kurvenal ritt hin,   9640
fand das Pferd und erkannte es wieder.
Dann ritt er weiter.

den trachen vant er ouch zehant
und alse er dô nimêre vant
von keinen sînen dingen   9645
an gewande noch an ringen,
dô kam in michel zwîvel an.
»â« dâhte er »hêrre Tristan,
weder bistu lebende oder tôt?
ôwî ôwî« sprach er »Îsôt,   9650
ôwî, daz dîn lop und dîn nam
ie hin ze Curnewâle kam!
was dîn schoene und edelkeit
ze solhem schaden ûf geleit
einer der saeligesten art,   9655
diu ie mit sper versigelt wart,
der dû ze wol geviele?«
sus kêrte er wider zem kiele
weinende unde clagende,
diu maere wider sagende,   9660
als er si haete ervunden.
diu maere begunden
genuogen missevallen
und iedoch niht in allen.
daz selbe swaere maere   9665
was niht ir aller swaere.
genuoge ez wol vertruogen.
ouch sach man an genuogen,
daz ez in grôze riuwe bar,
und was ouch der diu meiste schar.   9670
sus was ir wille unde ir muot
undersniten übel unde guot.
mit disem wehsele geviel
der gezweiete kiel
an sprâchen unde an rûnen.   9675
den zweinzic barûnen
den was niht inneclîche leit
der zwîvel, der in was geseit.

Er fand schnell den Drachen,
und als er sonst nichts entdeckte
von seinen Sachen,   9645
weder von seinem Gewand noch der Rüstung,
befiel ihn große Verzweiflung.
»Ach«, dachte er, »Tristan, Herr,
lebst du oder bist du tot?
O weh, Isolde«, rief er,   9650
»o weh, daß dein Ruhm und dein Ruf
jemals bis Cornwall drangen!
War deine Schönheit, deine Herrlichkeit
zu solchem Unglück angelegt
für einen der Vortrefflichsten,   9655
der sich je mit dem Speer bewährt hat
und dem du zu gut gefielst?«
Damit kehrte er zum Schiff zurück
unter Weinen und Klagen.
Er berichtete,   9660
was er gefunden hatte.
Diese Nachricht
betrübte viele,
aber nicht alle.
Die traurige Kunde   9665
war nicht für alle traurig.
Viele ertrugen sie gelassen.
Andererseits sah man vielen an,
daß sie ihnen großen Kummer bereitete.
Das waren die meisten.   9670
So war ihre Absicht und Stimmung
gemischt, gut und schlecht.
Bei dieser Gegensätzlichkeit begann es
auf dem entzweiten Schiff
zu reden und zu raunen.   9675
Den zwanzig Baronen
war nicht sehr schmerzlich
die Befürchtung, die man hegte.

si wânden dannen komen dar mite.
und daz man sîn niht langer bite,　　　　　9680
des bâten s'al gemeine
(die zweinzic meine ich eine).
si rieten alle dar an,
daz man des nahtes vüere dan.
sô rieten aber ander daz,　　　　　　　　9685
daz sî beliben unde baz
ervüeren diu maere,
wie'z ime ergangen waere.
alsus zehullen s'under in.
dise wolten gerne hin,　　　　　　　　　9690
jene wolten dâ bestân.
sus ward ez dô dar an verlân,
sît daz sîn tôt niht waere
gewis noch offenbaere,
daz sî dâ langer beliben,　　　　　　　　9695
ir vorsche unde ir vrâge triben
zem minnesten doch zwêne tage:
daz was der barûne clage.

Hie mite sô was ouch der tac komen,
der ze Weisefort was genomen,　　　　　　9700
dar Gurmûn haete getaget
umbe sîne tohter die maget
und umbe den truhsaezen.
Gurmûnes umbesaezen,
sîne man und sîne mâge,　　　　　　　　9705
als er si durch râtvrâge
ze sînem tage haete besant,
die wâren alle dâ zehant.
die nam ouch er besunder
und suohte rât hier under　　　　　　　　9710
sô verre und alsô sêre,
als dem ez umbe sîn êre
und ouch niht anders enstât.

Sie hofften, sich so davonmachen zu können.
Daß man auf ihn nun nicht länger warten sollte,   9680
darum baten sie alle gemeinsam
(die zwanzig Barone meine ich).
Sie alle drängten darauf,
daß man in der nächsten Nacht wegfahren solle.
Andere aber schlugen vor,   9685
daß man bleiben und mehr
herausfinden solle darüber,
wie es ihm ergangen sei.
So waren sie sich uneinig.
Die einen wollten weg,   9690
die anderen wollten bleiben.
Schließlich vereinbarten sie,
weil sein Tod
weder sicher noch offenkundig war,
daß sie länger dableiben   9695
und Nachforschungen anstellen wollten,
mindestens noch zwei Tage.
Darüber jammerten die Barone.

Indessen war auch der Termin gekommen,
der für Wexford festgesetzt war,   9700
wo Gurmun einen Gerichtstag anberaumt hatte
über seine Tochter, das Mädchen,
und den Truchsessen.
Gurmuns Nachbarn,
seine Verwandten und Vasallen,   9705
die er zur Beratung
an diesem Gerichtstag herbestellt hatte,
waren alle da.
Er nahm sie beiseite
und fragte sie um Rat   9710
so dringlich und nachdrücklich,
als ob es um sein Prestige
und um nichts Geringeres ginge.

dar zuo besande er an den rât
sîn liebez wîp, die künigîn.   9715
si mohte im ouch wol liep sîn,
wan er haete an ir einer dô
sunderlîcher saelden zwô,
der allerbesten, die der man
an liebem wîbe vinden kan: 9720
schoene unde wîsheit,
der was der mâze an sî geleit,
daz s'ime wol mohte liep sîn.
diu saelige künigîn,
diu schoene wîse was ouch dâ.   9725
ir vriunt der künic nam si sâ
von dem râte dort hin dan.
»wie râtestû?« sprach er »sag an.
mir ist disiu rede swaere alse der tôt.«
»gehabet iuch wol« sprach aber Îsôt   9730
»wir suln uns wol hier an bewarn.
ich hân ez allez undervarn.«
»wie? herzevrouwe, sage ouch mir.
sô vröuwe ich mich der rede mit dir.«
»unser truhsaeze, als er dâ giht,   9735
seht, der ensluoc des trachen niht,
und der in sluoc, den weiz ich wol.
daz bewaere ich, swenne ich sol.
al iuwer angest leget nider!
gêt balde z'iuwerm râte wider.   9740
saget in allen unde jehet,
als ir gehoeret unde gesehet
des truhsaezen wârheit,
ir loeset gerne iuwern eit,
den ir dem lande habet getân.   9745
heizet s'alle mit iu gân
und sitzet an'z gerihte.
envürhtet iu ze nihte.
lât den truhsaezen clagen

Darüber hinaus rief er zur Beratung
seine liebe Frau, die Königin.   9715
Sie war ihm mit Recht sehr wertvoll,
denn in ihr allein hatte er
zwei erlesene Vorzüge vereinigt,
die besten, die ein Mann
an seiner lieben Frau finden kann: 9720
Schönheit und Weisheit
besaß sie in solchem Maße,
daß sie ihm wohl lieb sein konnte.
Die herrliche Königin,
die schöne Kluge war auch da.   9725
Ihr Geliebter, der König, führte sie
von der Versammlung ein wenig weg
und fragte: »Wozu rätst du? Sag!
Diese Angelegenheit bedrückt mich wie der Tod.«
»Faßt Mut«, erwiderte Isolde,   9730
»wir werden uns davor zu hüten wissen.
Ich habe alles herausgefunden.«
»Was? Liebste Herrin, sage es mir auch.
Dann freue ich mich mit dir darüber.«
»Unser Truchseß, wie er behauptet,   9735
hat den Drachen nicht erschlagen.
Ich weiß genau, wer ihn erschlug.
Das kann ich beweisen, wenn ich muß.
Befreit Euch von aller Furcht.
Geht gleich zurück zu Eurer Ratsversammlung.   9740
Sagt ihnen allen,
wenn Ihr gehört und gesehen habt
die Beweise des Truchsessen,
würdet Ihr Euer Versprechen mit Freuden einlösen,
das Ihr vor dem Reiche abgelegt habt.   9745
Laßt alle mitgehen,
und beginnt das Gericht.
Fürchtet Euch nicht.
Laßt den Truchsessen klagen

und sagen, swaz er welle sagen.   9750
und alse es danne zît sî,
sô bin ich unde Îsôt dâ bî.
sô gebietet mir'z, sô spriche ich
vür iuch, vür Îsôt und vür mich.
hie mite lât dise rede stân.   9755
ich wil nâch mîner tohter gân
und komen ouch iesâ wider, wir zwô.«
nâch ir tohter gie si dô,
der künic in den palas wider.
an daz gerihte saz er nider   9760
und mit im vil barûne,
des landes cumpanjûne.
dâ was schoeniu ritterschaft,
von ritterschefte michel craft,
niht durch des küneges êre   9765
sô starke noch sô sêre,
sô daz si gerne wolten sehen,
waz dâ solte geschehen
ûz disem lantschalle.
des wunderte s'alle.   9770

Die saeligen Îsôte zwô
nu daz si mit ein ander dô
zem palas în giengen,
si gruozten unde enpfiengen
die hêrren al besunder.   9775
hie mitten und hier under
wart vil gesprochen unde gedâht,
rede unde gedanke vil vür brâht
von ir beider saelekeit.
und iedoch mêre geseit   9780
von des truhsaezen linge
dan von der vrouwen dinge.
si sprâchen unde gedâhten dar:
»nu kieset alle, nemet war,

und äußern, was er will.   9750
Und wenn es dann Zeit ist,
werden Isolde und ich da sein.
Dann befehlt mir, und ich werde sprechen
für Euch, für Isolde und mich.
Genug jetzt.   9755
Ich will zu meiner Tochter gehen,
und wir kommen bald beide wieder.«
Dann ging sie zu ihrer Tochter
und der König in den Palas zurück.
Er setzte sich zu Gericht   9760
und mit ihm viele Barone,
die Vornehmen des Reiches.
Da war eine prächtige Ritterschaft versammelt,
viele Ritter,
weniger, um den König zu ehren   9765
so eindrucksvoll,
sondern eher, weil sie gerne sehen wollten,
was geschehen würde
mit diesem Gerücht.
Das fragten sie sich alle gespannt.   9770

Als die beiden herrlichen Isolden
miteinander dort
den Palas betraten,
begrüßten und empfingen sie
die Herren alle einzeln.   9775
Dabei
wurde viel geflüstert und nachgedacht,
wurden viele Gespräche und Gedanken angeregt
über die Schönheit der beiden.
Trotzdem wurde noch mehr geredet   9780
über das Glück des Truchsessen
als über die Damen.
Man sagte und dachte:
»Nun seht und bedenkt.

wirt disem unsaeligen man,   9785
der nie saelde gewan,
disiu saelege maget,
sô ist im elliu saelde ertaget,
diu ime oder dekeinem man
an einer maget ertagen kan.«   9790
sus kâmen sî zem künege hin.
Der künec stuont ûf engegen in:
lieplîche sazte er sî ze sich.
»nû« sprach der künec »truhsaeze, sprich.
waz ist dîn bete und dîn ger?«   9795
»vil gerne, hêrre künec« sprach er;
»hêrre, ich ger unde bite,
daz ir dem lande küneges site
niemer zebrechet an mir.
welt ir's jehen, sô sprâchet ir   9800
und lobetet ez ouch beide
mit rede und mit dem eide:
swelh ritter disen serpant
slüege mit sîn eines hant,
ir gaebet ime ze solde   9805
iuwer tohter Îsolde.
der eit verlôs vil manegen man.
dâ sach aber ich vil lützel an,
durch daz ich minnete daz wîp
unde wâgete den lîp   9810
dicke engeslîcher danne ie man,
biz mir ze jungeste dar an
alsô gelanc, daz ich in sluoc.
ist ez dâ mite genuoc:
hie lît daz houbet, seht ez an.   9815
daz selbe urkünde brâhte ich dan.
nu loeset iuwer wârheit.
küneges wort und küneges eit
diu suln wâr unde bewaeret sîn.
»truhsaeze« sprach diu künigîn   9820

Wenn diesem armseligen Mann,   9785
der niemals Glück hatte,
dieses herrliche Mädchen zufällt,
dann wird ihm damit all das Glück zuteil,
das ihm oder irgend jemandem
durch ein Mädchen zuteil werden kann.«   9790
Dann kamen sie zum König.
Der König erhob sich vor ihnen.
Freundlich setzte er sie zu sich
und sagte: »Nun, Truchseß, sprich!
Was ist deine Klage und Forderung?«   9795
»Sehr gerne, mein König und Herr«, erwiderte er.
»Herr, ich fordere und rufe das Gericht an,
daß Ihr den königlichen Brauch des Landes
an mir nicht verletzt.
Wie Ihr zugeben müßt, habt Ihr gesagt   9800
und versprochen
mit Wort und Schwur,
daß der Ritter, der diesen Drachen
allein und mit eigener Hand erschlüge,
zur Belohnung erhalten sollte   9805
Eure Tochter Isolde.
Dieser Eid kostete viele das Leben.
Ich aber achtete das gering,
weil ich die Frau liebte,
und ich setzte mein Leben aufs Spiel   9810
weit tapferer als sonst jemand,
bis es mir schließlich
gelang, ihn zu erschlagen.
Wenn es Euch genügt:
Hier liegt das Haupt, seht es an.   9815
Diesen Beweis brachte ich mit.
Nun steht zu Eurem Versprechen.
Das Wort und der Schwur des Königs
sollten wahr und verläßlich sein.«
»Truchseß«, sagte die Königin,   9820

»der alsô rîlîchen solt,
als mîn tohter ist, Îsolt,
ungedienet haben wil,
entriuwen des ist alze vil.«
»ei« sprach der truhsaeze dô   9825
»vrouwe, ir tuot übel, wie redet ir sô?
mîn hêrre, der ez enden sol,
der kan doch selbe sprechen wol.
der spreche und antwürte mir.«
der künec sprach: »vrouwe, sprechet ir   9830
vür iuch, vür Îsôt und vür mich!«
»genâde hêrre, daz tuon ich.«
aber sprach diu küniginne:
»truhsaeze, dîne minne
die sint lûter unde guot   9835
und hâst sô menlîchen muot.
du bist wol guotes wîbes wert.
swer aber sô hôhes lônes gert,
dâ er sîn niht verdienet hât,
entriuwen, deist ein missetât.   9840
du hâst dir selbem ûf geleit
eine tât und eine manheit,
der dû mit alle unschuldic bist,
als ez mir zuo gerûnet ist.«

»Vrouwe, ir redet, ine weiz wie.   9845
ich hân doch diz wortzeichen hie.«
»sô hâstu brâht ein houbet dan.
daz braehte ouch lîhte ein ander man,
ich meine, ob er Îsolde
dâ mite verdienen solde.   9850
sine wirt aber gewunnen niht
mit alsô cleiner geschiht.«
»nein zwâre« sprach diu junge Îsôt
»durch alsô maezlîche nôt
enwil ich niemer veile sîn.«   9855

»wer eine so reichliche Belohnung
wie meine Tochter Isolde
unverdient verlangt,
der erlaubt sich wahrlich zuviel.«
Der Truchseß antwortete: »Ach,   9825
Herrin, Ihr handelt unrecht. Was sagt Ihr?
Mein Herr, der es entscheiden soll,
kann sehr gut für sich sprechen.
Er soll reden und mir antworten.«
Der König sagte: »Herrin, sprecht Ihr   9830
für Euch, für Isolde und mich.«
»Danke, Herr, das will ich tun.«
Die Königin fuhr fort:
»Truchseß, deine Liebe
ist rein und gut   9835
und du bist so männlich beherzt,
daß du eine tüchtige Frau durchaus verdienst.
Wenn aber einer so hohen Lohn fordert,
den er nicht verdient,
dann ist das wahrhaftig ein Unrecht.   9840
Du hast dir angemaßt
eine Tat und Tapferkeit,
die dir gar nicht zusteht,
wie mir hinterbracht wurde.«

»Herrin, ich weiß nicht, was Ihr redet.   9845
Hier habe ich doch den Beweis.«
»Du hast ein Haupt mitgebracht.
Das könnte auch leicht jeder andere,
ich meine, wenn er Isolde
damit erwerben könnte.   9850
Man verdient sie sich aber nicht
mit einer solchen Kleinigkeit.«
Die junge Isolde sagte: »Nein, wahrhaftig,
für so geringe Mühe
bin ich nicht zu haben.«   9855

»âhî vrou junge künigîn«
sprach aber der truhsaeze dô
»daz ir ze mînen dingen sô
mit arge sprechende sît
der noete, der ich ze maneger zît   9860
durch iuwer minne erliten hân!«
»daz sol ze guoten staten gestân,
daz ir mich minnet« sprach Îsolt
»ine wart iu nie getriu noch holt
noch zwâre niemer werden sol.«   9865
»Jâ« sprach der ander »ich weiz wol,
ir tuot vil rehte als elliu wîp.
ir sît alle alsô gelîp,
alsô g'artet unde gemuot:
iuch dunket ie daz arge guot,   9870
daz guote dunket iuch ie arc.
diu art ist an iu allen starc.
ir sît verkêret alle wîs:
iu sint die tumben alle wîs,
iu sint die wîsen alle tump;   9875
ir machet ûz dem slehten crump
und ûz dem crumben wider sleht;
ir habet allen ungereht
an iuwer seil gevazzet:
ir minnet, daz iuch hazzet;   9880
ir hazzet, daz iuch minnet.
wie sît ir sus gesinnet,
wie minnet ir sô harte
der dinge widerwarte,
daz man der sô vil an iu siht!   9885
der iuch dâ wil, desn welt ir niht
und welt den, der iuch niene wil.
ir sît daz irresameste spil,
daz ieman ûf dem brete kan.
er ist ein sinnelôser man,   9890
der âne bürgen durch daz wîp

»Ach, junge Königin, Herrin«,
sagte wieder der Truchseß,
»wie könnt Ihr in meiner Angelegenheit
so boshaft sprechen
über die Gefahren, die ich häufig 9860
um Eurer Liebe willen erlitten habe!«
»Es wird Euch von großem Vorteil sein,
daß Ihr mich liebt«, sagte Isolde,
»aber ich war Euch niemals liebend gewogen
und werde es auch gewißlich niemals sein.« 9865
»Ja«, sagte er wieder, »ich sehe schon,
Ihr handelt genau wie alle Frauen.
Ihr seid alle so,
so geschaffen und gesinnt.
Ihr haltet das Böse für gut 9870
und das Gute für böse.
Dieser Wesenszug ist mächtig in Euch allen.
Ihr seid durch und durch verkehrt.
Die Törichten gelten Euch weise,
die Weisen töricht. 9875
Den Geraden biegt Ihr krumm,
den Krummen gerade.
Ihr habt alles Gegensätzliche
an Eure Leine genommen.
Ihr liebt, was Euch haßt; 9880
Ihr haßt, was Euch liebt.
Was habt Ihr für einen Charakter,
wie liebt Ihr sehr
das Gegenteil aller Dinge,
wie man so oft an Euch bemerkt! 9885
Der Euch will, den wollt Ihr nicht
und wollt statt dessen den, der Euch nicht will.
Ihr seid das ungewisseste Spiel,
das man auf einem Brette spielen kann.
Der ist ein Tor, 9890
der ohne Sicherheiten für eine Frau

iemer geveilet den lîp.
und zwâre iedoch dar umbe niht,
swes ir jeht oder mîn vrouwe giht,
ez wirt al anders ûf geleit   9895
oder man brichet mir den eit.«

Aber sprach diu küniginne:
»truhsaeze, dîne sinne
die sint starc unde spaehe,
der spaehe an sinnen saehe.   9900
si habent dem gelîchen schîn,
als sî ze kemenâten sîn
in der vrouwen tougenheit bedâht.
dar zuo hâstû si vür brâht
rehte alse ein vrouwen ritter sol.   9905
du weist der vrouwen art ze wol.
du bist dar în ze verre komen.
ez hât dir der manne art benomen.
du minnest ouch ze harte
der dinge widerwarte.   9910
mich dunket, dir ist ouch wol dar mite.
du hâst die selben vrouwen site
sêre an dîn seil gevazzet:
du minnest, daz dich hazzet;
du wilt, daz dich niht enwil.   9915
diz ist doch unser vrouwen spil.
waz nimest dû dich hie mit an?
sô dir got, du bist ein man,
lâz uns unser vrouwen art.
dune bist niht wol dar mite bewart.   9920
habe dîne mannes sinne
und minne, daz dich minne.
welle, daz dich welle.
daz spil hât guot gevelle.
du seist uns ie genôte,   9925
du wellest Îsôte

sein Leben riskiert.
Und doch wird es wahrlich nicht so kommen,
wie Ihr sagt oder meine Herrin.
Entweder es kommen noch andere Gründe,   9895
oder Ihr seid wortbrüchig.«

Wieder sprach die Königin:
»Truchseß, deine Argumente
sind stark und scharfsinnig,
wenn man sie scharfsinnig betrachtet.   9900
Sie sehen aus,
als wenn sie in der Kemenate
von Damen heimlich erdacht wären.
Darüber hinaus hast du sie vorgetragen,
genau so, wie es ein Frauenritter tun soll.   9905
Du kennst die Frauen zu genau.
Du bist da zu weit eingedrungen,
denn es hat dir deine Männlichkeit genommen.
Auch du liebst zu sehr
das Gegenteil aller Dinge.   9910
Ich finde, es paßt gut zu dir.
Du selbst hast weibisches Wesen
fest an deine Leine genommen:
Du liebst, was dich haßt;
du willst, was dich nicht will.   9915
Das ist doch das Spiel von uns Damen.
Warum spielst du es?
Bei Gott, du bist ein Mann.
Laß doch uns Damen unsere Art.
Sie tut dir nicht gut.   9920
Sei männlich
und liebe, was dich wiederliebt;
begehre, was auch dich begehrt.
Dieses Spiel hat gute Erfolgsaussichten.
Du betonst hier,   9925
du wolltest Isolde haben,

und sî enwelle dîn niht.
daz ist ir art: wer mac des iht?
si lât der dinge vil hin gân,
die sî doch vil wol möhte hân. 9930
ir ist der vil unmaere,
dem sî doch vil liep waere,
der dû ze hant der êrste bist.
daz selbe ir von mir g'artet ist.
ich selbe enwart dir ouch nie holt. 9935
ich weiz wol, alse entuot Îsolt:
ez ist ir g'artet von mir.
du verliusest michel minne an ir.
diu schoene, diu reine
si waere ze gemeine, 9940
ob si iegelîchen solte
wellen, der si wolte.
Truhsaeze, als du hâst geseit,
mîn hêrre der sol sînen eit
vil gerne an dir bewaeren. 9945
sich, daz du dînen maeren
und dîner rede sô mite gâst,
daz dû s'iht under wegen lâst:
volge dînen sachen!
ich hoere sagen, den trachen 9950
den habe ein ander man erslagen.
sich, waz du dâ zuo wellest sagen.«
»wer waere der?« »ich weiz in wol
und wil in bringen, swenne ich sol.«
»vrouwe, ez enist dekein man, 9955
der sich hier umbe iht nimet an
und mich von mînen êren
mit valsche waenet kêren,
der mir state und reht wil geben,
dane sî mîn lîp umbe und mîn leben 9960
gewâget unde geveilet,
swie mir der hof erteilet,

aber sie nicht dich.
So ist sie. Wer kann da etwas tun?
Sie läßt viele Dinge sein,
die sie leicht haben könnte.   9930
Ihr ist der gleichgültig,
der sie sehr begehrt.
Von denen stehst du an erster Stelle.
Das hat sie von mir:
Ich selbst mochte dich auch noch nie.   9935
Ich weiß, so ist es auch mit Isolde.
Sie ist nach mir geschlagen.
Du vergeudest an ihr viel Liebe.
Die Schöne und Reine
würde sich zu gemein machen,   9940
wenn sie jeden haben wollte,
der sie will.
Truchseß, du hast gesagt,
mein Herr soll sein Versprechen
dir treulich erfüllen.   9945
Sieh, daß du deine Behauptung
und deine Worte aufrechterhältst,
damit du sie nicht unterwegs fallenläßt!
Verfolge deine Absichten!
Ich habe gehört, den Drachen   9950
habe ein anderer Mann getötet.
Sieh zu, was du dazu zu sagen hast.«
»Wer sollte das sein?« »Ich kenne ihn gut
und werde ihn herbringen, wenn ich muß.«
»Herrin, es gibt niemanden,   9955
der sich das herausnehmen würde
und mir diese Ehre
durch Betrug meinte rauben zu können.
Wenn er mir die Gelegenheit und das Recht geben will,
werde ich mich und mein Leben   9960
wagen und einsetzen,
wie immer das Hofgericht es entscheiden möge,

hant wider hende,
ê ich den vuoz gewende!«
»diz lobe ich« sprach diu künigîn   9965
»und wil des selbe bürge sîn,
daz ich dich diser rede gewer
und dir'n ze kampfe bringe her
von hiute unz an den dritten tac,
wan ich iezuo enmac,   9970
den selben der den trachen sluoc.«
der künic sprach: »des ist genuoc.«
ouch sprâchen al die herren dô:
»truhsaeze, es ist genuoc alsô.
diz ist ein kurzlîchiu bite.   9975
gâ dar, bestaete den kampf hie mite,
und tuo mîn vrouwe selbe alsam.«
der künec dô von in beiden nam
triuwe unde gewisse gîselschaft,
daz dirre kampf endehaft   9980
des dritten tages waere.
hie mite zergie diz maere.

Mann gegen Mann,
ehe ich zurückstehe!«
Die Königin sagte: »Das lob' ich mir!   9965
Ich will selbst dafür bürgen,
daß ich deiner Aufforderung nachkomme
und ihn dir zum Kampf herbringe
heute in drei Tagen,
denn jetzt kann ich es noch nicht,   9970
den, der den Drachen erschlug.«
Der König sagte: »Das genügt.«
Auch all die Herren meinten:
»Truchseß, das genügt.
Das ist nur ein kurzer Aufschub.   9975
Bestätige jetzt den Kampf,
und unsere Herrin möge es auch tun.«
Der König nahm von beiden dann
Schwur und zuverlässige Bürgschaft,
daß dieser Kampf endgültig   9980
in drei Tagen stattfinden würde.
Damit war die Angelegenheit abgeschlossen.

Reclam –
deutsche Literatur

Text- und Studienausgaben
vom Mittelalter bis heute

Textsammlungen

Reader zur Theorie

Lexika

Einführungen

Interpretationen

Literaturgeschichte

Reclam